Aperçu sur les structures phonologiques des langues négro-africaines

Aperçu sur les structures phonologiques des langues négro-africaines

Deuxième édition

Denis Creissels

ellug

1994

Du même auteur, chez le même éditeur

Unités et catégories grammaticales
Réflexions sur les fondements d'une théorie générale des descriptions grammaticales
1979. 210 pages.

Eléments de grammaire de la langue mandinka
1983. 224 pages. Epuisé.

Description des langues négro-africaines et théorie syntaxique
1991. 468 pages.

Université Stendhal
B.P. 25
38040 Grenoble cedex 9

ISBN 2 902709 85 4

INTRODUCTION

Bien que, dans le détail, cette deuxième édition diffère notablement de la première, l'objectif est toujours celui qui était annoncé dans l'introduction de la première édition : avec *Description des langues négro-africaines et théorie syntaxique* (paru en 1991), cet *Aperçu sur les structures phonologiques des langues négro-africaines* constitue une présentation des structures des langues négro-africaines susceptible d'intéresser à la fois des linguistes africanistes débutants et des linguistes spécialistes d'autres domaines.

L'ambition de cet ouvrage est donc de présenter une information générale, élémentaire mais néanmoins précise, sur des particularités d'organisation phonologique qui caractérisent une proportion importante des langues négro-africaines. Compte tenu de la qualité très inégale des descriptions disponibles, l'exposé s'appuie essentiellement sur des données que j'ai pu contrôler à l'occasion de recherches personnelles ou de directions de mémoires ou de thèses.

Par rapport à la première édition, certaines modifications tiennent à l'utilisation de données dont je ne disposais pas il y a cinq ans et qui m'ont paru mieux illustrer certaines questions, ou apporter des éléments intéressants à leur discussion. D'autres tiennent au fait que, sur certains problèmes, il me semble maintenant opportun de prendre une position plus nette. Sur d'autres points, il me paraît au contraire préférable de nuancer la position adoptée dans la première édition. Des erreurs que j'ai pu détecter depuis ont été corrigées. Il y a aussi des choses sur lesquelles j'avais beaucoup insisté et qui ne me paraissent plus essentielles. Mais la plupart des modifications tiennent à la décision d'essayer de procéder à une mise à jour au plan théorique.

Je reste d'avis que, dans un ouvrage introductif comme celui-ci, il convient d'être très prudent à l'égard des diverses théories qui font actuellement l'objet d'un débat parmi les phonologues. Toutefois, il me semble qu'on dispose maintenant d'un recul suffisant pour dégager des discussions qui ont agité la phonologie dans les années 80 [1] un certain nombre de propositions dont il est certain que, par rapport à une phonologie strictement linéaire du type popularisé par Chomsky et Halle [2], elles permettent des améliorations significatives dans la présentation de nombreuses questions de phonologie. Je me suis donc efforcé, dans cette deuxième édition, de me situer explicitement dans une conception des représentations phonologiques qui intègre ce qui, parmi les propositions des « phonologies nouvelles », me semble pouvoir être d'ores et déjà tenu pour acquis. Ceci veut dire que par contre j'ai laissé de côté (ou bien je n'ai mentionné que de façon occasionnelle) des propositions dont l'intérêt pour l'étude de certaines questions est indiscutable mais qui, par ailleurs, ou bien me semblent se heurter à de sérieuses objections, ou bien tout simplement me paraissent encore insuffisamment élaborées. Je pense ici en particulier à la décomposition des unités phonologiques en éléments : il est certain que cette approche améliore considérablement la présentation de certaines questions, mais dans l'état actuel des choses il ne semble pas possible d'utiliser de façon systématique et cohérente la décomposition des unités phonologiques en éléments comme cadre pour une présentation d'ensemble des particularités phonologiques les plus marquantes des langues négro-africaines. En intégrant ce type de problématique, cet *Aperçu* aurait immanquablement dévié de son objectif pour devenir un essai sur les phonologies nouvelles illustré par des exemples tirés du domaine négro-africain ; un tel ouvrage serait certainement lui aussi intéressant et utile, mais cela aurait supposé dès le départ un projet différent.

1. Pour une présentation générale de ces discussions, on peut se reporter à Jacques Durand, *Generative and Non-Linear Phonology*, Longman, Londres, 1990.
2. Voir Noam Chomsky & Morris Halle, *Sound Pattern of English*, Harper & Row, New York, 1968.

LES REPRÉSENTATIONS PHONOLOGIQUES : MODÈLES TYPOLOGIQUES ET MÉTALANGAGE DESCRIPTIF

La phonologie générative classique avait poussé jusqu'à ses ultimes conséquences une conception strictement linéaire des représentations phonologiques, réduites à de pures séquences de segments définis chacun comme un ensemble non structuré de traits distinctifs. Dans une telle conception de la phonologie, on relève en particulier que les tons sont traités comme traits distinctifs des segments vocaliques au même titre que le degré d'aperture ou la labialisation ; on peut aussi relever l'utilisation d'un trait ± syllabique, faute duquel quantité de problèmes échapperaient entièrement à un tel cadre théorique, mais qui par ailleurs soulève des difficultés considérables, tant du point de vue théorique que dans la pratique de la description des systèmes phonologiques, puisque cela revient à inclure un trait essentiellement contrastif dans l'ensemble des traits distinctifs, qui sont généralement de nature oppositionnelle.

En réalité, relativement peu de descriptions de langues négro-africaines ont utilisé le modèle génératif linéaire sous sa forme la plus stricte. La nécessité de révisions plus ou moins importantes, surtout en ce qui concerne le traitement des tons, est depuis longtemps largement admise, y compris par des auteurs qui ne militent pas nécessairement pour l'une des théories qui ont vu le jour depuis. Par exemple, la notion de ton flottant est très largement utilisée dans la description des systèmes tonals de ces langues ; or cette notion est tout simplement incompatible avec la conception du ton comme trait distinctif caractérisant certaines classes de segments. Donc, même si par ailleurs on n'est pas d'accord avec la façon dont les tenants de la tonologie dite autosegmentale développent leur conception de l'association entre tons et segments, on est forcé de reconnaître que le simple fait d'avoir recours à la notion de ton flottant implique d'accepter l'essentiel de la critique qu'ils adressent aux tenants du modèle génératif classique.

La question n'est donc pas d'argumenter pour ou contre le cadre théorique illustré par *Sound Pattern of English*, mais de retenir, parmi les propositions faites depuis, ce qu'il est raisonnable d'intégrer à une synthèse élémentaire et néanmoins cohérente permettant une mise à jour de la présentation de questions générales de phonologie dont le sort ne soit toutefois pas totalement lié à celui de telle ou telle théorie particulière.

Dans cette perspective, il faut insister sur un aspect des phonologies nouvelles qui constitue une direction de recherche intéressante en soi mais qui impose d'être très prudent lorsqu'on a comme objectif, soit de décrire une langue jusque-là non décrite, soit de présenter de façon aussi large que possible telle ou telle question de phonologie. L'objectif de ces théories est souvent de cerner au plus près la notion de système phonologique possible, leur idéal étant d'aboutir à un ensemble de contraintes prédisant toutes et rien que les organisations phonologiques possibles dans les langues naturelles humaines. A partir de là, il n'y a rien d'anormal à ce que soient proposés, pour tester leur degré d'adéquation aux faits observables dans les langues, des modèles risquant de s'avérer trop restrictifs pour permettre de rendre compte de l'organisation phonologique d'une langue quelconque, et l'existence de contre-exemples aux prédictions de tels modèles ne remet pas en cause leur intérêt théorique. C'est par contre une erreur méthodologique de vouloir voir dans de tels modèles autre chose que ce qu'ils sont, c'est-à-dire des *modèles typologiques* dont les prédictions coïncident avec des fragments plus ou moins importants d'un nombre plus ou moins grand de langues, dont l'intérêt est donc à situer au niveau d'une caractérisation typologique des systèmes phonologiques, mais qui ne doivent être utilisés qu'avec la plus grande prudence lors de l'élaboration de descriptions ou de l'exposé général de questions de phonologie. Un tel objectif exclut en effet le recours à un métalangage descriptif imposant des contraintes sur les représentations phonologiques du même ordre que celles qu'on trouve dans tel ou tel modèle typologique.

C'est pour ces raisons qu'on se limitera ici à une définition des représentations phonologiques qui ne cherche pas à aller au-delà des principes généraux suivants :

— des événements phoniques simultanés ne doivent pas nécessairement être considérés comme éléments d'une même unité phonologique, et il convient au minimum de considérer comme unités phonologiques distinctes les segments (consonnes ou voyelles) et les unités prosodiques (accents ou tons) ;

— les unités phonologiques proprement dites (segments et unités prosodiques) doivent être distinguées de la position dans la chaîne parlée (ou *position squelettale*) à laquelle elles sont *associées* ;

— les positions dans la chaîne parlée ne se définissent pas seulement par leur successivité : à chaque position est affectée une fonction relativement à l'unité de rang supérieur qu'est la syllabe.

La distinction entre les segments proprement dits et leur fonction syllabique autorise en particulier à résoudre de façon très simple les problèmes posés par les « semi-voyelles » en considérant que *i* et *j* sont un même segment, qui est noté *i* ou *j* selon qu'il occupe la fonction syllabique de noyau ou une fonction syllabique non nucléaire, et qu'il en va de même pour *u* et *w*. Cette distinction permet aussi un traitement des « nasales syllabiques », si communes dans les langues négro-africaines, qui évite les contradictions dans lesquelles se débattent la plupart des descripteurs confrontés à ce phénomène.

En ce qui concerne les tons, on ne les considérera pas comme des traits des segments, et on ne posera même pas d'association directe entre tons et segments : lorsqu'il sera question par exemple de « *a* à ton haut », on devra comprendre que le segment *a* et le ton haut sont associés chacun de leur côté à une même position, soit, en figurant par « x » une position squelettale :

```
H
|
x
|
a
```

Une notation comme par exemple *bá* est à comprendre ici comme une simple abréviation (à laquelle on a recours pour des raisons évidentes de commodité) pour une structure dont la figuration exacte nécessiterait un schéma à (au moins) trois dimensions : *bá* figure une séquence de deux positions successives « x x » telle que :

— au plan syllabique, ces deux positions constituent respectivement l'attaque et la rime d'une syllabe :

```
  Σ
 / \
At Ri
|   |
x   x
```

— au plan segmental, à chacune de ces deux positions est associé un segment :

```
x  x
|  |
b  a
```

— au plan tonal, à celle de ces deux positions que domine le nœud « rime » est associé un ton :

```
x   x
    |
    H
```

Un prolongement intéressant de cette façon d'articuler fonctions syllabiques, segments et tons est d'autoriser à considérer qu'une unité phonologique unique (segment ou ton) peut se trouver associée à deux positions successives. Comme nous le verrons, ceci permet de supprimer les apparentes contradictions auxquelles se heurte inévitablement, dans une phonologie strictement linéaire, le traitement de questions aussi diverses que celles concernant la longueur vocalique, la gémination consonantique, les nasales syllabiques, les semi-voyelles, et probablement d'autres encore.

Par contre, il ne sera pas proposé ici d'aller plus loin en exploitant (comme le font les théories qui développent de façon relativement systématique l'approche « autosegmentale ») la conception selon laquelle une unité phonologique unique peut se trouver associée à plusieurs positions non nécessairement contiguës. En effet, si cette conception permet indiscutablement une présentation particulièrement simple et élégante de fragments importants de certaines langues, elle me paraît soulever trop de problèmes pour pouvoir être retenue comme cadre général d'un exposé tel que celui-ci. C'est pour les mêmes raisons qu'on ne cherchera pas ici à prendre systématiquement en compte une analyse des segments différente dans son principe même de la classique décomposition en traits distinctifs[3].

PHONOLOGIE DE SURFACE ET MORPHOPHONOLOGIE

Cet exposé est organisé selon une conception de la description linguistique incluant sous l'intitulé « phonologie » non seulement l'étude de la pertinence des éléments phoniques (ou phonologie de surface), mais aussi l'étude des alternances (ou morphophonologie). L'étude de la pertinence des éléments phoniques, qui aboutit à établir les phonèmes au sens que Martinet par exemple donne à ce terme, et l'étude des relations d'alternances entre phonèmes, qui aboutit à dégager les « formes sous-jacentes » ou « formes structu-

3. Ceci dit, il ne faut pas perdre de vue que le simple fait de dissocier les unités prosodiques des segments et de distinguer les unités phonologiques proprement dites de leur fonction syllabique rend superflu le recours à certains traits distinctifs couramment utilisés en phonologie générative.

relles» des morphèmes, sont conçues comme deux niveaux d'analyse également nécessaires.

L'école bantouiste belge a beaucoup contribué au développement systématique d'une telle conception de la phonologie en linguistique africaine. Sous une forme différente dans le détail, c'est une orientation de ce type qui a marqué beaucoup de travaux américains récents plus ou moins inspirés de la phonologie générative classique. Par contre en France, beaucoup de descriptions de langues africaines ont fortement subi l'influence d'un enseignement de la phonologie qui ne reconnaît pas la nécessité d'une articulation entre phonologie de surface et morphophonologie et qui privilégie la problématique et les procédures d'analyse de la phonologie de surface. Il en résulte un véritable blocage chaque fois qu'il y a à décrire des alternances atteignant un certain degré de complexité, ce qui en particulier est très souvent le cas au niveau tonal. Ainsi, les très graves lacunes (pour ne pas dire plus) que comportent dans ce domaine beaucoup de descriptions sont imputables non seulement à la difficulté intrinsèque que représente le phénomène tonal, mais aussi très souvent à une orientation théorique qui ne fournit pas au descripteur les outils nécessaires pour appréhender les alternances tonales complexes qui caractérisent un nombre important de langues négro-africaines.

En phonologie générative classique, il y a souvent un écart considérable entre les formes de surface et les formes sous-jacentes dont on suppose qu'elles proviennent, et des systèmes complexes de règles ordonnées (règles de *réalisation* ou de *représentation*) sont nécessaires pour relier les deux niveaux. Au vu des discussions récentes, il s'avère que pour une bonne part cela tient à la nature strictement linéaire des représentations de la phonologie générative classique, et que des configurations plus élaborées permettent de réduire l'écart entre formes de surface et formes sous-jacentes et de rendre ainsi inutiles certaines règles. Il est certain que, dans l'état actuel de la théorie phonologique, on doit avoir une attitude critique par rapport à la prolifération des règles de réalisation qui caractérise nécessairement les descriptions ayant recours à des représentations strictement linéaires, dès lors qu'elles se soucient de relier explicitement entre elles formes sous-jacentes et formes de surface. Sans aller jusqu'à prôner une «phonologie sans règles» (qui me paraît constituer un idéal parfaitement utopique, ne pouvant dans la pratique conduire qu'à une régression), on peut proposer comme principe que les hypothèses concernant la nature des représentations phonologiques doivent en particulier être évaluées relativement à la possibilité qu'elles offrent de simplifier la présentation de la relation entre ces deux niveaux.

OBJECTIF ET MÉTHODES DE LA PHONOLOGIE DE SURFACE

La phonologie de surface prend en considération des fragments de parole (unités nominales en citation isolée ou énoncés) délimités par deux pauses, tels qu'ils apparaissent dans une stricte transcription phonétique, pour les analyser sans référence à des données relevant d'autres niveaux (et en particulier, sans tenir compte du découpage des formes analysées en unités minimales entretenant certaines relations syntaxiques). L'objectif est de classer selon le critère de pertinence les éléments phoniques de la chaîne parlée.

Si on développe de façon rigoureuse la distinction entre deux niveaux de l'analyse phonologique, on doit dans un premier temps reconnaître comme pertinent tout élément de la chaîne parlée non prédictible en fonction de l'environnement phonique, c'est-à-dire tout élément phonique qui *d'une manière ou d'une autre* peut intervenir directement dans la procédure de décodage consistant à dégager de la chaîne parlée la séquence d'unités significatives élémentaires qui lui est sous-jacente. C'est seulement dans un deuxième temps qu'il convient de classer les éléments phoniques pertinents en introduisant dans l'analyse des informations supplémentaires.

Il faut être conscient qu'une application stricte de ce principe peut conduire à nuancer des choses que l'on présente souvent de manière excessivement schématique. Ainsi, beaucoup de manuels citent les sons de l'allemand *ç* et *x* comme un exemple typique de sons en distribution complémentaire, qu'il faut analyser comme les deux allophones d'un phonème unique. Or ceci ne va pas de soi, comme le montre la comparaison des trois formes *'bʀaɷxən* brauchen « employer », *'fʀaɷçən* Frauchen « petite femme » et *'bʀɛçən* brechen « briser ». En effet, les deux premières formes, qui diffèrent seulement au niveau de leur consonne initiale, montrent que le choix entre *ç* et *x* ne peut pas être considéré comme déterminé par l'entourage *phonique* immédiat de ces deux sons, et la comparaison avec la troisième forme exclut que la consonne initiale du mot puisse jouer un rôle dans le choix entre *ç* et *x* en position médiane.

N'étant pas prédictible par le contexte phonique, la distinction entre les sons de l'allemand *ç* et *x* est pertinente ; au sens d'une stricte phonologie de surface, on pourrait voir là deux unités différentes et non pas deux variantes d'une même unité. Si on ne le fait pas, c'est que la suite de l'analyse montre que le choix entre *ç* et *x*, bien que non prédictible par le contexte phonique, n'a pas pour autant le même statut que le choix entre *v* et *f* par exemple. En effet, le choix entre *v* et *f* a une valeur *différentielle* [4] au sens où il peut constituer la seule trace de la commutation entre deux unités significatives élémentaires (*faın* « beau » ≠ *vaın* « vin ») ; le choix entre *ç* et *x* par contre ne peut avoir qu'une valeur *démarcative*, c'est-à-dire informer sur la structure interne d'unités complexes : la présence de *ç* dans *'fʀaɷçən* permet de savoir qu'une limite sépare nécessairement *ɷ* de *ç* : *'fʀaɷ-çən*, alors qu'il est impossible que *ɷ* soit immédiatement suivi d'une limite dans *'bʀaɷxən* (qui se segmente grammaticalement comme *'bʀaɷx-ən*). Autrement dit, c'est seulement à partir du moment où on fait entrer en ligne de compte la segmentation grammaticale des mots qu'on peut effectivement parler de distribution complémentaire entre ces deux sons et les ramener à une unité phonologique unique, que l'on peut noter *ç*, soumise à la règle suivante : *ç* immédiatement précédé d'une voyelle non antérieure dont ne le sépare aucune limite est représenté par *x*.

L'analyse qui aboutit à séparer les distinctions phoniques pertinentes au sens le plus large du terme des distinctions phoniques à valeur différentielle (c'est-à-dire susceptibles d'être la seule trace de la commutation entre deux unités significatives élémentaires) a une incidence directe au niveau de la transcription. En effet, s'il est absolument impératif que la transcription tienne compte des distinctions à valeur différentielle, en revanche les distinctions à valeur démarcative n'ont à apparaître explicitement que dans la mesure où les limites dont elles permettent de reconnaître l'existence n'apparaissent pas dans la transcription ; à partir du moment où on a retenu une notation qui enregistre systématiquement certaines limites, on

4. On parle là couramment de fonction « distinctive » des choix phoniques, mais il me semble préférable d'éviter ce terme, car il suggère une relation simple et directe entre la fonction différentielle de certains choix phoniques et la caractérisation des unités phoniques en termes de « traits distinctifs », alors que la reconnaissance des choix phoniques à fonction différentielle n'est que la toute première étape de l'analyse phonologique, qui laisse encore très largement ouverte la question de savoir comment il convient de définir les unités ainsi reconnues pour rendre compte au mieux de l'ensemble de leur comportement phonologique.

peut faire l'économie de l'indication explicite des éléments démarcatifs qui peuvent leur être liés. Par exemple en tswana, chaque fois qu'un mot dont la syllabe finale est haute précède immédiatement un mot commençant par au moins deux syllabes hautes, il se produit automatiquement à la jonction de ces deux mots un abaissement du ton haut, alors que rien d'analogue ne se produit à la limite entre deux formants du même mot; cet abaissement doit bien sûr apparaître dans une stricte transcription phonétique qui ne marque de séparation que là où apparaît effectivement une pause, mais il est inutile de le noter explicitement dans une notation qui fait apparaître systématiquement les limites de mots même si aucune pause ne les concrétise.

La recherche de paires minimales est la procédure la plus évidente pour établir la pertinence des distinctions phoniques et analyser leur statut précis, mais l'application de cette procédure est limitée par les hasards du lexique. Il ne faut donc y voir qu'un cas limite de la méthode consistant à établir l'indépendance distributionnelle des distinctions phoniques en passant systématiquement en revue, étant donné une distinction phonique dont on analyse le statut, tout ce qui serait susceptible de conditionner le choix : si au terme d'un tel examen aucun conditionnement faisant appel à la nature des unités phoniques voisines ou à la présence de limites n'a pu être retenu, la distinction en question doit être reconnue comme ayant une valeur différentielle, même s'il n'en existe aucune preuve directe et immédiate sous forme de paire minimale parfaite.

On oublie souvent que la simple reconnaissance du statut différentiel d'une distinction phonique laisse largement ouverte la question de son interprétation, dont il faut être conscient qu'elle est pour une grande part conditionnée par les hypothèses relatives à la nature des représentations phonologiques : le fait d'utiliser tel ou tel type de représentation peut permettre des interprétations qui dans un autre cadre seraient tout simplement impossibles. En particulier, si dans une phonologie strictement linéaire il n'est guère possible d'enregistrer le statut différentiel d'une distinction phonique autrement qu'en l'érigeant en trait distinctif intervenant dans la définition de certains segments, il n'en va pas de même dans les phonologies non linéaires.

Par exemple en français, la comparaison de *spai* (spahi), *ebai* (ébahi), etc. avec *paj* (paille), *baj* (bail), etc. montre que la distinction entre *i* et *j* a une valeur différentielle. Mais cela ne doit pas nécessairement conduire à reconnaître un phonème *j* distinct de *i* en introduisant par exemple ± syllabique dans l'inventaire des traits distinctifs. En effet, cette observation impose seulement que la distinction entre *i* et *j* soit prise en compte dans les représentations phonologiques, et elle peut fort bien l'être au niveau d'une différence de structure syllabique : des représentations comme les suivantes, qui considèrent que les sons *i* et *j* représentent un unique segment phonologique *i*, ne sont nullement contradictoires avec la reconnaissance du statut différentiel du choix entre *i* et *j*[5] :

```
Σ   Σ    Σ                        Σ
|   / \  |                       / \
Ri At Ri Ri                      At Ri
|   |  |  |                      |  / \
No  | No No                      | No Co
|   |  |  |                      |  |   |
e   b  a  i  (ébahi)             b  a   i  (bail)
```

Dans une description phonologique du français distinguant explicitement les segments proprement dits des fonctions syllabiques qu'ils assument, la reconnaissance du statut différentiel de la distinction entre *i* et *j* doit mener à la conclusion que, dans cette langue, la syllabification de la chaîne parlée n'est pas entièrement prédictible à partir de la seule donnée de la chaîne segmentale ; il ne serait par contre pas correct de conclure à l'existence de deux phonèmes distincts, car à partir du moment où la structure syllabique est prise en compte il est exclu de parler là de commutation.

OBJECTIFS ET MÉTHODES DE LA MORPHOPHONOLOGIE

Dans l'entreprise visant à dégager les structures d'une langue dont on ignore tout au départ, la morphophonologie n'a de sens qu'après une étude de la pertinence des distinctions phoniques selon la démarche qui vient d'être brièvement esquissée. Elle fait intervenir un paramètre supplémentaire : la nature précise des unités significatives qui constituent les énoncés et des limites qui les séparent. Son objectif est de donner de chaque unité significative une représentation (forme sous-jacente, ou forme structurelle) qui enre-

5. Dans ces représentations, Σ, At, Ri, No et Co signifient respectivement « syllabe », « attaque », « rime », « noyau » et « coda ».

gistre le plus simplement possible les informations nécessaires et suffisantes pour déterminer la forme prise par l'unité en question selon les divers contextes où elle peut figurer. Lorsque cela est nécessaire, on peut utiliser des barres verticales pour signaler comme telles les formes phonologiques sous-jacentes.

On peut imaginer une langue idéalement simple où chaque unité significative serait toujours représentée par la même séquence de phonèmes. La morphophonologie peut être définie comme l'étude de tout ce qui, dans la relation entre unités significatives et séquences de phonèmes, s'écarte de cette situation. Elle cherche à rendre compte des relations d'*alternance* entre phonèmes dues au fait qu'une même unité significative peut, selon le contexte, présenter des réalisations variables bien que présentant une certaine similitude phonique, la réalisation d'une unité significative donnée pouvant en outre se trouver plus ou moins *amalgamée* à celle des unités adjacentes.

On a souvent reproché à la morphophonologie d'entretenir une certaine confusion entre la dérivation des formes de surface à partir de formes sous-jacentes et les changements phonétiques qui se sont produits dans l'histoire de la langue. Le risque de confusion entre les formes structurelles d'une morphophonologie synchronique et les proto-formes reconstruites de la linguistique historique est réel, et il est particulièrement grand dans la phonologie générative classique du fait que, dans ce cadre, les formes sous-jacentes présentent la même structure linéaire que des transcriptions phonétiques. Il faut donc veiller à ce que les décisions prises lors d'une analyse morphophonologique soient bien motivées par la nécessité de rendre compte de régularités dans le fonctionnement synchronique de la langue décrite, sans intervention intempestive de considérations sur les processus historiques qui ont pu aboutir à l'état actuel de cette langue.

Il est indéniable que les alternances dont l'étude constitue l'objet de la morphophonologie sont explicables comme la trace de processus phonétiques qui ont opéré au cours de l'histoire de la langue. On peut toutefois montrer, à partir de langues dont l'histoire est connue, que les règles de réalisation d'une morphophonologie synchronique ne s'identifient pas pour autant avec les changements phonétiques dont elles maintiennent le souvenir. Il est bien sûr difficile de montrer ceci de façon tout à fait convaincante à partir d'exemples tirés de langues négro-africaines, puisque les témoignages directs d'états anciens de ces langues sont à peu près inexistants ; c'est pourquoi on s'appuiera sur un exemple tiré du domaine roman.

Dans les parlers occitans de l'Aveyron, plusieurs alternances vocaliques sont conditionnées par le déplacement de l'accent : *a* en position accentuée alterne en position atone avec *ɔ*, et dans les mêmes conditions *ɛ* alterne avec *e*, *wɔ* alterne avec *u* et *ɥɛ* alterne avec *y*. Par exemple :

pu̲rtá	« porter »
pw̲ɔ́rte	« je porte »
pu̲rtɔ́n	« nous portons »
pw̲ɔ́rtu	« ils/elles portent »
pu̲rtábe	« je portais »
pu̲rtɔrjɔ́	« il/elle porterait »

Il est par ailleurs clair dans ces parlers que les semi-voyelles doivent phonologiquement être identifiées aux voyelles, et qu'une séquence comme *wɔ* doit phonologiquement s'interpréter comme une diphtongue, c'est-à-dire comme un noyau syllabique unique associé à deux segments vocaliques successifs. Par ailleurs, le passage de *wɔ* accentué à *u* atone est prédictible (car dans ces parlers on n'a jamais *wɔ* en position atone), tandis qu'on ne peut pas prédire si, du fait d'un déplacement de l'accent, un *u* atone doit alterner en position accentuée avec *wɔ* ou bien rester *u* (car *u* est admis en position accentuée). La solution qui s'impose est donc de considérer que par exemple le lexème dont sont issues les quelques formes verbales citées ci-dessus a pour forme structurelle *pu͡ɔ́rt* et que, une fois appliquées les règles accentuelles susceptibles d'effacer l'accent porté en structure par le lexème au profit d'un suffixe accentuable[6], intervient une règle qui, lorsqu'il n'est pas accentué, simplifie le noyau syllabique complexe *u͡ɔ* par effacement du segment *ɔ* :

6. Comme la plupart des parlers romans, l'occitan a un système accentuel qui peut être décrit en posant que :
(a) chaque lexème comporte dans sa forme sous-jacente un accent dont la place est donnée par le lexique ;
(b) une partie des morphèmes suffixés (et une partie seulement) comportent un accent dans leur forme sous-jacente ;
(c) si du fait de la simple concaténation de morphèmes un mot comporte dans sa représentation structurelle plus d'un accent, seul subsiste celui situé le plus à droite, les autres étant effacés.

```
No → No
/ \     |
u  ɔ    u
```

si et seulement si le noyau syllabique en question n'est pas associé à un accent.

Or du point de vue diachronique, on sait que la diphtongue *u͡ɔ* constitue dans ces parlers une innovation relativement récente, et que l'unique règle de réalisation qui rend compte synchroniquement de l'alternance évoquée ci-dessus a son origine dans deux changements phonétiques successifs ayant affecté ce qui était au départ un **o* :

— dans un premier temps, le *o* non accentué hérité du latin s'est fermé en *u* (l'ancienneté relative de cette innovation étant prouvée par le fait qu'elle est très générale en domaine occitan) ;

— dans un deuxième temps, le *o* accentué hérité du latin s'est diphtongué en *wɔ* (l'extension géographique très limitée de cette innovation constituant une preuve de son caractère relativement récent).

On peut donc retenir de cet exemple que, s'il est légitime de s'interroger sur l'explication diachronique des alternances synchroniquement observables dans une langue, il ne faut pas pour autant confondre le traitement systématique des alternances dans une perspective synchronique avec leur explication diachronique : l'alternance entre *wɔ* et *u* qui vient d'être examinée a son origine dans les évolutions d'un ancien **o*, alors que, dans une analyse synchronique, introduire un morphophonème *o* pour rendre compte de cette alternance ne serait rien d'autre qu'une complication inutile et théoriquement contestable.

Dans la mesure où la question de l'établissement des formes sous-jacentes des unités significatives est rarement discutée dans les ouvrages élémentaires de phonologie (à la différence des procédures de la phonologie distributionnelle), il n'est pas inutile de préciser quelque peu la position adoptée ici à ce sujet.

Un premier principe est que, sauf exception dûment motivée, si une unité ou un fragment d'unité présente la même réalisation quel que soit le contexte, sa représentation structurelle doit être identique à sa représentation phonologique de surface. On ne peut s'écarter de ce principe que lorsque cela est utile pour rendre compte simplement de l'influence exercée par l'unité en question sur son entourage.

C'est ainsi qu'en kpelle, langue qui connaît trois hauteurs tonales distinctives (haut, moyen et bas), il existe cinq types tonals d'unités dissyllabiques : ó ó, ó ò, ō ô, ò ò et ō ō. On remarque tout d'abord que, si ce n'était l'existence du type ō ō, la distribution très restreinte du ton moyen autoriserait à l'analyser comme représentant un ton bas immédiatement suivi d'un ton haut. Or les dissyllabes de type ō ō (et eux seuls) ont la propriété de transformer en ó ò le contour tonal des termes de type ò ò qui leur succèdent immédiatement :

kɔ̄nī « pierre » + *tɔ̀nɔ̀* « un(e) » → *kɔ̄nī tɔ́nɔ̀*

Il est donc justifié de considérer que, bien que ne présentant lui-même aucune alternance tonale, un dissyllabe comme *kɔ̄nī* a un schème tonal structurel « bas suivi de haut » différent de son schème tonal de surface. De façon précise, en posant comme forme sous-jacente *kɔ̀nì́*, on simplifie à la fois l'inventaire des unités phonologiques (puisqu'on peut alors entièrement se passer du ton moyen comme unité phonologique de base) et la formulation de la règle rendant compte de *kɔ̄nī tɔ́nɔ̀*.

Un deuxième principe est que, si un ensemble d'unités commutables entre elles présentent une différence qui n'apparaît que dans certains contextes, il est a priori préférable que la représentation structurelle enregistre cette différence. En effet, il faut s'efforcer de n'avoir recours qu'à des règles dont le conditionnement peut se formuler en termes aussi généraux que possible. Or, une règle introduisant des différences qui n'apparaissent pas dans les formes sous-jacentes implique nécessairement la pure et simple énumération des unités auxquelles elle s'applique.

Par exemple en sosso, tous les lexèmes verbaux ont, selon les contextes, deux réalisations tonales possibles : dans certains contextes les lexèmes verbaux de cette langue présentent uniformément un contour tonal bas, alors que dans d'autres contextes ils se séparent en deux classes caractérisées respectivement par un contour haut et par un contour bas-haut. Il convient de considérer que haut et bas-haut sont dans cette langue les contours tonals de base des lexèmes verbaux, le contour bas étant une variante contextuelle dont l'apparition doit faire l'objet d'une règle qui neutralise la distinction structurelle entre verbes de schème haut et verbes de schème bas-haut.

Un troisième principe est que, si une alternance est telle qu'un élément phonique présent dans certains contextes alterne avec zéro dans d'autres contextes, on a généralement intérêt à enregistrer la présence de cet élément dans la représentation structurelle. En effet, une règle insérant un élément ne figurant pas dans les formes sous-jacentes n'a de sens que si l'insertion d'un élément ainsi que la nature précise de l'élément inséré sont totalement prédictibles d'après le contexte.

Par exemple, de très nombreuses langues connaissent à la finale des lexèmes des alternances comparables à la « liaison » du français : une consonne finale est présente si et seulement si l'unité en question est en contact avec une unité à initiale vocalique à travers une limite qu'on peut qualifier de « faible ». A partir du moment où l'apparition de cette consonne est propre à certains lexèmes, et a fortiori si la nature précise de cette consonne varie selon les lexèmes présentant une telle alternance (ce qui est le cas pour la « liaison » du français), la consonne en question doit d'une manière ou d'une autre figurer en structure et faire l'objet d'une règle ayant pour effet qu'un élément présent en structure puisse ne pas être représenté dans la forme de surface.

Un quatrième principe est que, si un morphème présente selon le contexte des formes plus ou moins amalgamées à une unité adjacente, on a intérêt, lors de l'établissement de sa forme sous-jacente, à tenir compte des formes les moins amalgamées du morphème en question.

Par exemple en sosso, les bases substantivales terminées par une voyelle connaissent, lorsque leur est postposé l'article, un phénomène d'amalgame qui peut être résumé comme suit :
les substantifs à finale *~i* ou *~iː* ont une forme définie se terminant par *~iː*
les substantifs à finale *~e* ou *~eː* ont une forme définie se terminant par *~eː*
les substantifs à finale *~ɛ* ou *~ɛː* ont une forme définie se terminant par *~ɛː*
les substantifs à finale *~a* ont une forme définie se terminant par *~ɛː*
les substantifs à finale *~aː* ont une forme définie se terminant par *~aː*
les substantifs à finale *~u* ou *~uː* ont une forme définie se terminant par *~(w)iː*
les substantifs à finale *~o* ou *~oː* ont une forme définie se terminant par *~(w)eː*
les substantifs à finale *~ɔ* ou *~ɔː* ont une forme définie se terminant par *~(w)ɛː*.
Mais il existe aussi en sosso des substantifs se terminant par une nasale qui devant pause apparaît comme *ŋ*, par exemple *χébéŋ*

« planche », et l'adjonction de l'article donne *χébéŋjí* « la planche », avec une variante *χébéɲɲí*. Il est clair que le plus simple est de poser *jí* comme forme sous-jacente de l'article, ce qui fournit directement une forme possible lorsque le substantif a une terminaison nasale. Une règle (facultative) d'assimilation réciproque rend compte de la variante en *ɲɲ* de la forme définie des substantifs à terminaison nasale. Quant aux substantifs à finale vocalique, leur forme définie peut être prédite en appliquant successivement les règles suivantes :

$$\mathrm{j} \rightarrow \emptyset \,/\, \mathrm{V} \text{ — } \mathrm{i}$$ [7]
$$\mathrm{VV} \rightarrow \mathrm{V} \,/\, \text{— } \mathrm{i} \text{ si } \mathrm{V} \neq \mathrm{a}$$ [8]
$$\mathrm{i} \rightarrow \emptyset \,/\, \mathrm{aa} \text{ —}$$
$$\mathrm{V}_{\mathrm{post}} \rightarrow (\mathrm{w})\, \mathrm{V}_{\mathrm{ant}} \,/\, \text{— } \mathrm{i}$$ [9]
$$\mathrm{a} \rightarrow \varepsilon \,/\, \text{— } \mathrm{i}$$
$$\mathrm{i} \rightarrow \mathrm{V} \,/\, \mathrm{V} \text{ —}$$ [10]

De manière générale, le choix des représentations structurelles doit tenir compte de ses implications quant aux règles décrivant leur relation avec les formes de surface correspondantes. Ainsi, il faut s'efforcer de faire en sorte que des alternances semblables tant du point de vue phonétique que du point de vue de leur conditionnement soient traitées par les mêmes règles ou le même type de règles, et il faut éviter au maximum de poser des règles dont le conditionnement nécessite une information lexicale (c'est-à-dire pour lesquelles on doit énumérer les unités auxquelles la règle s'applique ou ne s'applique pas). L'idéal est de n'avoir que des règles dont le conditionnement, outre une certaine configuration phonologique, inclut tout au plus une information syntaxique sur la nature des limites entre les unités concernées.

L'argument de simplicité est primordial : parmi plusieurs solutions possibles, seules méritent d'être discutées celles qui mettent

7. Au plan syllabique, cette règle signifie que l'article cesse de constituer une syllabe à part, et que *i* est intégré à la rime de la syllabe finale du substantif.

8. Au plan syllabique, la signification de cette règle ainsi que de la suivante est de supprimer une position squelettale pour tenir compte du fait qu'en sosso, la rime d'une syllabe peut comporter au maximum deux positions.

9. Cette règle signifie qu'une voyelle postérieure se décompose en deux éléments : *u* et la voyelle antérieure de même degré d'aperture ; le *u* qui apparaît ainsi peut se rattacher à l'attaque de la syllabe (d'où la notation *w*), sinon il est effacé.

10. Cette règle, qui fait systématiquement apparaître des voyelles longues à la finale de la forme définie des noms, est motivée par le fait que le sosso n'admet pas que la rime d'une syllabe soit constituée par une séquence de deux segments vocaliques différents.

en jeu des règles aussi peu nombreuses que possible et dont le champ d'application est le plus large possible. Et une solution qui permet de réduire l'inventaire des unités phonologiques de base est a priori préférable à une solution qui nécessite un inventaire plus important.

Il faut par contre n'avoir recours qu'avec beaucoup de prudence à l'argument de naturalité phonétique des règles de réalisation. Toutes choses égales par ailleurs, il est certes permis de préférer une solution n'impliquant que des règles correspondant à des processus phonétiques effectivement attestés dans l'évolution des langues. Mais, une fois qu'une alternance entre deux phonèmes s'est instaurée dans une langue, les deux phonèmes concernés peuvent changer de réalisation phonétique tout en conservant leur relation d'alternance ; la cohérence phonétique originelle de la relation d'alternance peut ainsi disparaître. Par ailleurs (cf. l'exemple occitan donné ci-dessus) une alternance se résumant synchroniquement à une règle unique peut être le résultat de plusieurs changements historiques successifs, ce qui signifie que l'unique règle qui résume l'alternance dans une description synchronique ne reflète que de manière indirecte les processus phonétiques qui se sont effectivement produits dans l'histoire de la langue. Autrement dit, privilégier la naturalité phonétique des règles de réalisation ne peut que faire tomber dans la confusion entre la description systématique des alternances et la reconstitution des processus historiques dont elles constituent la trace.

Dans une analyse morphophonologique, il ne faut pas perdre de vue que tout est conditionné par les hypothèses de segmentations que l'on a faites au début de l'analyse, et que donc, lorsque la segmentation n'est pas tout à fait évidente, il peut s'avérer utile de réviser ces hypothèses.

Ainsi en tswana, la comparaison de *kɪ̀rɛ́ká* « j'achète » / *kɪ̀rékɪ́lé* « j'ai acheté » avec *kɪ̀ɟá* « je mange » / *kɪ̀ɟɪ́lé* « j'ai mangé » suggère à première vue de découper *kɪ̀ɟɪ́lé* « j'ai mangé » comme *kɪ̀-ɟ-ɪ́lé*, c'est-à-dire de reconnaître dans cette forme un lexème *~ɟ~* suivi d'une variante *~ɪ́lé* de la terminaison du parfait (cette terminaison étant isolable comme *~ɪ́lé* dans *kɪ̀-rék-ɪ́lé* « j'ai acheté »). Mais des données complémentaires (qu'il serait trop long de détailler ici) imposent de rejeter cette hypothèse de segmentation et de considérer que le lexème « manger » a en tswana pour forme sous-jacente *ɟɪ́*, c'est-à-dire que *kɪ̀ɟɪ́lé* « j'ai mangé » doit être segmenté comme *kɪ̀-ɟɪ́-lé*.

Il faut aussi, dans l'analyse morphophonologique, se méfier de la tendance à baser l'analyse sur la forme de mots émis en isolation : les mots émis en isolation perdent souvent des distinctions phoniques qui se manifestent dans d'autres contextes. Par exemple en tswana, émis en isolation, l'infinitif positif disjoint *χῶbɛ́rɛ́kà* « travailler » et l'infinitif négatif disjoint *χῶsàbéréki̇̀* « ne pas travailler » présentent également un ton bas sur la syllabe finale précédé d'un ton haut sur les deux syllabes précédentes. Par contre, à l'intérieur d'un énoncé, les mêmes formes diffèrent par leur contour tonal : *χῶbɛ́rɛ́ká χώsìámì* « C'est bien de travailler » / *χῶsàbérékì χώmàswɛ́* « C'est mal de ne pas travailler ». Il faut donc reconnaître aux finales de ces deux formes des tonalités structurelles différentes. La neutralisation s'explique par une règle qui, en tswana, substitue automatiquement un ton bas à tout ton haut appartenant à une syllabe qui précède immédiatement une pause et succède immédiatement à une autre syllabe à ton haut (ó ó # → ó ò #, ou si on préfère : ó → ò / ó — #).

Il faut aussi tenir compte du fait que, souvent, la forme de citation des lexèmes inclut nécessairement certains morphèmes dont la présence peut avoir pour effet d'effacer des distinctions qu'il est indispensable d'enregistrer dans la forme structurelle des lexèmes. Par exemple en mandinka, les lexèmes « corde » et « commerçant » ont exactement la même forme de citation : *ɟùlôː*, mais les lexèmes correspondants ont pour formes structurelles respectives *ɟùlu* et *ɟùla*, comme le montre par exemple la forme qu'ils prennent dans d'autres contextes : *ɟùlú fùlà* « deux cordes » / *ɟùlá fùlà* « deux commerçants ». L'homonymie des formes de citation s'explique par le fait qu'en mandinka, on ne peut citer en isolation un substantif qu'en le faisant suivre de l'article, dont la forme structurelle est *ò* : cet article s'amalgame à la syllabe finale des substantifs à finale vocalique, provoquant des neutralisations.

Jusqu'ici ont été énumérés un certain nombre de principes qui, même s'ils sont rarement explicités de manière nette, font l'objet d'un assez large consensus parmi les linguistes s'occupant de morphophonologie. Parmi les points litigieux autres que ceux tenant à la nature même des représentations phonologiques (ce point a déjà été débattu ci-dessus), il faut essentiellement préciser la position adoptée ici en ce qui concerne le recours à des unités phonologiques sous-jacentes ne correspondant directement à aucune unité de surface de la langue considérée.

Il est certain qu'en s'autorisant sans plus de précision à avoir recours à des morphophonèmes n'ayant jamais de représentation directe, on retombe rapidement dans la confusion entre description systématique des alternances et reconstitution des évolutions historiques dont elles constituent la trace. Mais inversement, on peut se demander s'il est bien raisonnable de s'interdire totalement d'introduire des unités phonologiques sous-jacentes n'ayant pas de correspondant direct dans l'inventaire des unités phonologiques de surface. En effet, si on accepte de développer systématiquement l'idée que les formes structurelles ont comme objectif de résumer le plus économiquement possible les informations sur les formes que peut prendre une unité significative selon les contextes où elle figure, il est difficile de refuser de prendre en considération des unités phonologiques sous-jacentes qui diffèrent des unités de surface par l'absence de certaines spécifications. Il est par exemple courant qu'un morphème affixé présente une voyelle dont certaines caractéristiques sont systématiquement identiques à celles d'une voyelle du lexème auquel ce lexème s'affixe, et le traitement le plus simple qu'on puisse en donner consiste à faire figurer dans la forme sous-jacente d'un tel affixe une voyelle sous-spécifiée, c'est-à-dire une voyelle dont seules certaines caractéristiques sont fixées, les autres devant être introduites par une règle.

On s'en tiendra donc ici à la position selon laquelle peuvent figurer dans l'inventaire des unités dont sont constituées les formes sous-jacentes, ou bien des unités appartenant à l'inventaire des phonèmes tel qu'il a été établi au niveau phonologique de surface, ou bien des unités qui ne diffèrent des phonèmes de surface que par l'absence de spécification de certains traits.

Par ailleurs, on ne cherchera pas ici à prendre position sur l'éventualité de contraintes à imposer aux règles faisant passer des formes sous-jacentes aux formes de surface. Cette question n'aurait en effet de sens qu'en liaison avec une position précise à propos des contraintes à imposer aux représentations phonologiques, ce qui fait retomber sur un problème déjà évoqué ci-dessus. Il est certain qu'une théorie qui accepte a priori n'importe quelle règle de réalisation pourvu qu'elle prédise correctement les réalisations n'a guère de pouvoir explicatif. Mais il ne faut pas perdre de vue que, s'agissant de langues aussi mal connues que les langues négro-africaines, le premier objectif du linguiste doit être une présentation systématique de données aussi exhaustives que possibles. Il serait certes naïf de penser qu'on puisse à ce stade de la description d'une langue éviter toute prise de position théorique, mais on peut tout de même admettre qu'il y a un danger à aborder l'étude de langues peu décrites en se situant d'emblée dans le cadre de théories qui imposent des contraintes très fortes sur les représentations phonologiques ainsi que sur les règles reliant le niveau structurel au niveau de surface, car on risque alors d'être inconsciemment conduit à ne prendre en considération que les données compatibles avec l'option théorique préalablement choisie.

On ne propose pas non plus ici de position rigide en ce qui concerne la subdivision de l'ensemble des règles de réalisation en cycles successifs, chaque cycle opérant dans les limites d'unités d'un certain rang (par exemple : base lexicale, mot, constituant de phrase, phrase) et le cycle de règles concernant les unités d'un rang donné intervenant après celui concernant les unités de rang immédiatement inférieur. Les choses sont en effet manifestement très différentes d'une langue à l'autre, et il ne serait pas raisonnable de vouloir proposer ici un inventaire universellement valable d'unités intermédiaires entre le morphème et la phrase déterminant la répartition des règles de réalisation en cycles successifs. Dans beaucoup de langues, il semble suffisant de distinguer entre les processus opérant dans les limites du mot et ceux opérant à la limite entre mots se succédant dans la phrase, mais souvent aussi, le modèle qui prévoit une seule unité de rang intermédiaire entre le mot et la phrase se trouve mis en défaut : dans bien des langues, les limites d'unités ont, quant à leur relative perméabilité aux divers processus morphophonologiques, des propriétés beaucoup trop différenciées pour se laisser réduire à un cadre aussi simple. D'un point de vue strictement descriptif, on peut dans un premier temps se borner à poser comme principe que, dans une description phonologique formalisée, les représentations sous-jacentes doivent préciser sous forme de symboles démarcatifs différenciés, dont l'introduction est fonction de la structure syntaxique de la phrase, l'information nécessaire et suffisante pour définir le champ d'application de chaque règle.

LA TRANSCRIPTION PHONÉTIQUE DES LANGUES NÉGRO-AFRICAINES

En dehors de l'étude approfondie de points particuliers de phonétique, qui peut nécessiter l'utilisation de transcriptions très précises, la description d'une langue doit avoir pour base un type de transcription des énoncés que, pour éviter toute ambiguïté due à la variabilité des acceptions du terme de phonologique, on peut désigner comme « transcription phonétique large ». A la différence de transcriptions plus abstraites qui intègrent plus ou moins les résultats d'une analyse morphophonologique, la transcription phonétique large note ce qui est effectivement réalisé. Mais à la différence de la transcription phonétique étroite, elle s'autorise à ne retenir de ce qui est réalisé que ce qui est pertinent dans la langue considérée, et à négliger des éléments à valeur démarcative dont l'indication peut être jugée comme superflue à partir du moment où certaines limites d'unités apparaissent systématiquement dans la transcription.

S'agissant de langues peu décrites, il faut insister sur le danger qu'il y a à introduire prématurément des transcriptions basées sur des interprétations phonologiques susceptibles d'être remises en question lors d'un examen approfondi des faits : en cas de doute, une transcription enregistrant des distinctions dont la pertinence n'est pas démontrée de façon définitive est préférable à une transcription qui élimine un peu trop vite de telles distinctions.

Dans les chapitres intitulés « Les systèmes vocaliques » et « Les systèmes consonantiques », qui sont consacrés à une présentation succincte des distinctions phoniques selon lesquelles se structurent les inventaires vocaliques et consonantiques des langues négro-africaines, les symboles les plus couramment utilisés pour la transcription de ces langues sont passés en revue. Cette présentation est entièrement basée sur le système de transcription API, ce qui correspond pour l'essentiel à la pratique de la plupart des linguistes africanistes. Il faut seulement signaler que beaucoup de travaux en linguistique africaine continuent à utiliser des systèmes de transcription qui s'écartent du système API en ce qui concerne la notation des palatales :

— *j*, représentant dans le système API l'approximante palatale, est souvent utilisé pour la plosive palatale voisée (API : *ɟ*) ;

— *y*, représentant dans le système API la voyelle antérieure fermée labialisée, est souvent utilisé pour l'approximante palatale (API : *j*) ;

— *ny* est souvent utilisé pour la nasale palatale voisée (API : *ɲ*).[11]

Dans la mesure où beaucoup de langues africaines ont été dotées à date récente d'une orthographe pratique à base d'alphabet latin censée refléter directement le phonétisme de ces langues, on pourrait à première vue se demander s'il est bien utile d'utiliser systématiquement en tant que linguiste un système de transcription différent de la notation orthographique des langues qu'on décrit. Le problème est d'abord qu'une orthographe pratique, dans la mesure où elle fonctionne réellement comme instrument de la communication écrite, tend à transcender la diversité des usages et à évoluer vers une standardisation dont le résultat est que l'image orthographique des énoncés, même si elle respecte fondamentalement le principe phonétique, peut ne correspondre exactement à aucun usage réel au niveau oral. Mais surtout, il s'avère que la plupart des orthographes pratiques en vigueur dans le domaine négro-africain, basées sur des analyses phonologiques la plupart du temps très sommaires et souvent même franchement erronées, négligent totalement ou (ce qui est encore pire) enregistrent de façon incohérente certaines distinctions phoniques : les distinctions tonales ne sont presque jamais indiquées ; la longueur vocalique est le plus souvent négligée ou notée de façon inexacte ; la notation de la nasalité vocalique aussi laisse très souvent à désirer, ainsi que certaines distinctions de timbre vocalique, etc.

Donc du point de vue méthodologique, un linguiste travaillant en domaine négro-africain a tout intérêt à séparer de façon stricte la notation pratique de la langue telle que les locuteurs peuvent l'utiliser pour la communication écrite et la notation linguistique utilisée dans le cadre de la description de la langue. Le recours systématique aux conventions de l'API pour la notation linguistique d'une langue, outre qu'il facilite la communication entre linguistes travaillant sur des langues différentes, favorise le maintien d'une telle distinction. En voulant à tout prix concilier les deux points de vue (par exemple en utilisant dans la description d'une langue une notation orthographique plus ou moins « bricolée »), on ne peut que s'exposer à des erreurs d'analyse plus ou moins graves.

11. Pour une revue systématique des symboles disponibles pour la notation des langues les plus diverses, on pourra se reporter par exemple à J.M.C. Thomas, L. Bouquiaux & F. Cloarec-Heiss, *Initiation à la phonétique*, PUF, Paris, 1976.

1

STRUCTURES SYLLABIQUES

Les évolutions récentes de la théorie phonologique se caractérisent en particulier par la prise en considération de la syllabe comme cadre nécessaire pour la discussion de quantité de problèmes de phonologie (à commencer par l'identification des phonèmes, la notion de commutation n'ayant de sens que relativement à une hypothèse sur la fonction syllabique des segments que l'on fait commuter). La phonologie dite métrique s'intéresse aux phénomènes phonologiques dont l'explication nécessite de prendre en considération le regroupement de syllabes en unités de rang supérieur.

Les phonologues admettent maintenant couramment la nécessité d'expliciter les hypothèses concernant les structures syllabiques, qui jusque-là restaient souvent implicites. Il est indéniable que cela permet de poser en termes plus clairs de nombreuses questions où régnait précédemment une certaine confusion, et de résoudre des contradictions apparentes dans l'analyse de certains problèmes.

Dans ce chapitre, après des considérations générales sur les types syllabiques attestés dans les langues négro-africaines, nous examinerons quelques questions qui se posent fréquemment lors de la description de langues négro-africaines et qui gagnent à être abordées dans le cadre d'une théorie de la syllabe.

SYLLABES OUVERTES ET SYLLABES FERMÉES

Il est généralement admis qu'une syllabe s'analyse en deux constituants immédiats, « attaque » et « rime », la rime s'analysant à son tour en « noyau » et « coda ». Seul le constituant « noyau » est nécessairement non vide, ce qui donne, abstraction faite d'une éventuelle complexification de ces constituants, les possibilités théoriques suivantes :

```
    Σ                 Σ              Σ          Σ
   / \                |             / \         |
 At   Ri              Ri          At  Ri        Ri
 |   / \             / \          |    |        |
 |  No Co           NoCo          |   No        No
 |   |   |           |  |         |    |        |
 x   x   x           x  x         x    x        x
```

Comparées aux langues parlées dans d'autres régions du monde, les langues négro-africaines se remarquent par les restrictions généralement très fortes qu'elles imposent quant aux possibilités d'admettre des consonnes en position de coda.

Une proportion importante de langues négro-africaines ignorent totalement les syllabes fermées ou ne les connaissent que de façon marginale[1]. Et dans les langues admettant des syllabes fermées, l'inventaire des segments susceptibles de figurer en position de coda avec une valeur distinctive est souvent très réduit par rapport à celui attesté en position d'attaque. Le cas extrême, attesté par exemple par le sosso ou le mandinka, est celui où des syllabes fermées sont admises, mais sans aucune possibilité de choix quant au segment occupant la fonction de coda : ce segment apparaît en finale absolue comme une nasale vélaire, tandis qu'en position interne il s'agit d'une nasale dont le point d'articulation dépend de l'attaque de la syllabe suivante. Dans un tel système, la présence même d'un segment en position de coda est pertinente (cf. par exemple *kátá* « essayer » / *kántá* « garder »), mais le segment occupant cette position ne se prête à aucune commutation (en sosso aucune consonne autre que *n* ne saurait précéder immédiatement un *t*).

Sans aller jusqu'à ce cas extrême, il est assez fréquent que l'inventaire des segments admis en position de coda comporte exclusivement des non-obstruantes (semi-voyelles, nasales, « liquides »). Selon les cas on retrouve dans cette position la totalité des non-obstruantes attestées en position d'attaque dans la langue en ques-

1. Dans la discussion sur les structures syllabiques admises par une langue, il faut souvent mettre à part les unités couramment désignées comme « adverbes idéophoniques », ou « adverbes expressifs », qui souvent se distinguent des autres classes d'unités par des caractéristiques phonologiques exceptionnelles, notamment en ce qui concerne leur structure syllabique. Cette restriction sera implicite dans tout ce qui suit.

tion, ou seulement une partie. Les langues sara illustrent généralement la situation dans laquelle l'ensemble des consonnes admises en position de coda coïncide avec l'ensemble des non-obstruantes.

Une autre situation attestée par un nombre important de langues est celle où l'inventaire des segments admis en position de coda admet à la fois des obstruantes et des non-obstruantes, mais avec une neutralisation de la distinction de voisement. Lorsque c'est le cas, les obstruantes en finale absolue (c'est-à-dire devant pause) sont réalisées non voisées[2]. Le wolof, qui connaît ce type de situation, a en finale absolue des réalisations non explosées pour *p, c* et *k*[3].

Des groupements consonantiques en position de coda ne sont que très rarement signalés dans des langues africaines. Les transcriptions courantes du wolof suggèrent de reconnaître des séquences NC ainsi que des occlusives non voisées « doubles » en position finale (par exemple dans des mots tels que *lɛkk* « manger »); toutefois à l'audition, on perçoit souvent (mais de façon plus ou moins nette selon les locuteurs) un segment vocalique leur succédant, et il est au moins permis de se demander s'il ne conviendrait pas plutôt de reconnaître là une forme phonologique *lɛkkɐ* avec une possibilité de réduction du *ɐ* final, ce qui nous renvoie à une question qui sera discutée plus loin.

Enfin, on doit remarquer que dans les langues qui admettent des syllabes fermées, si le choix de la coda d'une syllabe en position non finale est souvent limité par la nature de l'attaque de la syllabe suivante, il peut aussi arriver que l'inventaire des segments susceptibles de figurer en position de coda avec une valeur distinctive comporte pour les syllabes en position non finale à l'intérieur d'un lexème des segments non attestés pour les syllabes en finale absolue. Par exemple en zarma, abstraction faite des adverbes idéophoniques, qui attestent *p, t, s* et *k* en finale absolue, la coda d'une syllabe fermée en finale absolue ne peut être qu'une non-obstruante : *j* (*kój* « chef »), *w* (*háw* « vache »), *r* (*fàr* « labourer »), *l* (*ɟáŋgàl* « impôt »), *m* (*hâm* « viande »), *n* (*tǔn* « se lever ») ou *ŋ* (*cǎŋ*

2. Ce qui n'exclut pas que l'analyse morphophonologique puisse conduire à interpréter une partie de ces non-voisées (et même la totalité, pour certaines langues) comme issues de consonnes structurelles voisées.

3. Il est curieux de remarquer que, par contre, le *t* wolof est explosé en finale; ceci est peut-être à mettre en relation avec un comportement morphophonologique particulier des plosives alvéolaires : à la différence des autres plosives, le *t* final du wolof n'alterne pas avec la voisée correspondante *d*.

« souris »). Mais d'autres consonnes sont attestées à la coda de syllabes en position interne d'unités. Il faut distinguer le cas où la coda est différente de l'attaque de la syllabe suivante et celui où on a une géminée. Le premier cas peut ête illustré par *kǒptò* « feuille », *làbtándá* « courge » [4]. Le deuxième cas peut être illustré par *ɟíppò* « sauter », *bóttó* « castrer », *bókkò* « goître », *díbbà* « queue », *wáddè* « camarade », *hàggôj* « surveiller », *háɟɟì* « pèlerinage à La Mecque », *tǎmmà* « espérer », *hánná* « passer la nuit », *bǎɲɲè* « esclave », *kǒŋŋò* « captive », *dùllú* « fumée », *fàrré* « caïlcédrat », *íjjè* « sept ». Il est intéressant de remarquer que, dans un nombre important de lexèmes, la géminée est en variation libre avec une séquence de deux consonnes différentes, ce qui suggère que les géminées doivent au moins dans une partie des cas s'expliquer par un processus opérant sur ce qui, au départ, devait être une séquence de deux consonnes différentes : *fórtú* ~ *fóttú* « être amer », *jàrdá* ~ *jàddá* « accepter ».

La question de la gémination consonantique va être reprise au paragraphe suivant, où sera proposée une représentation des géminées directement inspirée de telles observations.

LA GÉMINATION CONSONANTIQUE

Les consonnes « fortes » ou « longues » qu'attestent certaines langues en position initiale ou finale posent de difficiles problèmes d'interprétation, sur lesquels on ne se risquera pas ici à faire de suggestion. Il s'agit toutefois d'un phénomène rare en domaine négro-africain. Beaucoup plus courant est le cas où de telles réalisations consonantiques apparaissent exclusivement en position interne entre deux voyelles, et alors on parle généralement de gémination, ce qui implique de raisonner en termes de statut syllabique des réalisations en question.

Un certain nombre de langues africaines connaissent des consonnes géminées, et la gémination consonantique peut être différentielle, comme par exemple en zarma où on relève des paires comme les suivantes : *bìní* « convoiter » / *bínní* « souhaiter du mal », *bókò* « malheur » / *bókkò* « goître », *bòró* « personne » / *bórrò* « lisière », *fátá* « aile » / *fáttá* « sortir ».

4. On remarque que ce terme ne respecte même pas la tendance très générale à harmoniser selon le trait ± voisé deux obstruantes se succédant immédiatement.

Dans le cadre d'une phonologie linéaire, il a parfois été proposé de traiter les géminées d'une manière analogue à celle dont sont souvent traitées les voyelles longues, c'est-à-dire en considérant les géminées comme segments phonologiques uniques caractérisés par un trait « + long » dont la pertinence découlerait, en zarma par exemple, de rapprochements comme les précédents. Il est toutefois évident que ce traitement va à l'encontre du fait que les géminées sont traversées par la coupe syllabique, ce qui explique que même les phonologues travaillant dans un cadre strictement linéaire ne l'ont pas souvent retenu, préférant généralement voir dans les géminées des séquences de deux segments identiques. Mais, dans une phonologie qui dissocie les segments des fonctions syllabiques qu'ils assument, une troisième solution est envisageable, et c'est elle qui sera proposée ici. On peut en effet dans ce cadre représenter les géminées comme segments uniques associés à deux positions successives et assumant ainsi simultanément la fonction de coda dans une syllabe et la fonction d'attaque dans la syllabe suivante ; par exemple, le substantif zarma *kǒŋŋò* « captive » peut être représenté comme suit[5] :

```
    Σ           Σ
   / \         / \
At    Ri     At   Ri
|    / \     |    |
|  No   Co   |    No
|  |    |    |    |
x  x    x    x    x
|  |     \  /     |
k  o      ŋ       o
```

Dans cette perspective, on expliquera un cas de variation comme en zarma *fórtú ~ fóttú* « être amer » en disant que le segment associé à la position attaque d'une syllabe étend son association à la position coda de la syllabe précédente au détriment du segment qui lui était préalablement associé :

5. Cette représentation fait provisoirement abstraction des tons. Nous verrons en effet un peu plus loin qu'il est commode de modifier quelque peu la représentation pour rendre compte d'une relation entre structure syllabique et tons qui existe en particulier en zarma ; toutefois, cette rectification ne remettra pas en cause l'analyse des géminées présentée ici.

```
  Σ         Σ                    Σ          Σ
 / \       / \                  / \        / \
At  Ri    At  Ri              At    Ri    At  Ri
|   /\    |   |               |     /\    |   |
|  No Co  |   No              |   No  Co  |   No
|   |  |  |   |               |   |   |   |   |
x   x  x  x   x      →        x   x   x   x   x
|   |  |  |   |               |   |    \ /    |
f   o  r  t   u               f   o     t     u
```

Dans une langue connaissant la gémination consonantique, il peut arriver que certains phonèmes consonantiques aient deux allophones différents dont la distribution met en jeu le phénomène de gémination. C'est le cas en soninké d'une consonne uvulaire qui se réalise *q* lorsqu'elle est ou bien géminée, ou bien en contact immédiat avec une nasale, tandis que dans les autres contextes elle apparaît comme *χ* ou *ʁ*. Il est fréquent aussi que l'inventaire des consonnes géminées présente des lacunes par rapport à celui des consonnes simples, et alors il n'est pas rare que dans l'optique morphophonologique on soit conduit à analyser les géminées comme issues de processus impliquant la modification de certaines consonnes lorsqu'elles prennent le statut de géminées.

Un cas particulièrement banal est celui où l'analyse morphophonologique conduit à analyser des plosives géminées comme issues de consonnes sous-jacentes qui, en l'absence de processus morphologiques conduisant à l'apparition d'une gémination, seraient représentées par des fricatives. Par exemple en wolof, *p* et *f* s'opposent en position initiale ou intervocalique, tandis que seul *p* est attesté sous forme géminée. Les couples *c/s* et *d/r* appellent la même remarque. Or, par ailleurs, un certain nombre de verbes constitués d'une unique syllabe fermée ont une forme réversive caractérisée généralement par l'adjonction d'un *-i* et la gémination de la consonne finale (à quoi s'ajoute dans certains cas une modification de la voyelle lexématique), et on observe des alternances comme les suivantes :

rɔːf	« enfoncer »	*rɔppi*	« extraire »
sɨf	« charger »	*sippi*	« décharger »
ɲɔːr	« enfiler »	*ɲɔddi*	« désenfiler »
fɐs	« nouer »	*fɛcci*	« dénouer »

LES DIPHTONGUES

On peut définir les diphtongues comme séquences de deux segments vocaliques différents (ou d'une voyelle et d'une « semi-voyelle ») qui, dans une langue donnée, selon des critères qui dans le détail sont à évaluer compte tenu de l'ensemble du fonctionnement de cette langue, peuvent être considérées globalement comme fonctionnellement équivalentes à un segment vocalique unique. Dans une phonologie prenant en compte la structuration syllabique, une diphtongue peut être représentée comme un noyau syllabique regroupant deux positions squelettales successives associées chacune à un segment vocalique différent :

```
 No
 / \
x   x
|   |
V1  V2
```

Ceci veut dire que, lorsqu'on se situe dans un tel cadre :

— Si on observe des séquences perçues phonétiquement comme constituées de deux segments vocaliques en contact immédiat, il faut chercher dans le fonctionnement de la langue des arguments pour décider s'il faut considérer qu'on a affaire à la configuration ci-dessus, ou s'il convient plutôt de considérer ces deux segments vocaliques comme les noyaux de deux syllabes successives, l'attaque de la deuxième syllabe étant vide.

— Si on observe à l'intérieur d'une syllabe des séquences perçues phonétiquement comme constituées d'une semi-voyelle suivie d'une voyelle, il faut chercher dans le fonctionnement de la langue des arguments pour décider s'il faut considérer que la semi-voyelle représente un segment vocalique occupant la position V_1 dans la configuration ci-dessus, ou s'il convient plutôt de considérer qu'elle constitue (ou qu'elle appartient à) l'attaque de la syllabe.

— Si on observe à l'intérieur d'une syllabe des séquences perçues phonétiquement comme constituées d'une voyelle suivie d'une semi-voyelle, il faut en principe chercher de même dans le fonctionnement de la langue des arguments pour décider s'il faut considérer que la semi-voyelle représente un segment vocalique occupant la position V_2 dans la configuration ci-dessus, ou s'il convient plutôt de considérer qu'elle constitue la coda de la syllabe ; nous verrons toutefois un peu plus loin que, dans certaines langues, on peut mettre en question l'analyse des rimes syllabiques en « noyau » et « coda » : lorsque c'est le cas, il n'y a pas à préciser plus le statut d'une semi-voyelle succédant à une voyelle appartenant à la même syllabe, puisqu'il suffit alors de dire qu'on a une séquence de deux segments vocaliques associés aux deux positions successives d'une rime syllabique « branchante ».

LA LONGUEUR VOCALIQUE

Les voyelles longues doivent tout d'abord être distinguées des séquences de deux voyelles identiques constituant les noyaux de deux syllabes successives dont la deuxième a une attaque vide. Ce dernier cas peut être illustré, en français, par un terme comme *ʀeedyke* « rééduquer ». En prononciation lente, de telles séquences sont généralement perçues différentes des véritables voyelles longues : la coupe syllabique tend alors à se concrétiser dans la prononciation, au point qu'à la limite une occlusion glottale ou une semi-voyelle peut apparaître comme attaque de la deuxième syllabe (et il n'est pas exclu que ce phénomène se généralise : par exemple, certains francophones ont tendance à insérer un *j* dans les séquences *ee*). Mais en débit rapide, surtout dans une langue avec laquelle on n'est pas familier, on peut facilement confondre ces séquences avec des voyelles longues.

Dans certaines langues, aucune différence de longueur vocalique n'est perceptible. Dans d'autres, il peut exister des différences de longueur non pertinentes, au conditionnement divers. Ainsi en tswana et dans d'autres langues bantoues d'Afrique australe, toute voyelle constituant le noyau de l'avant-dernière syllabe avant une pause est réalisée automatiquement très longue. Mais il est fréquent aussi dans les langues négro-africaines que les distinctions de longueur vocalique aient un statut différentiel.

Les voyelles longues sont transcrites par un ou deux points succédant à la voyelle. Par exemple dans les parlers malinké de l'Ouest du Mali : *màlû* « la honte » / *mà:lû* « le riz ». L'usage du tiret horizontal surmontant la voyelle est à proscrire pour les langues tonales, où ce même diacritique peut servir à indiquer un ton moyen.

La convention consistant à noter les voyelles longues par un redoublement de la voyelle ne soulève généralement pas de difficulté dans les orthographes pratiques, mais dans une notation linguistique, cette convention peut poser des problèmes, car elle introduit une confusion entre la notation des voyelles longues et la notation de deux noyaux syllabiques segmentalement identiques se succédant sans être séparés par une consonne en fonction d'attaque. Avant de retenir une telle convention, il faut s'assurer que les structures syllabiques de la langue considérée excluent toute possibilité d'ambiguïté, ou bien introduire un symbole spécial pour indiquer une attaque syllabique vide.

En ce qui concerne la longueur vocalique, la phonologie linéaire se trouve face à l'alternative suivante : ou bien la longueur est considérée comme un trait constitutif de certains segments, ou bien les voyelles longues sont considérées comme représentant des séquences sous-jacentes de deux segments vocaliques identiques. Mais si on choisit cette deuxième solution, on assimile purement et simplement les voyelles longues à des séquences de deux noyaux syllabiques distincts, ce qui ne va pas sans poser des problèmes, tant au niveau théorique que dans la pratique de la description des langues [6]. Par contre, dans une phonologie qui distingue les segments des fonctions syllabiques qu'ils assument, l'analyse des voyelles longues comme segments uniques associés à deux positions successives dans une syllabe à noyau «branchant» (c'est-à-dire dans une syllabe dont le constituant «noyau» englobe deux positions squelettales) permet d'échapper à cette alternative, et de concilier l'idée qu'une longue vaut deux brèves avec la nécessité de ne pas assimiler purement et simplement les longues à des séquences de deux brèves. Dans cette optique, une notation comme *aː* par exemple doit être considérée comme résumant la configuration phonologique suivante :

```
   No
  / \
  x  x
  \ /
   a
```

Cette hypothèse permet en particulier de rendre compte de façon simple et non contradictoire de relations entre longueur et timbre,

6. On peut par exemple évoquer le cas du hongrois : dans cette langue, de nombreux mécanismes morphologiques incitent à interpréter d'une manière ou d'une autre les voyelles longues comme équivalentes à deux brèves, mais par ailleurs on ne peut pas négliger la nécessité de distinguer entre un *e* long, réalisé *eː*, et une séquence de deux *e*, réalisée *ɛɛ*.

ou entre longueur et nasalité, qu'il est impossible de traiter tant qu'on cherche à réduire les représentations phonologiques à de pures concaténations de segments.

Si on accepte ceci, il n'y a plus lieu d'envisager un trait ± long dans la définition des phonèmes vocaliques, puisque c'est au niveau de la structure syllabique et non pas à celui des segments que l'on rend compte de la pertinence d'éventuelles distinctions de longueur vocalique.

Cette hypothèse n'est pas contradictoire avec le fait que dans pas mal de langues il n'y a pas correspondance exacte entre brèves et longues : il suffit en effet d'admettre qu'un segment phonologique donné peut ne pas avoir exactement la même réalisation selon qu'il est associé à une position squelettale unique ou à deux positions successives (ce qui peut aussi se produire, comme cela a été évoqué ci-dessus, dans le cas des consonnes géminées), et éventuellement aussi que certains segments phonologiques puissent n'exister qu'associés à deux positions successives. Il n'y a là rien qui contredise les principes généralement admis de l'analyse phonologique.

Mais en linguistique africaine, la longueur vocalique ne pose pas seulement des problèmes d'ordre théorique : il y a aussi de gros problèmes au niveau de la qualité de la documentation disponible sur cet aspect du phonétisme des langues. Les indications sur la longueur vocalique que l'on peut trouver dans les descriptions doivent être prises avec beaucoup de prudence. Sans parler de travaux qui négligent totalement une distinction pertinente de longueur vocalique ou qui la notent de façon fantaisiste, une erreur fréquente, y compris dans des descriptions qui sont par ailleurs d'excellente qualité, est de mal indiquer les longueurs dans les unités monosyllabiques ainsi qu'à la finale des unités comportant deux syllabes ou plus. Voici à titre d'exemple quelques phrases tirées de la description du sosso par M. Houis[7] (colonne A) avec en regard (colonne B) ce que je considère comme la transcription correcte de ces phrases :

A	B	
a ná a xa bɔ́xì bífè	*à nàː à χáː bɔ́χǐː bíːfê*	« il est en train de sarcler sa terre »
í xa tãgá yí kìrá ma	*í χá tàŋgá jí kìráː má*	« tu devrais éviter ce chemin »

7. Maurice Houis, *Étude descriptive de la langue susu*, Mémoires de l'IFAN n° 67, IFAN, Dakar, 1963.

a ná a xa kùrɛ́ yáìlã̀fè	*à nàː à χáː kùrɛ́ː jáːjìláŋfè*	« il est en train d'apprêter sa bicyclette »
a wámà yí tófè	*à wáːmà jí tóːfê*	« il veut voir celui-ci »
a ná tě̌fè túgí kɔ̌̃nà	*à nàː tèːfêː túgíː kɔ̌̃nnà*	« il est en train de monter au palmier »
í námà fá bé kɔ̀rɛ́	*í námà fáː béː kɔ̀rɛ̀*	« ne viens plus ici désormais »
ń fáxì bé màtódè nɛ́	*ŋ́ fáːχì béː màtóːdèː nɛ̀*	« je suis venu ici vérifier »
a fámà a kìrá ítòdé	*à fáːmà à kìráː jìtóːdè*	« il viendra guetter son arrivée »

Il y a essentiellement deux raisons à ces erreurs fréquentes concernant l'identification de la longueur vocalique.

Tout d'abord, dans les langues négro-africaines qui ont une distinction pertinente de longueur vocalique, cette distinction est souvent neutralisée pour les voyelles précédant immédiatement une pause : dans beaucoup de langues où la longueur vocalique est par ailleurs pertinente, toutes les voyelles précédant immédiatement une pause sont prononcées brèves. Lorsque c'est le cas, des distinctions de longueur éventuellement présentes en finale d'unités disparaissent lorsque ces unités sont citées en isolation ou figurent en fin de phrase, et ne réapparaissent que lorsqu'on les fait figurer dans des phrases en position non finale. Par exemple en zarma, le morphème aspectuel *gá* et le lexème verbal signifiant « venir » apparaissent également avec une voyelle brève dans la phrase *bòrò kúlù gá kà* « tout le monde viendra », mais l'adjonction d'un complément (par exemple *bòrò kúlù gá kàː fû* « tout le monde viendra à la maison ») permet de vérifier que la première de ces deux unités comporte bien structurellement une voyelle brève, alors que le lexème signifiant « venir » comporte structurellement une voyelle longue, sa réalisation dans la première phrase s'expliquant par une neutralisation de la distinction de longueur en position pré-pausale.

Ceci explique que beaucoup de descriptions de langues (on peut citer entre autres le sosso, le soninké, le zarma) ne mentionnent l'existence de voyelles longues que dans les syllabes non finales de formes comportant au moins deux syllabes, alors qu'en réalité des distinctions de longueur sont possibles en finale aussi (mais ne deviennent effectives que lorsque les unités concernées ne précèdent pas immédiatement une pause). En fait, lorsqu'on reprend avec l'aide d'informateurs les données sur la longueur vocalique telles qu'elles figurent dans beaucoup de descriptions, on mesure à quel point est banale en linguistique africaine l'erreur méthodologique consistant à effectuer l'analyse du système phonologique en se limitant à observer des unités citées en isolation, et à noter les phrases non pas dans une véritable transcription phonétique mais au moyen d'une représentation (souvent fort éloignée de la réalité) dans laquelle les unités constitutives de la phrase sont notées telles qu'elles apparaîtraient si on les extrayait de la phrase pour les prononcer en isolation.

L'autre raison pour laquelle bien des descripteurs notent imparfaitement les faits de longueur est que, dans un grand nombre de langues où la distinction entre syllabes légères et syllabes lourdes existe, les lexèmes [8] monosyllabiques sont nécessairement constitués d'une syllabe lourde. Dans de telles langues, un lexème monosyllabique peut se présenter sous les formes CVː ou éventuellement CVC (si la langue en question admet des syllabes fermées), mais jamais sous la forme CV. C'est le cas notamment en sosso, en soninké, en zarma, dans certains parlers sara (notamment en bédjonde) [9]. Dans ces langues, des unités monosyllabiques constituées d'une syllabe légère existent, mais exclusivement en dehors de la classe des lexèmes nominaux et des lexèmes verbaux. Confrontés à de telles données, bien des descripteurs concluent, sur la base d'une interprétation très contestable du concept de pertinence, que la longueur des voyelles de monosyllabes n'a pas à être notée. Or, à partir du moment où il existe au moins quelques monosyllabes constitués d'une syllabe CV parmi les unités non lexématiques (ce qui est le cas de toutes les langues où de tels phénomènes ont été notés), il est clair que la longueur vocalique dans les unités monosyllabiques ne peut pas être prédite en termes purement phonologiques et doit donc figurer explicitement (d'une manière ou d'une autre) dans les représentations phonologiques sous-jacentes. Par exemple en sosso, où tous les lexèmes monosyllabiques au sens strict du terme sont nécessairement constitués d'une syllabe lourde, le morphème à valeur injonctive *χá* présente toujours une voyelle brève alors que le connec-

8. « Lexème » est pris ici au sens précis d'unité apte à fonctionner (telle quelle ou sous forme dérivée) comme base d'un constituant nominal ou d'une forme verbale.

9. Il est intéressant de remarquer que, à côté de langues où il est absolument impossible de trouver des lexèmes monosyllabiques constitués d'une syllabe légère, il y a quantité de langues où de tels lexèmes sont attestés, mais seulement de façon statistiquement marginale. On peut citer les parlers mandingues occidentaux, ou encore le mbay. Il s'agit donc là d'une tendance assez générale.

tif génitival *χá:* présente toujours une voyelle longue. Même si syntaxiquement parlant ces deux morphèmes ne peuvent pas véritablement commuter, des rapprochements comme *à χá: kùrɛ̀: tòŋgò* « prends sa bicyclette » / *à χá kùrɛ́: tòŋgò* « qu'il prenne la bicyclette » suffisent à interdire de considérer comme phonologiquement prédictible la longueur vocalique des unités monosyllabiques.

SYLLABES À RIME LÉGÈRE ET SYLLABES À RIME LOURDE : LA NOTION DE MORE

Il est bien connu que la formulation des règles d'accentuation de nombreuses langues (le latin est un cas typique) nécessite de prendre en considération la répartition des syllabes en deux catégories, souvent désignées des termes de « syllabes lourdes » et « syllabes légères » : la première catégorie réunit les syllabes fermées et les syllabes ouvertes dont le noyau est une voyelle longue (ou une diphtongue), la deuxième catégorie se limite aux syllabes ouvertes ayant pour noyau une voyelle brève. L'attaque n'intervenant en rien dans la détermination du « poids » syllabique, pour être tout à fait précis il serait plus exact de parler de syllabes à rime légère et syllabes à rime lourde.

Dans les langues négro-africaines aussi, la formulation de régularités phonologiques demande souvent de considérer que les syllabes fermées aussi bien que les syllabes ouvertes ayant pour noyau une voyelle longue « comptent double » par rapport aux syllabes ouvertes ayant pour noyau une voyelle brève. Dans bien des langues la distinction entre syllabes ouvertes et syllabes fermées semble finalement de peu d'intérêt pour la description phonologique, alors que la distinction entre syllabes à rime légère et syllabes à rime lourde est pour ces mêmes langues cruciale.

La décomposition de la rime en noyau et coda s'impose pour rendre compte des langues (telles que par exemple le wolof, le peul) où la possibilité de choix entre voyelle brève et voyelle longue est totalement indépendante de la présence ou de l'absence d'une coda. Par contre, dans les langues où les voyelles longues sont incompatibles avec la présence d'une coda (ce qui est un cas fréquent), cette décomposition oblige à formuler a posteriori une restriction dont on pourrait rendre compte immédiatement en laissant tomber les notions de noyau et coda et en ramenant à une configuration identique la totalité des syllabes lourdes de telles langues, qui dans cette optique diffèrent seulement par la nature des segments associés aux positions squelettales dominées par le nœud « rime » :

```
   Σ            Σ             Σ
  / \          / \           / \
 At  Ri       At   Ri       At  Ri
 |   /\       |   / \       |  /\
 x  x x       x  x   x      x  x  x
 |  \/        |  |   |      |  |  |
 C   V        C  V1  V2     C  V  C
```

En outre, dans les langues tonales connaissant plusieurs types de rime syllabique et présentant par ailleurs à la fois des tons ponctuels et des tons modulés, il est fréquent que les syllabes légères présentent exclusivement des tons ponctuels, alors que les syllabes lourdes peuvent présenter des tons modulés aussi bien que des tons ponctuels. On peut citer entre autres les parlers mandingues occidentaux, le sosso, le zarma, les langues sara [10]. Dans toutes les langues qui viennent d'être citées, il existe trois types de rime syllabique :

— rime constituée d'une voyelle brève,
— rime constituée d'une voyelle longue (éventuellement aussi d'une diphtongue),
— rime constituée d'une séquence voyelle + consonne (ou voyelle + semi-voyelle),

le premier type et lui seul étant incompatible avec les tons modulés. On remarque en particulier l'absence de syllabes fermées à voyelle longue. Pour rendre compte de cette distribution des tons ponctuels et modulés, on peut se passer de la distinction entre syllabes ouvertes et syllabes fermées : seul compte le nombre de positions successives englobées par le constituant « rime », et non pas le fait qu'il soit ou non décomposable en « noyau » et « coda ». Il est très important de remarquer aussi que dans celles de ces langues qui admettent en position de coda des plosives non voisées (c'est-à-dire

10. Les descriptions qui reconnaissent cette régularité sont toutefois rares, car il s'agit généralement de langues où la longueur vocalique donne lieu à des neutralisations qui sont à l'origine d'erreurs d'analyse chez la plupart des auteurs : une analyse correcte des faits de longueur aboutit souvent à la conclusion que les syllabes ouvertes à voyelle brève et à ton modulé signalées par tel ou tel auteur sont en réalité des syllabes à voyelle longue. Il faut aussi tenir compte d'éventuelles erreurs dans l'identification des faits de nasalité : en identifiant comme une voyelle nasale ce qui est en réalité une séquence VN on identifie comme ouverte une syllabe qui est en réalité fermée, ce qui peut empêcher de découvrir des régularités relatives au poids syllabique.

des segments qui *phonétiquement* ne sauraient être le support direct de distinctions tonales), les syllabes fermées ayant pour coda une plosive non voisée attestent elles aussi des tons modulés : ceci interdit de simplement décomposer la modulation en deux tons ponctuels successifs qui seraient directement associés aux deux segments successifs d'une telle rime. Par exemple, si dans une description phonologique linéaire du zarma on peut juger à la rigueur possible de considérer que *hâm* « viande » doit être décomposé phonologiquement comme *hám̀*, en revanche on aurait du mal à accepter que le terme zarma *kǒptò* « feuille » s'analyse phonologiquement comme *kòṕtò*.

Pour résumer le plus simplement possible dans de telles langues les types syllabiques possibles et leur relation au ton, il est nécessaire et suffisant de poser qu'une rime syllabique peut englober une position unique (rimes légères) ou deux positions successives (rimes lourdes) et que l'unité d'association des tons n'est pas le noyau syllabique mais la *more* : la notion de more, couramment utilisée en accentologie, peut être reprise dans le cadre esquissé ici en lui donnant la définition précise de *position squelettale dominée par le nœud « rime »*. C'est à cette notion que l'on peut avoir recours chaque fois qu'on a à rendre compte de distributions ou processus phonologiques faisant intervenir de façon essentielle le poids syllabique.

Par exemple en zarma, selon cette analyse, *hâm* « viande » et *lâ:* « gombo » sont également constitués d'une syllabe dont la rime comporte deux mores, la première associée au ton haut, la deuxième au ton bas. En utilisant les symboles < et o pour figurer respectivement une position squelettale dominée par le nœud « attaque » et une position dans la chaîne dominée par le nœud « rime »[11], on peut proposer la représentation suivante :

```
    H  B        H  B
    |  |        |  |
 <  o  o     <  o  o
 |  |  |     |  \ /
 h  a  m     l   a
```

11. L'usage s'est établi d'utiliser le symbole x pour figurer une quelconque position dans la chaîne ; en utilisant comme cela est proposé < et o, on peut dans les cas simples alléger la représentation en évitant d'avoir à expliciter l'arbre de constituants qui rend compte de la structure de la syllabe. Cette figuration simplifiée de la structure syllabique a par ailleurs l'avantage de permettre de figurer l'association des tons aux positions dans la chaîne sans avoir à introduire explicitement une troisième dimension dans le schéma.

On peut faire remarquer qu'ici encore, la prise en compte de la structuration syllabique autorise une analyse qui n'a aucun équivalent dans une phonologie strictement linéaire : dans une phonologie linéaire, on peut analyser une voyelle longue porteuse de modulation tonale comme séquence de deux voyelles brèves associées à des tons ponctuels de valeur opposée, par contre il est difficile d'étendre cette analyse à des rimes lourdes constituées d'une séquence VC, surtout lorsque C est une non-voisée. Mais la difficulté disparaît si on pose que les tons sont structurellement associés, non pas directement aux segments, mais aux positions squelettales dominées par le nœud « rime », indépendamment du fait que ces positions soient elles-mêmes associées par ailleurs à des segments vocaliques ou consonantiques. On aura ainsi la représentation suivante d'un mot zarma tel que *kǒptò* « feuille » :

```
    B  H     B
    |  |     |
 <  o  o  <  o
 |  |  |  |  |
 k  o  p  t  o
```

LE CONSTITUANT ATTAQUE ET LE PROBLEME POSÉ PAR L'EXISTENCE D'ATTAQUES SYLLABIQUES NC

Dans le cas banal, une attaque syllabique est constituée d'un segment consonantique simple. L'inventaire des segments consonantiques pouvant figurer en fonction d'attaque syllabique est souvent différent selon que la syllabe est en position initiale d'unité ou en position interne d'unité. La question se pose alors de savoir s'il convient de reconnaître pour certains phonèmes consonantiques deux allophones différents, ou si on a affaire à des phonèmes différents mais dont certains ont une distribution lacunaire. Le premier cas peut être illustré par le mbay, où *d* apparaît exclusivement à l'initiale d'unités tandis que *r* est exclu de cette position, ce qui autorise à voir là deux allophones du même phonème. Le deuxième cas peut être illustré par le malinké de Kita, où *g* et *k* sont opposables à l'attaque de syllabes en position initiale (*gé* « être/devenir blanc » / *ké* « faire »), tandis qu'à l'attaque de syllabes en position interne d'unités, seul *g* est attesté, que la syllabe précédente soit de type CV (*tógó* « nom ») ou de type CVN (*kóŋgó* « faim »).

Il est particulièrement fréquent de relever à l'attaque de syllabes en position interne des inventaires réduits qui peuvent s'expliquer, soit par des interactions avec la coda de la syllabe précédente (si celle-ci est une syllabe fermée), soit, si la syllabe précédente est une syllabe ouverte, par une tendance assez générale à l'affaiblissement des consonnes en position intervocalique. Mais il arrive aussi que des consonnes dont le statut phonématique est par ailleurs indiscutable soient rares ou même totalement absentes à l'initiale absolue. Ainsi en zarma, seuls quelques rares termes d'emprunt commencent par *r* ; mais par ailleurs, en position intervocalique, *r* est opposable à toutes les autres consonnes du zarma, c'est-à-dire que, à la différence du cas du mbay évoqué ci-dessus, il n'y a aucune distribution complémentaire qui permettrait d'analyser le *r* zarma comme la forme prise en position intervocalique par un phonème consonantique qui aurait en position initiale une autre réalisation.

Certaines langues n'acceptent pas (ou n'acceptent que de façon limitée) qu'une attaque syllabique puisse être vide, d'autres acceptent cette situation sans restriction particulière. Par exemple, dans la forme verbale tswana *χàώàíàɔ́pέlέlá* « tu ne la leur as pas chantée (la chanson – *píná*, aux Européens – *màqhώá*) », on a six voyelles successives qui constituent autant de noyaux syllabiques mais que ne sépare les unes des autres aucun segment consonantique ; dans *χàáàáàáχέlá* « ils ne les leur ont pas construites (les jeunes gens – *màkáú*, les maisons – *màtɬὼ*, pour les Européens – *màqhώá*) » c'est la même chose, à ceci près que les syllabes à attaque vide qui se succèdent ainsi ont toutes la même voyelle pour noyau. Dans ces exemples, les voyelles successives appartiennent à des morphèmes différents, mais on relève aussi dans le lexique tswana des séquences vocaliques nombreuses et variées que ne traverse aucune limite de morphèmes (*lὼsíá* « bébé », *péώ* « graine », *swèú* « blanc », *lìqhώá* « Européen », etc.). Dans le cas du tswana, la comparaison avec les autres langues bantoues permet d'établir que ces syllabes à attaque vide résultent la plupart du temps de la disparition d'une ancienne vélaire (probablement **ɣ*), ce qui explique d'ailleurs le comportement des syllabes à attaque vide dans certains mécanismes d'alternance (cette question sera reprise en détail dans un chapitre ultérieur).

La reconnaissance et l'analyse des attaques syllabiques complexes est un point délicat dans la description de nombreuses langues. Le problème se pose chaque fois qu'on relève des attaques syllabiques phonétiquement décomposables comme la succession de deux segments qui sont tous deux attestés par ailleurs comme constituant à eux seuls des attaques de syllabes. Lorsque tel est le cas, il faut être bien conscient qu'a priori, on peut tout aussi bien envisager de voir là plusieurs segments phonématiques successifs ou un segment phonématique unique. Les deux approches permettent également une description cohérente et qui ne contredit aucun des principes fondamentaux de la phonologie. Dans la description d'une langue, leur intérêt respectif doit essentiellement être évalué en termes d'économie.

On se borne généralement à dire que l'analyse des attaques syllabiques complexes comme séquences de phonèmes consonantiques a l'avantage de simplifier l'inventaire des phonèmes mais complique la présentation des types syllabiques, alors que la reconnaissance des attaques complexes comme segments phonématiques uniques complique l'inventaire des phonèmes mais permet une présentation plus simple des types syllabiques. En réalité, il est permis de juger que ce n'est pas là le plus important, et qu'avant d'opérer un tel choix il convient surtout d'évaluer ses incidences sur l'analyse morphologique. En particulier, lorsque dans une langue un type donné d'attaque complexe est susceptible d'être traversé par une frontière morphologique (c'est-à-dire lorsque la décomposition de l'attaque complexe débouche dans certains cas au moins sur la possibilité de reconnaître la première partie de l'attaque complexe comme un préfixe), il est clair que le refus de décomposer phonologiquement l'attaque complexe oblige à compliquer la description morphologique en traitant en termes d'alternances entre phonèmes ce qui autrement pourrait être décrit beaucoup plus simplement en termes d'adjonction d'un préfixe.

La question se pose très souvent pour l'analyse de séquences homorganiques NC. Beaucoup de langues africaines admettent en position initiale des séquences homorganiques NC dans lesquelles N n'est pas syllabique, et qui doivent donc être reconnues comme constituant une attaque syllabique. Dans certaines de ces langues, il existe en outre des arguments pour considérer que les séquences NC en position interne ne sont pas traversées par une coupe syllabique et constituent elles aussi des attaques syllabiques complexes. Par exemple les langues sara attestent des séquences NC à l'initiale aussi bien qu'en position interne d'unités, et beaucoup de lexèmes de ces langues se présentent segmentalement comme CVNCV, mais on n'observe jamais de modulations tonales sur la première syllabe. Or si le segment N était à reconnaître comme la coda de la première syllabe, on devrait s'attendre à ce que dans certains cas au moins apparaissent des modulations tonales, puisque dans ces langues les syllabes lourdes admettent des modulations tonales. Donc, la reconnaissance d'un découpage syllabique CV.NCV explique une restriction aux schèmes de tonalité possibles qui autrement n'aurait aucune explication.

Les attaques syllabiques de type NC posent un problème général dans la mesure où elles violent le principe selon lequel, dans une attaque syllabique complexe, le premier segment ne doit pas être plus sonore que le deuxième. Par ailleurs en domaine négro-africain, les attaques syllabiques NC sont attestées dans de nombreuses langues ignorant tout autre type d'attaque syllabique complexe (on peut ici encore mentionner les langues sara). Ces deux facteurs ont contribué à ce que, pour une bonne part de la linguistique africaniste (française en particulier), l'analyse monophonématique des séquences homorganiques NC est devenue une sorte de dogme conduisant à des analyses qui pour certaines langues sont en contradiction flagrante avec toutes les observations que l'on peut faire sur le comportement des séquences NC[12].

Donc, beaucoup de descriptions de langues négro-africaines reconnaissent une ou plusieurs séries de phonèmes consonantiques dont la définition comporte le trait « + prénasalisé » sans vraiment poser la question de savoir si cette solution est réellement avantageuse pour une description d'ensemble de la langue considérée, alors qu'en l'absence d'autres arguments l'analyse des séquences NC comme mettant en jeu deux phonèmes successifs a au moins l'avantage de coller à la réalité phonétique tout en simplifiant l'inventaire des phonèmes.

En outre, l'application du principe général énoncé ci-dessus doit conduire à rejeter l'analyse monophonématique des séquences NC comme génératrice de complications inutiles dans les langues où, au moins pour certains mots, il est possible d'isoler l'élément nasal des séquences NC comme représentant un préfixe. Ainsi en wolof, à côté de *mbej* « culture » on a *bej* « cultiver » ; si on considère *mb*

12. Par exemple, Tersis reconnaît en zarma un ordre de prénasalisées alors même que les séquences NC apparaissent dans cette langue exclusivement en position interne et que la première syllabe de lexèmes CVNCV présente toutes les propriétés (tonales en particulier) qui caractérisent dans cette langue les syllabes lourdes.

comme un segment phonologique unique (qu'il faudrait d'ailleurs noter *m͡b* pour éviter toute ambiguïté), on n'a plus le droit de poser la segmentation *m-bej* et on est donc obligé de traiter en termes d'« alternance » entre phonèmes appartenant à des séries différentes un mécanisme morphologique qu'autrement on pourrait simplement décrire comme l'adjonction d'un segment *m* (représentant un préfixe) à un lexème dont l'initiale est *b*.

STRUCTURE SYLLABIQUE DES UNITÉS SIGNIFICATIVES ÉLÉMENTAIRES

C'est surtout à propos des unités significatives élémentaires appartenant à des classes numériquement importantes (lexèmes substantivaux élémentaires et lexèmes verbaux élémentaires) que cela a un sens de chercher à opérer des généralisations concernant la structure syllabique. Il y a généralement, sur ce point précis, des différences importantes entre lexèmes substantivaux et lexèmes verbaux : dans les langues négro-africaines, il n'est pas rare que la totalité des lexèmes verbaux se répartissent pour leur structure syllabique en un petit nombre de types alors qu'une beaucoup plus grande variété s'observe pour les lexèmes substantivaux, pour lesquels on peut seulement parler de prédominance statistique de certains types. L'explication est que, dans l'évolution d'une langue, l'ensemble des lexèmes substantivaux élémentaires intègre à tout moment des composés nominaux figés, phénomène qui est beaucoup plus limité dans le domaine verbal [13] ; il en résulte d'ailleurs que, si la limite entre lexèmes élémentaires et lexèmes complexes est généralement nette dans le domaine verbal, dans le domaine nominal par contre il n'est jamais facile de faire le tri entre lexèmes élémentaires et lexèmes complexes.

En domaine négro-africain, certaines langues ont une très forte prédominance statistique de lexèmes élémentaires dissyllabiques, les lexèmes monosyllabiques étant en nombre très limité. C'est par exemple le cas dans la plupart des parlers mandingues. Dans

13. Il arrive que des langues développent des composés équivalents à des bases verbales en intégrant à la base verbale un complément en valeur générique (ainsi en bambara *da-mìnɛ* « bord-saisir », c'est-à-dire « commencer »), mais ce phénomène est propre à certaines langues à certains moments de leur évolution, alors que le processus d'apparition et de figement de composés nominaux est absolument universel.

d'autres langues, on a au contraire une proportion relativement forte de lexèmes monosyllabiques. En particulier, dans un certain nombre de langues appartenant aux familles kwa et Benue-Congo, la très grande majorité des lexèmes verbaux élémentaires sont monosyllabiques. Les données comparatives permettent très souvent de montrer que les langues où une forte proportion des lexèmes élémentaires sont monosyllabiques ont abouti à cette situation du fait de processus de contraction d'anciens lexèmes dissyllabiques.

En liaison avec ceci on peut observer que, dans les langues où la distinction entre syllabes légères et syllabes lourdes est pertinente, souvent les lexèmes monosyllabiques sont pour la plupart constitués d'une syllabe lourde alors que les lexèmes dissyllabiques sont pour la plupart constitués d'une séquence de deux syllabes légères. Les langues sara illustrent à divers degrés cette tendance.

La tendance à éviter les lexèmes constitués d'une unique syllabe légère est dans beaucoup de langues particulièrement forte. Par exemple en mandinka, cinq lexèmes verbaux seulement sont constitués d'une unique syllabe légère, et aucun lexème substantival ne présente cette structure. Dans certaines langues (par exemple le zarma, le sosso, le bédjonde) tous les monosyllabes ayant le statut de lexème substantival ou de lexème verbal sont sans exception constitués d'une syllabe lourde.

Dans les lexèmes comportant plus d'une syllabe, les différents types de syllabes que connaît une langue peuvent être diversement attestés selon la position de la syllabe. Ainsi en soninké, la syllabe finale de lexèmes polysyllabiques est nécessairement une syllabe légère, alors qu'en position initiale ou interne dans un lexème polysyllabique on peut trouver des syllabes lourdes : syllabes ouvertes à voyelle longue (*fù:gú* « fleurir ») ou syllabes fermées avec, en position de coda, ou bien une nasale homorganique de la plosive qui constitue l'attaque de la syllabe suivante (*sàmbá* « apporter un cadeau », *tàmpí* « être fatigué »), ou bien un segment identique à l'attaque de la syllabe suivante, ce qui donne une consonne géminée (*sáppé* « sel », *tàmmé* « lance »).

RELATIONS ENTRE LA STRUCTURE SYLLABIQUE DES UNITÉS SIGNIFICATIVES ET LEUR SCHÈME TONAL

Dans la description de langues tonales, il est souvent utile de s'interroger sur la relation qu'il peut y avoir entre la répartition des lexèmes en types syllabiques et leur répartition en types tonals. Ceci va être illustré par la présentation d'une relation entre structure syllabique et tonalité dans les parlers mandingues occidentaux.

Il faut tout d'abord préciser que les parlers mandingues occidentaux font partie des langues où la prise en compte de la distinction entre rimes syllabiques lourdes (Vː ou VN) et rimes syllabiques légères (V) et l'analyse des rimes lourdes comme constituées de deux mores permettent de rendre compte simplement du fait que seules les syllabes lourdes peuvent présenter des modulations tonales.

Ceci étant établi, on peut aborder l'étude de la tonalité des lexèmes de ces parlers à partir de l'observation de la réalisation de lexèmes substantivaux fonctionnant sans aucune adjonction comme constituants nominaux (ce qui implique une valeur de générique, comme par exemple dans *mùsù mán nàː* /femme/nég./venir/ « aucune femme n'est venue », où figure en fonction de sujet un constituant nominal ne comportant rien de plus que le lexème signifiant « femme »). Dans un tel contexte, l'immense majorité des lexèmes substantivaux présentent :
— ou bien un schème tonal haut de la première à la dernière more,
— ou bien un schème tonal globalement ascendant qui, dans une partie des cas, laisse la place à un schème tonal entièrement bas dès lors que le lexème substantival ne précède pas immédiatement un mot à ton initial bas.

C'est à ce deuxième groupe de lexèmes que nous nous intéressons ici. Les lexèmes comportant de une à trois syllabes dont le schème tonal global est de type bas-haut avec éventuellement une variante entièrement basse se répartissent en un nombre limité de sous-types qu'illustrent les exemples suivants :

sǔː ~ sùː « cheval »
dɔ̌ŋ ~ dɔ̀ŋ « danse »
mùsú ~ mùsù « femme »
màːlú « riz »
tùmbú « ver »
sàmàtá « chaussure »
tùbàːbú « Européen »
sàːhúná « savon »
ɲàŋgúmá « chat »

Ces exemples permettent de constater que, à partir du moment où on prend en considération les types syllabiques, on peut considérer que tous ces substantifs appartiennent en réalité à un même type tonal, et l'hypothèse d'un unique ton bas structurel associé à la première more (les mores suivantes n'étant structurellement associées à aucun élément tonal) suffit à en rendre compte. En effet, il est possible à partir de là de prédire les contours tonals observés ci-dessus en appliquant successivement des *règles d'assignation tonale* comme les suivantes[14] :

— si la première syllabe est une syllabe légère et que cette syllabe est associée à un ton bas, le ton bas est copié sur la première more de la deuxième syllabe, à condition que cette more ne soit pas elle-même immédiatement suivie d'une more associée à un ton bas ;

— si la première more d'une syllabe est associée à un ton bas, ce ton bas étend son association à la deuxième more, à condition que cette more ne soit pas elle-même immédiatement suivie d'une more associée à un ton bas ;

— les mores non affectées d'un ton bas au terme de l'application des lois précédentes reçoivent un ton haut.

PROBLÈMES POSÉS PAR LES VOYELLES RÉDUITES

Dans la transcription de certaines langues, on se heurte au problème de la notation de voyelles particulièrement brèves, dont le timbre est souvent difficile à déterminer. La plupart du temps, ces voyelles réduites alternent à la fois avec des réalisations vocaliques perçues comme normales et avec l'absence totale de segment vocalique (ce qui permet de parler là de « voyelles instables »). En général cette variation est essentiellement une question de rapidité du débit, et il est de ce fait très difficile de la cerner, mais il arrive aussi qu'elle soit gouvernée par des règles contextuelles relativement précises. Du point de vue diachronique, on peut dire que les voyelles réduites

14. La formulation précise de ces règles dépend bien sûr des décisions générales concernant la représentation de la tonalité au niveau des formes sous-jacentes, et il faudrait, avant de retenir l'interprétation proposée, s'assurer qu'elle est bien cohérente avec l'ensemble du fonctionnement tonal de ces parlers. Nous n'entrerons pas ici dans cette discussion ; dans l'immédiat, il s'agit seulement d'attirer l'attention sur l'existence, dans certaines langues, de relations entre structures syllabiques et contour tonal qui permettent d'envisager de simplifier les formes tonales sous-jacentes en considérant qu'une partie seulement des tons sont explicitement donnés dans les formes sous-jacentes, les autres étant introduits par des règles d'assignation dont le conditionnement fait intervenir les structures syllabiques.

ou instables caractérisent des langues dont les structures syllabiques sont engagées dans un processus de restructuration, et il n'est pas étonnant que ce soit là un point sur lequel on observe fréquemment des différences considérables entre parlers qui par ailleurs sont apparentés de très près.

Si on raisonne en termes de structure syllabique des unités significatives, on peut dire que le phénomène concerne essentiellement des langues dont une part importante du lexique est constituée d'unités qui varient entre une forme monosyllabique et une forme dissyllabique. Selon les cas l'alternance concerne une voyelle en position finale dans des unités qu'on peut figurer comme $C_1V_1C_2(V_2)$ ou une voyelle en position interne d'unités qu'on peut figurer comme $C_1(V_1)C_2V_2$. Le premier cas peut être illustré par les parlers songhay, où on peut relever des variations comme *kúlù* ~ *kûl* « tout ». Le deuxième cas est typique des langues krou, mais on peut aussi l'illustrer par le mandingue ; par exemple, le koyaga présente un grand nombre d'unités prononcées normalement C*r*V ou C*ɣ*V en débit rapide mais pouvant présenter aussi entre la consonne initiale et le *r* ou le *ɣ* qui lui succède un segment vocalique plus ou moins audible dont le timbre est identique à celui de la voyelle finale (par exemple *tɣá* ~ *táɣá* « aller »).

Comme le montre l'exemple songhay cité ci-dessus, en général ces variations n'affectent pas le schème tonal global des unités concernées, ce qui constitue d'ailleurs un argument en faveur d'un traitement des tons comme relativement autonomes par rapport aux segments qui phonétiquement leur servent de support.

Du point de vue diachronique, l'interprétation qui vient le plus spontanément à l'esprit (et qui est suggérée par le terme même de voyelle « réduite ») est qu'on est là à une étape d'un processus conduisant à l'effacement de segments vocaliques anciens. Mais il convient d'être prudent, et l'exemple du français suffit à montrer qu'il faut se garder là de toute généralisation abusive. En effet le *œ* instable (ou « muet ») du français était, à un certain stade d'évolution de la langue, le résultat d'évolutions à partir de certaines voyelles latines occupant certaines positions, mais ce *œ* instable se manifeste de plus en plus dans des positions où on ne peut pas l'expliquer comme trace d'une voyelle ancienne. Plus généralement, on sait que, dans l'histoire des langues, des segments vocaliques peuvent spontanément apparaître pour briser certaines séquences de segments consonantiques. Autrement dit, historiquement parlant, les structures syllabiques ne sont pas seulement affectées par des processus de contraction : elles peuvent aussi connaître des processus d'expansion.

Du point de vue d'une description synchronique, la question posée est de déterminer les formes phonologiques sous-jacentes qui permettent de décrire de la façon la plus simple l'apparition de voyelles réduites et/ou les alternances entre présence et absence d'un segment vocalique. Il convient de raisonner en termes de prédictibilité :

— si, dans une langue présentant ce type de variation, l'apparition de voyelles réduites ou l'effacement de segments vocaliques peuvent être prédits à partir de représentations mentionnant explicitement sous forme pleine tous les segments vocaliques susceptibles de figurer dans la forme réalisée des unités, on a intérêt à retenir de telles représentations comme formes phonologiques sous-jacentes et à raisonner en termes de règles de réduction ou d'effacement affectant les segments vocaliques qui se trouvent dans un contexte donné;

— si au contraire on peut, en partant de représentations où ne figurent pas les voyelles susceptibles d'être absentes ou d'avoir une forme réduite, prédire la possibilité d'apparition de ces voyelles ainsi que leur timbre, alors on a intérêt à prendre comme formes phonologiques sous-jacentes des représentations où figurent seulement les voyelles invariablement présentes en réalisation sous forme pleine, et à raisonner en termes de règles qui insèrent des segments vocaliques en certains points de la chaîne.

Par exemple en songhay kaado [15], tous les lexèmes présentant en débit rapide une finale consonantique peuvent en débit lent s'élargir d'une voyelle finale dont le timbre est prédictible, mais par contre, étant donné un lexème attesté en débit lent avec une finale vocalique il est impossible de prédire si cette voyelle devra être effacée ou maintenue en débit rapide. Dans un tel cas, il convient de ne faire figurer dans les formes sous-jacentes que les voyelles finales invariablement présentes quel que soit le débit, et de poser une règle qui en débit lent fait apparaître des segments vocaliques à la finale des unités dont la forme sous-jacente se termine par une consonne.

Mais à partir du moment où on reconnaît la nécessité de prendre explicitement en considération la structuration syllabique, on doit

15. Voir la thèse en cours de préparation de H.H. Seydou.

admettre qu'on ne peut pas se contenter de parler de règles qui effacent ou insèrent des segments : ces règles s'inscrivent nécessairement dans un processus de resyllabification qu'il convient d'expliciter. Dans cette perspective, c'est surtout l'explicitation des règles d'insertion qui pose un problème. Un traitement qui semble souvent intéressant consiste à poser dans les formes phonologiques sous-jacentes des syllabes « déficientes », dans lesquelles aucun segment n'occupe la position de noyau et qui de ce fait ne peuvent telles quelles accéder au statut de syllabes de surface. A partir de là, on peut poser des règles susceptibles, ou bien d'insérer en position de noyau de telles syllabes un segment vocalique dont la nature précise peut dépendre du contexte, ou bien (si cette position est laissée vide) de réorganiser la structure syllabique en faisant fusionner la syllabe déficiente avec une autre syllabe.

Reprenons l'exemple songhay *kúlù* ~ *kûl* « tout ». En adoptant une figuration simplifiée des structures syllabiques au moyen des symboles < (position dominée par le nœud attaque) et o (position dominée par le nœud rime), deux positions o se succédant immédiatement devant être interprétées comme appartenant à la même syllabe, les deux réalisations de ce mot peuvent être présentées comme suit :

```
    H       B           H   B
    |       |           |   |
<   o   <   o       <   o   o
|   |   |   |       |   |   |
k   u   l   u       k   u   l
```

et on peut rendre compte de cette variation à partir d'une forme sous-jacente unique se présentant comme :

```
    H       B
    |       |
<   o   <   o
|   |   |
k   u   l
```

Pour passer d'une telle forme sous-jacente à la première variante, il suffit d'insérer un segment occupant la position segmentalement vide. Quant au passage à la deuxième variante, il n'implique aucun processus au niveau segmental : il consiste en une resyllabification dans laquelle la deuxième position < est effacée ; le segment qui était associé à la position < effacée s'associe à la position o jusque-là vide, et les deux positions o qui constituaient dans la forme sous-jacente les rimes de deux syllabes successives sont réunies sous le nœud rime d'une syllabe lourde unique :

```
  Σ        Σ               Σ
 / \      / \             / \
At  Ri   At  Ri          At  Ri
|    |   |    |    →     |   / \
<    o   <    o          <   o  o
```

Cet exemple permet de voir que, dans une langue tonale, il importe de ne jamais perdre de vue les implications que peuvent avoir, pour la description des processus tonals, les choix faits en vue de la description de processus affectant les segments.

L'ANALYSE DES « SEMI-VOYELLES »

Le statut des semi-voyelles fait partie des questions qui ont le plus embarrassé les phonologues, et il s'agit typiquement d'un problème qui ne peut pas avoir de solution satisfaisante dans le cadre d'une phonologie linéaire qui ne donne pas le moyen de distinguer entre la nature intrinsèque des segments et leur fonction syllabique. Une fois cette distinction admise, il est évident qu'on peut rendre compte de façon très simple de l'ensemble des observations que l'on peut faire sur la nature phonétique des semi-voyelles, leur distribution et les alternances auxquelles elle donnent lieu en considérant que *i* et *j* sont un seul et même segment, noté *i* lorsqu'il assume la fonction syllabique de noyau et *j* lorsqu'il assume une fonction non nucléaire (attaque ou coda), et qu'il en va de même pour *u* et *w*.

Par exemple, pour reprendre l'exemple français bien connu *abei* « abbaye » / *abɛj* « abbaye », cela n'a pas de sens de parler là de commutation et de reconnaître *i* et *j* comme deux phonèmes différents. On a certes là une distinction pertinente, mais rien n'oblige à en chercher l'origine dans une différence de nature entre les segments impliqués, et il est beaucoup plus avantageux pour une description d'ensemble de la langue de considérer que ce sont fondamentalement les structures syllabiques qui sont en cause :

```
Σ    Σ    Σ                          Σ    Σ
|   / \   |                          |   / \
Ri  At Ri Ri                         Ri  At   Ri
|   |  |  |                          |   |   / \
No  |  No No                         No  |  No  Co
|   |  |  |                          |   |  |   |
x   x  x  x                          x   x  x   x
|   |  |  |                          |   |  |   |
a   b  e  i (abbaye)                 a   b  ε   i (abeille)
```

Cette façon de traiter les semi-voyelles a en particulier l'avantage d'expliquer simplement les alternances entre voyelles et semi-voyelles attestées dans la morphologie de très nombreuses langues. Par exemple en tswana, le lexème commun à la forme de présent *kìàwà* « je tombe » et à la forme de parfait *kìɷ̀lè* « je suis tombé » s'isole comme *-w-* dans la première de ces deux formes et comme *-ɷ̀-* dans la deuxième. L'explication la plus simple est que ce lexème a pour forme sous-jacente une syllabe à attaque vide dont le noyau, associé au ton bas, est constitué par le segment *ɷ*; dans certaines configurations, le segment *ɷ* est remplacé dans sa fonction de noyau syllabique par une voyelle appartenant structurellement à un suffixe, et alors il prend la forme *u* pour aller occuper la position d'attaque (d'où *w*)[16].

Cette analyse des semi-voyelles permet aussi de rendre compte très simplement des problèmes particuliers que posent souvent, dans la description d'une langue, les syllabes dont l'attaque est une semi-voyelle de même localisation que la voyelle en fonction de noyau : il est très fréquent que *j* varie plus ou moins librement avec zéro à l'attaque de syllabes dont le noyau est une voyelle antérieure non labialisée, et que de la même façon *w* varie plus ou moins librement avec zéro à l'attaque de syllabes dont le noyau est une voyelle postérieure labialisée (par exemple en wolof *εrsɐ* ~ *jεrsɐ* « se comporter poliment », *ɔr* ~ *wɔr* « trahir »). Et dans l'histoire d'une langue, une semi-voyelle de même localisation que la voyelle qui lui succède peut se développer spontanément pour occuper ce qui était jusque-là une attaque vide. Or dans la perspective défendue ici, des syllabes *ji* ou *wu* auront la représentation suivante :

16. Dans un cadre où les phonèmes sont analysés comme combinaisons d'« éléments » (et non plus comme faisceaux de traits distinctifs) on aurait une présentation quelque peu différente, mais qui ne remet pas en cause l'essentiel de l'explication proposée, du fait que dans un tel cadre le segment *ɷ* s'analyse comme une unité phonématique complexe incluant *u* comme l'un de ses éléments.

```
    Σ                   Σ
   / \                 / \
  At  Ri              At  Ri
  |   |               |   |
  |   No              |   No
  |   |               |   |
  x   x               x   x
   \ /                 \ /
    i      (ji̩)         u     (wu)
```

Autrement dit, il est alors possible d'analyser l'apparition de *j* à l'attaque d'une syllabe à noyau *i* ou celle de *w* à l'attaque d'une syllabe à noyau *u* comme la simple projection d'un segment associé à une certaine position sur une position adjacente jusque-là vide. Inversement, la disparition de *j* à l'attaque d'une syllabe à noyau *i* ou celle de *w* à l'attaque d'une syllabe à noyau *u* peut s'interpréter comme un processus de rétraction dans lequel un segment occupant deux positions successives perd son association à l'une de ces deux positions. Pour les voyelles autres que *i* et *u* l'explication est un peu moins immédiate, sauf si (cf. note 16) on admet une décomposition des segments phonématiques en éléments permettant de poser que l'élément *i* entre dans la composition de toutes les voyelles antérieures non labialisées et que l'élément *u* entre dans la composition de toutes les voyelles postérieures labialisées.

L'ANALYSE DES NASALES SYLLABIQUES ET DES LIQUIDES SYLLABIQUES

Il est généralement admis que certains types de consonnes fonctionnant usuellement comme attaque syllabique peuvent aussi assumer la fonction de noyau syllabique. Il s'agit essentiellement des nasales et des liquides. On cite souvent l'exemple de mots tchèques comme *vl̩k* « loup » ou *kr̩k* « cou ».

Le cas où une nasale ou une liquide se combine ainsi à d'autres segments pour former une syllabe dont elle constitue le noyau n'est pas très fréquent en domaine négro-africain, même si on en a des attestations sporadiques (par exemple dans certains parlers mandingues, on trouve sous la forme *km̩̀bá* un verbe « être grand » qui apparaît dans d'autres parlers comme *kũ̀mbá*). Ce qui est par contre très fréquent en domaine négro-africain, c'est le cas de syllabes nécessairement monosegmentales constituées d'une nasale ou d'une liquide, d'où un problème d'analyse spécifique qui a manifestement constitué un véritable casse-tête pour bien des linguistes décrivant ces langues. En effet, il n'y a pas de façon évidente de régler la question de la fonction syllabique de sons qui peuvent à eux seuls constituer une syllabe sans pour autant pouvoir constituer le noyau d'une syllabe où un autre son assumerait la fonction d'attaque. Et la question apparaissait d'autant plus confuse que jusqu'à une date récente les phonologues n'avaient généralement pas le souci de fonder leur réflexion sur une théorie explicite de la syllabe.

Dans une théorie qui distingue les segments proprement dits des fonctions syllabiques qu'ils assument et qui admet qu'un segment unique puisse être associé à deux positions successives, il y a une façon de représenter les nasales et les liquides syllabiques qui ne se heurte à aucune contradiction et qui permet une description simple de leurs comportements phonologiques et des processus diachroniques dans lesquels elles sont impliquées. Il suffit de les analyser comme segments uniques associés à deux positions successives constituant une syllabe ; par exemple, *m* syllabique sera représenté de la façon suivante :

```
   Σ
  / \
At   Ri
 |    |
 x    x
  \  /
   m
```

et un mot tswana comme *m̀phɔ́* « don », qui est constitué de deux syllabes, sera représenté de la façon suivante, en utilisant la notation abrégée dans laquelle < et o figurent des positions dominées respectivement par un nœud attaque et par un nœud rime :

```
   B        H
   |        |
<  o   <    o
 \ /   |    |
  m    ph   ɔ
```

Du point de vue de la transcription, le caractère syllabique d'une nasale doit être indiqué, et il n'y a pas d'inconvénient majeur à utiliser pour cela le même diacritique que celui préconisé par l'API pour signaler les consonnes en fonction de noyau syllabique. Toutefois, s'agissant de langues tonales (ce qui est le cas de la très grande majorité des langues négro-africaines), une notation précise de la tonalité permet de faire l'économie de ce diacritique, puisque le diacritique tonal placé au-dessus des nasales syllabiques suffit alors à les distinguer des nasales en fonction d'attaque ou de coda.

Le plus souvent, les nasales syllabiques précèdent immédiatement une syllabe ayant une attaque consonantique non vide. Elles sont particulièrement attestées à l'initiale d'unités. Ainsi en swahili,[17] des mots comme *ḿ̩tu* « être humain », *ḿ̩ɟi* « village » comportent deux syllabes, et des mots comme *m̩ɲáma* « animal », *m̩káte* « pain », *m̩zígo* « charge », *m̩líma* « montagne » en comportent trois. Ces nasales syllabiques sont souvent morphologiquement isolables comme préfixes ; c'est en particulier le cas dans les exemples swahili qui viennent d'être cités (cf. *wátu* « hommes », *mikáte* « pains », *kilíma* « colline »).

Les nasales syllabiques en position préconsonantique peuvent avoir un lieu d'articulation indépendant de celui de la consonne qu'elles précèdent, comme l'attestent les exemples ci-dessus. Mais il est courant qu'elles soient nécessairement homorganiques de la consonne qu'elles précèdent, et alors peut se poser le problème de reconnaître la nature précise d'une nasale initiale : nasale syllabique, ou élément nasal d'une attaque syllabique complexe de type NC ? Dans certaines langues la distinction s'impose, comme c'est le cas en swahili, où *m* syllabique et *m* intégré à l'attaque de la syllabe suivante constituent deux préfixes différents : par exemple, *m̩bája* (3 syllabes) et *mbája* (2 syllabes) sont deux formes phonétiquement distinctes résultant de l'accord du qualificatif *-bája* « mauvais » avec des substantifs de deux classes différentes. Mais ce n'est pas toujours aussi net, et il arrive d'ailleurs dans certaines langues qu'une même nasale initiale puisse tantôt constituer une syllabe à part, tantôt s'intégrer à la syllabe suivante, le conditionnement de cette variation faisant en particulier intervenir la rapidité du débit. En cas de problème de ce type, il convient d'être attentif aux faits prosodiques. En effet, dans une langue tonale les nasales syllabiques sont porteuses d'un ton distinctif, comme l'illustre l'exemple igbo *ḿkpà*

17. Dans la transcription du swahili, le diacritique « ´ » indique un accent, qui dans cette langue est généralement associé à l'avant-dernière syllabe du mot.

« besoin » / *m̀kpà* « ciseaux » ; et dans une langue à accent de mot comme le swahili, une nasale syllabique peut être porteuse de l'accent.

Bien que ce cas soit moins courant que celui des nasales syllabiques à l'initiale d'unités, il n'est pas rare que des nasales syllabiques précédant une syllabe à attaque consonantique non vide apparaissent en position interne, et les nasales syllabiques en finale d'unités ne sont pas rares non plus. Par exemple, les mots igbo *ékpéḿ* « bouteille », *ɔ̀dɔ̀ḿ* « lion » comportent trois syllabes chacun, et il en est de même pour les mots tswana *mɔ̀ńná* « homme » / *bɔ̀ɟàŋ̀* « herbe ». Le problème peut être alors de faire la distinction entre nasales syllabiques et nasales en fonction de coda. En igbo ou en tswana, les nasales syllabiques occupant ces positions sont très clairement perçues comme constituant une syllabe à part, et en débit ralenti elles sont nettement détachées de ce qui les précède, mais les choses ne sont pas toujours aussi évidentes, et ici encore la cohérence avec les données prosodiques peut être un argument décisif dans le choix d'une interprétation.

Dans quelques langues on signale des nasales syllabiques précédant des syllabes à attaque vide, c'est-à-dire des séquences NV dans lesquelles les segments N et V constituent une syllabe chacun, mais ce n'est pas courant. On peut citer le kpelle : certaines descriptions de cette langue reconnaissent des nasales syllabiques pouvant précéder une syllabe réduite à son noyau vocalique, qui se différencient de nasales en fonction d'attaque syllabique sur les deux points suivants :

— à la différence d'une nasale en fonction d'attaque, une nasale syllabique porte un ton distinctif (par exemple : *ḿáló* « guéris-moi » / *m̀áló* « guéris-le ») ;

— alors que les nasales en fonction d'attaque ont en kpelle un effet de nasalisation automatique de la voyelle qui leur succède (et qui appartient à la même syllabe), les nasales syllabiques n'ont pas cet effet sur la voyelle qui leur succède (et dont elles sont séparées par une coupe syllabique)[18].

Du point de vue diachronique, les données comparatives lorsqu'elles sont disponibles montrent une relation entre les nasales

18. C'est cette différence au niveau de la nasalité de la voyelle suivante qui peut expliquer que, là où certains descripteurs du kpelle ont reconnu des nasales syllabiques en position pré-vocalique, d'autres ont perçu à la jonction de la nasale et de la voyelle un segment consonantique oral homorganique de la nasale.

syllabiques et des syllabes de type NV dans lesquelles la voyelle est généralement une voyelle fermée. Par exemple, le tswana atteste sous la forme *-ŋ̀* un suffixe locatif qui apparaît sous la forme *-nì* dans une grande partie du domaine bantou ; on peut aussi citer le mot tswana *ǹná* « moi », qui correspond à *mìná* en zoulou. De tels faits incitent à voir dans les nasales syllabiques une étape intermédiaire d'un processus de contraction qui, étant donné une syllabe originelle de type NV, aboutit à la fusion de cette syllabe avec une syllabe adjacente :

CV.NV → CV.N̩ → C͡VN
NV.CV → N̩.CV → N͡CV.

Dans une étape intermédiaire de ce processus, la syllabe NV continue à constituer une syllabe à part mais perd le segment vocalique qui constitue la rime, la nasale originellement associée au constituant attaque étendant alors son association au constituant rime :

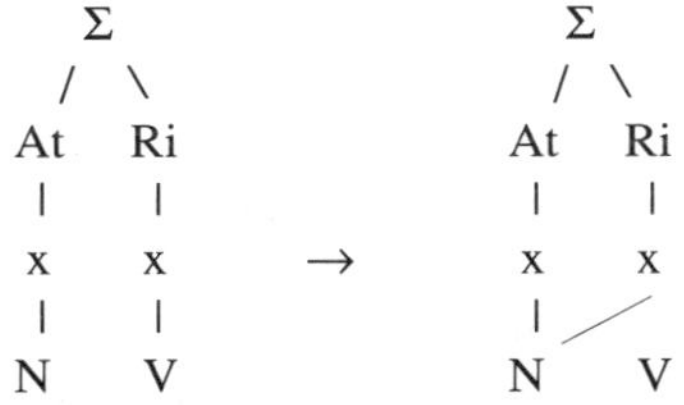

A l'étape suivante, la nasale perd son statut syllabique pour s'intégrer à l'attaque de la syllabe suivante ou à la rime de la syllabe précédente.

Ceci est cohérent avec le fait que, dans une analyse morphophonologique synchronique des langues connaissant les nasales syllabiques, celles-ci apparaissent très souvent comme représentant dans certains contextes des morphèmes qui dans d'autres contextes sont représentés, tantôt par une syllabe de type NV (avec le plus souvent une voyelle fermée), tantôt par une nasale intégrée à une autre syllabe. Très souvent, il est évident que c'est une forme sous-jacente NV qui permet de décrire de la façon la plus satisfaisante les réalisations des morphèmes qui, dans certains contextes au moins, sont représentés par une nasale syllabique.

En tswana par exemple, il existe un préfixe nominal [19] qui a en distribution complémentaire les variantes *mɔ̀-* et *m̀-* : la deuxième

19. Dans la nomenclature traditionnelle des bantouistes, il s'agit du préfixe des classes nominales 1 et 3.

variante apparaît obligatoirement lorsque la base commence par *b*, les deux variantes sont librement interchangeables lorsque la base commence par *f*, et la première variante est la seule possible dans tous les autres cas. Le choix de la variante *m̀~* implique une modification de la consonne suivante : *b* laisse la place à *m*, et *f* laisse la place à *h*. Par exemple, le verbe *~tsɷ́má* « chasser » donne *mɷ̀-tsɷ́mí* « chasseur », qui fait au pluriel *bà-tsɷ́mí*, le verbe *~bíná* « danser » donne *m̀-míní* « danseur », qui fait au pluriel *bà-bíní* et le verbe *~fìmɛ̀là* « protéger » donne *mɷ̀-fìmèdì* ou *m̀-hìmèdì* « protecteur », qui fait au pluriel *bà-fìmèdì*. Il est évident que c'est *mɷ̀* qui doit être pris comme forme sous-jacente de ce préfixe dans une perspective morphophonologique.

En swahili, ce même préfixe, qui est représenté par une nasale syllabique auprès des bases dont la syllabe initiale a une attaque non vide (comme par exemple dans *ḿ̩ɟi* « village », *m̩ɲáma* « animal », *m̩káte* « pain ») présente en combinaison avec les bases à initiale vocalique les variantes *mw~* (*mw-ítu* « forêt ») et *m~* (*m-óto* « feu »), le préfixe constituant alors seulement l'attaque d'une syllabe dont le noyau est la voyelle initiale de la base. Il convient donc de poser *mu* comme forme sous-jacente. Les variantes *mw~* et *m~* peuvent alors s'expliquer par les règles suivantes :

(a) devant une base commençant par une attaque syllabique non vide, *u* s'efface et *m* étend son association à la position rime ainsi libérée (d'où la variante *m̩~*) ;

(b) si la base est dépourvue d'attaque syllabique initiale, *u* perd son statut de noyau syllabique et se trouve, ou bien rattaché au constituant attaque (d'où la variante *mw~*), ou bien effacé (d'où la variante *m~*).

De manière analogue en bédjonde, langue où le verbe présente des indices de sujet préfixés, l'indice d'élocutif singulier est représenté par une nasale bilabiale[20] dont le statut syllabique dépend de l'initiale de la base : avec les bases à initiale vocalique, *m* constitue

20. Il est curieux de remarquer qu'un nombre important de langues négro-africaines, aussi bien dans la famille Niger-Congo que dans la famille nilo-saharienne, ont une nasale syllabique pour représenter le morphème d'élocutif singulier ; dans beaucoup de ces langues ce même morphème prend aussi selon les contextes une forme « *m* + voyelle ». Lorsque des données comparatives sont disponibles, elles suggèrent généralement une proto-forme qui pourrait être **mí*. La coïncidence avec des formes d'élocutif singulier attestées dans d'autres familles de langues (indo-européen en particulier) a été remarquée par de nombreux chercheurs, mais à elle seule elle ne permet guère de tirer des conclusions.

l'attaque d'une syllabe dont le noyau est la voyelle initiale de la base, tandis qu'avec les bases à initiale consonantique l'indice d'élocutif singulier est représenté par un *m* syllabique à ton moyen. Mais il faut tenir compte aussi du fait que, si la variante *m̄~* de ce préfixe laisse inchangée la tonalité de la base (*kə́sɨ̄* « il tousse » / *m̄kə́sɨ̄* « je tousse »), par contre la variante *m~* la modifie (*òtɨ̄* « il a transporté » / *mōtɨ̄* « j'ai transporté »). Ceci signifie que, quelle que soit l'interprétation précise qu'il conviendra de retenir (et indépendamment du fait qu'on fasse ou non figurer un segment vocalique dans la forme sous-jacente de ce morphème), le préfixe d'élocutif singulier du bédjonde comporte de toutes façons un élément tonal dans sa forme sous-jacente.

DES SEGMENTS « SYLLABIQUES » AUTRES QUE VOYELLES NASALES OU LIQUIDES ?

Dans un article intitulé « Syllabic consonants in Berber : some new evidence »[21], F. Dell et M. Elmedlaoui soutiennent que dans le parler berbère qu'ils décrivent, « any vocoid or contoid may be syllabic... but except in a well-circumscribed class of lexically idiosyncratic cases syllabicity is always predictable from the environment ». S'appuyant sur un classement des sons par degré de sonorité décroissante (*a* / voyelles fermées / liquides / nasales / fricatives voisées / fricatives non voisées / plosives voisées / plosives non voisées), ils proposent des règles de syllabification reposant sur le principe selon lequel les segments relativement plus sonores ont priorité sur ceux qui le sont moins pour accéder au statut de noyau syllabique.

Il me semble qu'il y a là des points à préciser si on ne veut pas sombrer dans la confusion. On peut imaginer une langue où les structures syllabiques seraient entièrement prédictibles par des règles de syllabification à partir de formes sous-jacentes qui se présenteraient comme de pures concaténations de segments, sans aucune indication quant à leur fonction syllabique (et bien sûr, sans inclure de façon détournée des indications sur les fonctions syllabiques dans la définition des segments, comme le fait la phonologie générative classique). On a aussi proposé d'analyser certaines

21. *Journal of African Languages and Linguistics*, 10, 1988, p. 1-17.

langues en considérant qu'une partie des segments vocaliques de surface n'ont pas à figurer dans les formes phonologiques sous-jacentes, car ces segments peuvent s'expliquer par des règles d'insertion : de telles règles insèrent automatiquement, dans certaines configurations, des segments vocaliques dont la nature est entièrement déterminée par les segments consonantiques adjacents. On parle souvent là de « voyelles par défaut ». A la limite, il n'est pas impossible qu'il existe des langues où la totalité des segments vocaliques présents en surface pourraient s'expliquer de cette façon [22]. Ainsi, il n'est pas absurde, dans une perspective *phonologique*, d'imaginer des langues sans voyelles, si l'on entend par là des langues où il n'est pas indispensable de faire figurer explicitement des segments vocaliques dans les formes phonologiques. Par contre *phonétiquement*, on ne voit pas bien ce que peut signifier une syllabe dont le contenu segmental se réduirait à une plosive : si une plosive peut être qualifiée de syllabique, c'est seulement dans la mesure où la configuration dans laquelle elle se trouve suffit à prédire l'apparition d'un segment vocalique auquel cette plosive se combine pour former une syllabe ainsi que la nature de ce segment vocalique ; une plosive ne peut pas être syllabique au sens où elle assumerait elle-même la fonction de noyau syllabique.

Pour les langues tonales (ce qui est le cas de l'immense majorité des langues négro-africaines), on ne peut pas en même temps accepter l'hypothèse selon laquelle des sons non voisés pourraient assumer la fonction de noyau syllabique et soutenir que, comme on l'enseigne couramment, les distinctions tonales sont phonétiquement véhiculées par la fréquence fondamentale de la vibration laryngienne.

Il semble en fait que les descriptions qui signalent des obstruantes (en particulier non voisées) constituant à elles seules des syllabes ne distinguent pas suffisamment le niveau phonétique du niveau phonologique. De ce point de vue, une étude récente de Didier Demolin [23] constitue une mise au point utile. Cette étude porte sur le lendu, langue dans laquelle on avait précédemment

22. Cette hypothèse a été en particulier avancée depuis longtemps déjà à propos des langues tcherkesses parlées dans le nord-ouest du Caucase.

23. Les résultats de cette étude ont été présentés au 23e colloque de linguistique africaine de l'université de Leiden (30 août – 1er septembre 1993) dans une communication intitulée « The problem of vowelless syllables in Lendu : phonetic and phonological aspects ».

signalé des sifflantes syllabiques (ș et ẓ), porteuses de tons distinctifs. On distinguerait par exemple dans cette langue *ss̀* « préparer la bière », *ss̄* « sorte de guêpe », *sś* « chaussure », *sš* « se déplacer rapidement » ; on aurait aussi en lendu des fricatives sifflantes constituant le noyau de syllabes dont l'attaque est une plosive : *tss̀* « manger », *tss̄* « banane », *tsš* « raser ». Mais la conclusion à laquelle aboutit Demolin est qu'en fait, aussi bien dans le cas de *s* que dans celui de *z* d'ailleurs, le signal présente de façon nette la structure en formants caractéristique d'un segment vocalique, mais que cettc structure en formants est en partie recouverte par le bruit caractéristique d'une fricative. Autrement dit, phonétiquement parlant une voyelle est bien présente pour assumer la fonction de noyau vocalique ; il est possible que cette voyelle soit à analyser comme insérée par une règle dans une syllabe dont le noyau est *phonologiquement* vide, mais ceci est une autre affaire.

STRUCTURES SYLLABIQUES ET AFFIXATION : L'EXEMPLE DE LA FORME DÉFINIE DES SUBSTANTIFS EN ZARMA

Souvent, les limites de morphèmes coïncident avec des coupes syllabiques. Lorsque c'est le cas, la prise en compte explicite des structures syllabiques n'est pas cruciale pour la description du processus d'affixation. Mais il n'en va pas toujours ainsi, et alors il apparaît souvent préférable d'expliciter le processus de resyllabification qu'implique l'adjonction d'un affixe plutôt que de le traiter indirectement, à travers des règles formulées exclusivement en termes de segments. Ceci va être illustré en examinant la construction de la forme définie des substantifs en zarma.

Les principales régularités mises en jeu par cette formation peuvent être illustrées par les exemples suivants : *ɟíː* f. déf. *ɟíjóː* « huile, beurre », *fûː* f. déf. *fúwǒː* « maison », *hàw* f. déf. *hàwǒː* « vent », *cîn* f. déf. *cínǒː* « nuit », *báɟí* f. déf. *báɟóː* « alcool ». Mettons en regard la représentation phonologique de ces unités et de leur forme définic en explicitant la structure syllabique :

```
     H                  H    H
    / \                 |   / \
<   o  o            <   o < o  o
|   \ /             |   \ / \ /
ɟ    i     (ɟíː)    ɟ    i    o     (ɟíjóː)
```

```
  H B              H  B H
  | |              |  | |
< o o            < o < o o
|  \ /           |  \ / \ /
f   u    (fû:)   f  u   o     (fúwǒ:)

   B               B    B H
  / \              |    | |
< o o            < o  < o o
| | |            | |  | \ /
h a u    (hàw)   h a  u  o    (hàwǒ:)

  H B              H    B H
  | |              |    | |
< o o            < o  < o o
| | |            | |  |  \/
c i n    (cîn)   c i  n  o    (cínǒ:)

  H   H            H    H
  |   |            |   / \
< o < o          < o  < o o
| | | |          | |  |  \/
b a ɟ i  (báɟí)  b a  ɟ  o    (báɟó:)
```

On peut isoler là comme suffixe une syllabe incomplète, constituée d'un segment *o* et d'un ton haut, dont l'adjonction impose un processus de resyllabification. Dans certains cas ce processus de resyllabification suffit à rendre compte de la forme définie, dans d'autres il faut prévoir des règles concernant spécifiquement tons ou segments.

En voulant rendre compte de la forme définie à partir d'une forme sous-jacente des lexèmes nominaux qui coïnciderait avec la forme qu'ils présentent en l'absence de toute affixation, on aurait des règles inutilement compliquées. En effet, on peut décrire beaucoup plus simplement le processus en question en exploitant la notion de syllabe déficiente introduite ci-dessus et en posant que, quelle que soit leur forme de surface lorsqu'on les isole, tous les lexèmes apparaissant dans les exemples ci-dessus sont structurellement constitués d'une séquence de deux syllabes légères, la deuxième syllabe pouvant être déficiente :

```
  H   H     H   B     B   B     H   B     H   H
  |   |     |   |     |   |     |   |     |   |
< o < o   < o < o   < o < o   < o < o   < o < o
| | | |   | | |     | | |     | |       | |
b a ɟ i   c i n     h a u     f u       ɟ i
```

Si ces unités ne subissent l'adjonction d'aucun suffixe nécessitant une resyllabification, la position attaque des syllabes déficientes est effacée ; le segment qui lui était éventuellement associé est ré-associé à la deuxième more de la syllabe lourde ainsi créée (*cîn, hàw*), sinon le segment vocalique appartenant à la première syllabe structurelle étend son association à la deuxième more de la syllabe lourde (*fû:, ɟí:*).

Si maintenant nous supposons que le morphème du défini est structurellement une more associée au segment *o* et au ton haut qui va s'intégrer à la syllabe finale des noms, nous pouvons prédire que les choses vont se passer différemment, puisque dans le cas où la syllabe finale était déficiente elle cesse de l'être (rappelons qu'est considérée comme déficiente une syllabe dont le nœud rime ne domine aucune position associée à un segment). La simple adjonction de ce morphème aux noms pris comme exemples donne le résultat ci-dessous :

```
  H     H H
  |     | |
< o <   o o
| | |   | |
b a ɟ   i o
```

```
  H     B H           B   B H
  |     | |           |   | |
< o <   o o         < o < o o
| | |     |         | | |   |
c i n     o         h a u   o
```

```
  H     B H           H   H H
  |     | |           |   | |
< o <   o o         < o < o o
| |       |         | |     |
f u       o         ɟ i     o
```

Pour passer de là aux formes réalisées, il suffit de poser les deux règles suivantes :

— lorsqu'une voyelle non fermée est associée à la deuxième more d'une rime lourde, elle étend nécessairement son association à la première more ; si cette première more était préalablement associée à un segment vocalique, celui-ci est effacé ;

— lorsqu'une syllabe à attaque vide est immédiatement précédée d'une syllabe dont la dernière more est associée à une voyelle fermée (*i* ou *u*), celle-ci étend son association à l'attaque de la deuxième syllabe.

2

LES SYSTÈMES VOCALIQUES

SYSTÈMES VOCALIQUES COMPORTANT DEUX ORDRES DE VOYELLES ORALES

En Afrique comme ailleurs, les systèmes vocaliques les mieux attestés sont ceux qui comportent cinq ou sept voyelles réparties en deux ordres (antérieures non labialisées et postérieures labialisées), la distinction entre les deux ordres étant neutralisée pour le degré d'aperture maximum :

i	*u*		*i*	*u*
e	*o*		*e*	*o*
a			*ɛ*	*ɔ*
			a	

Dans les systèmes à cinq voyelles, il n'est pas rare que les phonèmes d'aperture moyenne aient deux allophones (l'un relativement ouvert, l'autre relativement fermé) nettement distincts au niveau perceptif mais en distribution complémentaire – selon un conditionnement qui peut d'ailleurs varier d'une langue à l'autre. Ainsi en fulfulde, langue qui connaît un phénomène d'accent, *e* et *o* ont des réalisations relativement ouvertes (*ɛ*, *ɔ*), sauf lorsqu'aucune voyelle ouverte ne les sépare d'une voyelle fermée (*i* ou *u*) leur succédant dans les limites d'une même unité accentuelle.

Souvent dans les langues africaines, les voyelles d'aperture 2 [1], dans des systèmes à quatre degrés d'aperture, sont réalisées plus

1. Pour éviter l'imprécision inhérente à des termes comme « fermé / moyen / ouvert », il est proposé ici de numéroter les degrés d'aperture de 1 à n (selon le nombre de

fermées que les sons *e* ou *o* du français et sont perçues comme très proches des voyelles les plus fermées : si on voulait être tout à fait précis du point de vue phonétique, il conviendrait parfois d'utiliser les symboles *ι* et *ω* plutôt que *e* et *o* pour transcrire les voyelles d'aperture 2 dans de tels systèmes.

Des systèmes présentant le même type de configuration globale mais avec cinq degrés d'aperture sont eux aussi très bien attestés :

i *u*
ι *ω*
e *o*
ε *ɔ*
a

Un tel système est par exemple attesté en tswana, et pour cette langue la comparaison avec les autres langues bantoues montre qu'il doit provenir d'un système plus ancien à quatre degrés d'aperture pouvant être figuré comme suit :

i *u*
ι *ω*
e/ε *o/ɔ*
a

Dans le système de départ *e* et *ε* constituaient deux variantes combinatoires d'un phonème unique, le choix de la réalisation *e* étant conditionné par la présence d'une voyelle d'aperture 1 ou 2 dans la syllabe suivante, et il en allait de même pour *o* et *ɔ*; les voyelles d'aperture 1 ou 2 qui conditionnaient à l'origine l'apparition de *e* et de *o* ayant disparu dans une partie des cas, ce qui était au départ un choix conditionné par le contexte est devenu une distinction phonologique à valeur différentielle.

Nous reviendrons sur l'analyse des systèmes qui en première approximation au moins peuvent s'analyser comme comportant cinq degrés d'aperture. En effet, même si ce n'est pas toujours vrai (le tswana étant précisément une exception) il est indéniable que de tels systèmes vont généralement de pair avec des mécanismes d'harmonie vocalique d'un type particulier, qui obligent à réexaminer leur organisation.

distinctions qu'il convient de reconnaître dans telle ou telle langue), en commençant par les voyelles les plus fermées, qui seront donc désignées comme « voyelles d'aperture 1 ».

SYSTÈMES VOCALIQUES COMPORTANT TROIS ORDRES DE VOYELLES ORALES

Un type courant de complexification des systèmes vocaliques est la présence d'un troisième ordre de voyelles en plus des deux fondamentaux que sont l'ordre des antérieures non labialisées et celui des postérieures labialisées. Mais l'identification précise et la notation de ce troisième ordre de voyelles pose souvent aux descripteurs d'épineux problèmes. En effet, le système de transcription API offre dans ce domaine une profusion de symboles dont le choix est censé tenir compte de nuances sur la réalité desquelles il est parfois permis de s'interroger, et qui de toutes façons dépassent très largement le degré de précision que l'on peut raisonnablement exiger dans les conditions habituelles de l'enquête sur les langues africaines. Beaucoup de distinctions prévues dans le système de transcription API pour la représentation des timbres vocaliques sont manifestement superflues lorsqu'on a simplement comme objectif d'enregistrer les distinctions que peut faire une langue dans ce domaine et n'auraient de sens que pour permettre une caractérisation très précise de réalisations en liaison avec une étude expérimentale.

C'est pour cette raison qu'une version simplifiée du système API est proposée ici, avec comme objectif de dégager de ce système ce qui est réellement utile pour une transcription phonétique large de la plupart des langues négro-africaines.

Lorsqu'un troisième ordre de voyelles existe dans une langue, on peut phonologiquement se limiter à l'identifier, soit comme un ordre de non-postérieures labialisées, soit comme un ordre de non-antérieures non labialisées. Dans les conditions ordinaires de l'enquête linguistique (c'est-à-dire en l'absence d'études phonétiques approfondies), il est tout à fait vain de chercher à être plus précis et à déterminer si par exemple des non-antérieures non labialisées sont plutôt « centrales » ou plutôt « postérieures ».

Pour transcrire des non-postérieures labialisées, on peut avoir recours aux symboles *y*, *ʏ*, *ø*, *œ* dont le tableau suivant montre la correspondance avec antérieures non labialisées et postérieures labialisées de même degré d'aperture :

i	*y*	*u*
ɩ	*ʏ*	*ʊ*
e	*ø*	*o*
ɛ	*œ*	*ɔ*

Pour transcrire des non-antérieures non labialisées, on peut avoir recours aux symboles *ɨ, ə, ɐ* dont le tableau suivant montre la correspondance avec antérieures non labialisées et postérieures labialisées de même degré d'aperture :

i	*ɨ*	*u*
ɪ		*ʊ*
e	*ə*	*o*
ɛ	*ɐ*	*ɔ*

Le système de transcription API ne prévoit aucun symbole pour une non-antérieure non labialisée de même aperture que *ɪ* ou *ʊ*. Une telle voyelle est incontestablement rare, mais quelques langues négro-africaines au moins la connaissent. Par analogie avec *ɨ*, on pourrait la noter avec un *ɪ* barré ; pour des raisons de commodité typographique, c'est en cas de besoin *ɪ* souligné (*ɪ̲*) qui sera utilisé ici à la place.

Dans les langues négro-africaines, un troisième ordre de non-antérieures non labialisées est beaucoup plus souvent attesté qu'un troisième ordre de non-postérieures labialisées. En utilisant la documentation existante, il ne faut jamais oublier que ces deux types de voyelles sont très proches du point de vue perceptif, ce qui explique en particulier que les linguistes francophones font souvent l'erreur d'identifier aux non-postérieures labialisées qui leur sont familières (*y, ø, œ*) des voyelles qu'il serait plus exact de noter respectivement *ɨ, ə, ɐ*.

Une autre erreur fréquente dans la transcription des langues négro-africaines est d'identifier comme *ə* une voyelle centrale ou postérieure non labialisée d'aperture minimale, qu'il serait donc plus exact d'identifier comme *ɨ*. L'explication est vraisemblablement que le symbole *ə* est d'usage courant pour la transcription des langues les mieux connues des linguistes, ce qui n'est pas le cas du symbole *ɨ*.

On connaît ailleurs qu'en Afrique des cas de langues où on doit reconnaître quatre ordres de voyelles. C'est en particulier le cas du turc. Je ne connais aucun cas de langue négro-africaine où une telle situation aurait été signalée.

Enfin il ne faut pas perdre de vue qu'à côté de langues où existent trois ordres de voyelles phonologiquement distincts, il y a des cas de langues ayant phonologiquement deux ordres de voyelles mais où des réalisations n'appartenant pas aux deux ordres fondamentaux sont attestées en qualité de variantes combinatoires. Par exemple dans la plupart des langues sara, on a phonétiquement trois voyelles d'aperture minimale : *i*, *ɨ* et *u*; mais phonologiquement, dans plusieurs de ces langues au moins, on peut montrer (à condition d'identifier correctement les faits de longueur) que la distinction entre *i* et *ɨ* est prédictible.

LES VOYELLES D'APERTURE MAXIMALE

A côté d'une large majorité de langues qui connaissent une seule voyelle d'aperture maximale (notée alors *a*), quelques langues distinguent deux voyelles d'aperture maximale, l'une plutôt antérieure (*a*), l'autre plutôt postérieure (*ɑ*). Cette situation semble toutefois particulièrement peu fréquente parmi les langues négro-africaines.

Les symboles *æ* et *ɒ* peuvent être utilisés pour représenter respectivement une variété très antérieure de *a* et une variété de *ɑ* nettement postérieure et labialisée.

SYSTÈMES VOCALIQUES CARACTÉRISÉS PAR UNE RELATION ENTRE TIMBRE ET LONGUEUR

Parmi les langues où la longueur vocalique est pertinente, il peut arriver qu'on trouve le même nombre de distinctions pertinentes pour les brèves que pour les longues, mais avec des différences sensibles de timbre dans ce qu'on peut considérer comme la variante longue et la variante brève d'un même segment vocalique. Si la différence de durée entre brèves et longues diminue, on peut ainsi aboutir à une réorganisation du système dans laquelle des distinctions de timbre originellement conditionnées par la longueur acquièrent un statut différentiel.

D'autres langues ont un système vocalique comportant plus de distinctions pertinentes de timbre pour les voyelles brèves que pour les voyelles longues. Par exemple, à côté de parlers wolofs (par exemple le parler de Banjul) dont le système vocalique présente un isomorphisme parfait entre brèves et longues, on peut pour d'autres parlers de cette langue établir l'inventaire vocalique suivant :

i	*ɨ*	*u*		*iː*		*uː*
e		*o*		*eː*		*oː*
ɛ	*ɐ*	*ɔ*		*ɛː*		*ɔː*
	a				*aː*	

La situation inverse, avec plus de distinctions pertinentes de timbre pour les longues que pour les brèves, semble elle aussi attestée. Il est indéniable que certains parlers songhay sont pour le moins très proches d'une telle situation : dans ces parlers, il n'y a aucune difficulté à établir un système de cinq timbres vocaliques opposables entre eux (*i, e, a, o, u*) en se basant sur les réalisations vocaliques longues, par contre la distinction entre *e* et *a* au niveau des brèves semble pour ces parlers neutralisée ou du moins en voie de neutralisation, et la tendance à neutraliser la distinction entre *o* et *a* au niveau des brèves est elle aussi très forte.

NASALITÉ VOCALIQUE CONDITIONNÉE ET NASALITÉ VOCALIQUE PERTINENTE

Dans un certain nombre de langues négro-africaines, on relève des phénomènes de nasalité vocalique non pertinente, imputable au contact avec une consonne nasale. Selon les cas une consonne nasale peut transmettre automatiquement sa nasalité :
— à la voyelle qui lui succède immédiatement et qui constitue le noyau de la syllabe dont la consonne nasale en question constitue l'attaque ;
— à la voyelle qui la précède immédiatement, dans une séquence VN où V et N appartiennent à une même syllabe (c'est par exemple le cas en sosso) ;
— aux deux voyelles qui lui sont adjacentes dans une séquence VNV (c'est par exemple le cas en bédjonde).

Mais on signale aussi des phénomènes de nasalisation automatique des voyelles au contact de certaines consonnes n'appartenant pas à la catégorie des nasales. Dans certains parlers igbo, *ɦ* a la particularité d'être toujours suivi de voyelles nasales, et dans ces parlers, les voyelles nasales n'existent que précédées de *ɦ*. Autrement dit, la nasalité vocalique dans ces parlers igbo n'est pas pertinente ; elle résulte d'une règle qui nasalise automatiquement les voyelles succédant immédiatement à *ɦ*. On aura ainsi par exemple :

ὼhá	« mensonge »	*ὼɦã́*	« peigne »
í'dώ	« s'habiller »	*í'dɦω̃́*	« coudre »
í'tώ	« lancer »	*í'tɦω̃́*	« trier »

Une relation entre les fricatives laryngales et la nasalité vocalique est signalée dans d'autres langues. En mendé, les voyelles sont automatiquement nasalisées immédiatement après une fricative laryngale. En zarma, la nasalité des voyelles n'est pas automatique après une fricative laryngale, mais il y a tout de même une relation, puisque les syllabes dont l'attaque est une fricative laryngale constituent le seul contexte dans lequel on rencontre de véritables voyelles nasales (c'est-à-dire des voyelles nasales dont la nasalité n'est pas imputable à une consonne nasale en position de coda). En dehors du domaine négro-africain, une relation entre fricative laryngale et nasalité vocalique est attestée par exemple en laotien. Il y a là indiscutablement un problème de phonétique générale mal connu mais qui mériterait d'être approfondi, car à la différence des nasales, l'articulation des fricatives laryngales ne permet pas de donner de ce phénomène une explication simple en termes d'assimilation.

Il est curieux de remarquer que dans les parlers comoriens, la pharyngale ʕ, qui se rencontre dans de nombreux termes d'origine arabe, manifeste le même type de relation à la nasalité vocalique que celle évoquée ci-dessus à propos des fricatives laryngales d'autres langues : que le ʕ soit effectivement prononcé ou qu'il soit amuï (ce qui est variable selon les locuteurs), la voyelle suivante est très nettement nasale (par exemple dans *ʕĩlimu* « amulette », de l'arabe *ʕilm*), et c'est le seul contexte dans lequel le comorien atteste de véritables voyelles nasales. [2]

A côté de ces phénomènes de nasalisation des voyelles conditionnée par le contexte, il n'est pas rare dans les langues négro-africaines de trouver des voyelles nasales opposables aux voyelles orales en contexte identique.

Dans certains cas, l'inventaire des voyelles nasales est rigoureusement parallèle à l'inventaire des voyelles orales avec lesquelles elles commutent dans un contexte donné. Ainsi dans beaucoup de

2. Il est vrai que dans des séquences ...VNC..., on peut, surtout en débit rapide, hésiter à reconnaître la première voyelle comme phonétiquement orale ou nasale ; mais en débit lent, on peut constater que la coupe syllabique passe entre V et N, la voyelle ne présentant alors aucune nasalité.

parlers mandingues, on peut en finale absolue d'unité faire commuter les voyelles nasales avec les voyelles orales correspondantes (*à má sã* « ça n'a pas été acheté » / *à má sà* « il n'est pas mort »), et on relève dans ce contexte sept voyelles orales et sept voyelles nasales :

i		*u*	*ĩ*		*ũ*
e		*o*	*ẽ*		*õ*
ɛ		*ɔ*	*ɛ̃*		*ɔ̃*
	a			*ã*	

Mais une situation beaucoup plus courante est celle où le sous-système des voyelles nasales distingue moins de degrés d'aperture que celui des voyelles orales. En particulier, beaucoup de langues ouest-africaines ont l'inventaire vocalique suivant :

i		*u*	*ĩ*		*ũ*
e		*o*			
ɛ		*ɔ*	*ɛ̃*		*ɔ̃*
	a			*ã*	

Lorsqu'on consulte des descriptions de langues négro-africaines, il faut être attentif au fait qu'elles contiennent fréquemment des inexactitudes concernant la notation phonétique de la nasalité, ce qui peut conduire à des analyses erronées du statut de la nasalité vocalique dans le système. Le point délicat est la distinction entre des syllabes ouvertes ayant pour noyau de véritables voyelles nasales et des syllabes fermées dont la coda est constituée, ou bien par *ŋ*, ou bien (s'il ne s'agit pas d'une syllabe finale) par une nasale homorganique de l'attaque de la syllabe suivante. Une erreur fréquente est d'omettre de transcrire les consonnes nasales qui nasalisent plus ou moins la voyelle constituant le noyau de la syllabe où elles occupent la fonction de coda. Par exemple, beaucoup de linguistes ayant travaillé sur des parlers malinké ont noté *bã̀bâ* le mot pour « le crocodile », qui est en réalité *bã̀mbâ*; cette transcription n'est pas tout à fait fausse, puisqu'elle enregistre l'existence d'une nasalité au niveau de la rime de la première syllabe du mot, mais en notant de façon inexacte cette nasalité on présente comme indépendante du contexte une nasalité vocalique qui est en réalité liée à la présence d'un segment consonantique nasal. En effet, en malinké, phonétiquement parlant on n'a jamais de plosive en position interne immédiatement précédée d'une voyelle nasale : une nasale homorganique de la plosive est nécessairement présente entre une voyelle perçue comme nasale et une plosive lui succédant. Toute la suite de l'analyse va donc s'en trouver faussée.

Ce type d'erreur s'observe très souvent chez les linguistes francophones ou formés à la linguistique à travers le français. La confusion s'explique certainement par le fait que, dans le diasystème français, les syllabes ouvertes à voyelle nasale sont équivalentes à des syllabes dont la coda est une consonne nasale (dans les variétés méridionales du français, on a par exemple *pɛ̃ŋ* « pain », *ʃãnte* « chanter », *tɔ̃mbe* « tomber » là où les autres parlers français ont *pɛ̃, ʃãte, tɔ̃be*) ; cette variation propre au français incite un francophone à négliger la distinction phonétique entre voyelles nasales constituant le noyau de syllabes ouvertes et voyelles nasalisées par une nasale en position de coda, ce qui dans la transcription phonétique des langues peut conduire à éliminer inconsciemment des notations qui, dans le cas du français, correspondraient à une prononciation marquée de régionalismes. Un linguiste ayant abordé la transcription phonétique à travers le français, s'il n'a pas été convenablement sensibilisé à l'existence de telles variations et entraîné à les transcrire avec précision, a tendance à noter des voyelles nasales là où il serait plus exact de noter des voyelles suivies de *ŋ*.

On peut citer comme exemple la description du sosso par Houis, qui reconnaît sept voyelles nasales phonématiques alors que dans cette langue on a seulement des voyelles plus ou moins nasalisées dans des syllabes où une nasale (qui apparaît toujours comme *ŋ* en finale absolue) occupe la position de coda. Le lecteur pourra se reporter aux exemples donnés au chapitre précédent (p. 38-39) pour illustrer la discussion à propos de la longueur vocalique.

Ce genre d'erreur est particulièrement gênant dans des langues où la distinction entre voyelles nasales et séquences « voyelles + *ŋ* » est pertinente, comme c'est le cas en zarma. Par exemple, Tersis transcrit *hȁã́* « boire », alors que ce lexème, dont la transcription correcte est *hăŋ*, présente une rime *aŋ* nettement distincte de la véritable voyelle nasale qu'on a par exemple dans *hã́ː* « demander ».

Il faut donc être d'autant plus attentif à enregistrer ces précisions que, dans certaines langues au moins, la distinction entre voyelles nasales constituant le noyau de syllabes ouvertes et voyelles nasalisées par une nasale en position de coda est pertinente. A l'exemple du zarma qui vient d'être évoqué on peut ajouter celui du bambara, où il est indispensable de distinguer entre eux trois types de rimes syllabiques : rimes constituées d'une voyelle orale, rimes constituées d'une voyelle nasale et rimes constituées d'une voyelle suivie d'une consonne nasale au contact de laquelle cette voyelle se nasalise. Des séquences comme *ʃɛ̃ kélé* « une poule », *ʃwɛ̃́ kélé* « un défaut » et *fɛ̃ŋ kélé* « une chose »[3] illustrent la pertinence de cette distinction.

Dans de tels cas, une notation phonétique inexacte ne conduit pas seulement à fausser l'interprétation de certains faits : c'est la reconnaissance même d'une distinction pertinente qui est alors en cause.

VOYELLES NASALES ANALYSABLES COMME REPRÉSENTANT DES SÉQUENCES VN

Il faut se souvenir ici que, de manière générale, la reconnaissance du statut pertinent ou même différentiel d'une distinction phonique ne débouche pas nécessairement sur sa prise en compte comme un trait caractérisant certaines classes de segments. En particulier, la possibilité de reconnaître une valeur différentielle à la nasalité vocalique n'est pas contradictoire avec des analyses qui en rendent compte autrement que par la présence d'un trait distinctif ± nasal dans la définition des segments vocaliques. En effet, le fonctionnement différentiel de la nasalité vocalique peut être soumis à des restrictions contextuelles que, dans une analyse ayant recours au trait distinctif ± nasal, on ne peut que constater sans en donner d'explication, alors qu'une autre interprétation en donnerait une explication simple.

Par exemple, en malinké, on peut généralement établir le statut différentiel de la nasalité vocalique par des rapprochements dans lesquels, en finale absolue, une voyelle nasale commute en contexte identique avec une voyelle orale : *à má sà* « il/elle n'est pas mort(e) » / *à má sã̀* « ça n'a pas été acheté ». Mais une observation exhaustive des faits de nasalité montre que dans ces parlers (à la différence des parlers bambara, dont le cas a été évoqué au paragraphe précédent) on peut établir une distribution complémentaire entre syllabes ouvertes ayant pour noyau une voyelle nasale et syllabes fermées dont la coda est une consonne nasale. Sous réserve de préciser ce qui se

3. Pour être tout à fait exact, il faudrait préciser que *k* au contact immédiat de *ŋ* présente un léger voisement; ce voisement est par contre totalement absent lorsque *k* succède immédiatement à une voyelle nasale.

passe exactement pour les rimes syllabiques précédant immédiatement une attaque syllabique non occlusive (car il est possible qu'il y ait à reconnaître là des variations[4]), le principe général de cette distribution est que :

— une rime syllabique qui précède immédiatement une pause ou une attaque syllabique non occlusive ne peut pas comporter de coda, mais elle peut être constituée par une voyelle nasale ;

— une rime syllabique qui précède immédiatement une attaque syllabique occlusive (plosive ou nasale) peut comporter comme coda une nasale homorganique de l'attaque de la syllabe suivante (et la voyelle en fonction de noyau peut alors être plus ou moins nasalisée), mais il est exclu dans ce contexte d'avoir une rime se réduisant à une voyelle nasale.

Une telle distribution autorise à analyser les rimes syllabiques phonétiquement constituées d'une voyelle nasale comme représentant des séquences phonologiques VN où N est en fonction de coda dans la syllabe dont V est le noyau, et donc à exclure le trait ± nasal de l'inventaire des traits distinctifs caractérisant les segments vocaliques.

Même dans des langues où les voyelles nasales ne présentent pas une distribution permettant à elle seule de les exclure de l'inventaire des unités phonologiques, dans une perspective morphophonologique l'interprétation des voyelles nasales comme issues de séquences sous-jacentes VN peut s'avérer utile pour rendre compte de certaines alternances dans lesquelles les voyelles nasales sont impliquées. Le cas du français est bien connu, et des faits analogues se rencontrent dans diverses langues négro-africaines.

Ceci dit, si dans certaines langues au moins les voyelles nasales sont analysables comme issues de séquences VN, ce serait une erreur d'appliquer automatiquement cette interprétation à toute langue présentant phonétiquement des syllabes ouvertes dont le noyau est une voyelle nasale. Et il ne faudrait surtout pas croire qu'elle s'applique nécessairement à toutes les langues négro-africaines dont l'orthographe utilise la graphie « voyelle + n » pour

4. Pour une description précise de cet aspect du phonétisme de deux parlers appartenant au groupe central des parlers mandingues, on pourra consulter Sékou Oumar Diarra, *Éléments de description du fuladugukakan de Sébékoro (parler manding du Mali)*, thèse de doctorat, Université Stendhal - Grenoble 3, juin 1992, et Claire Grégoire, *Le Maninka de Kankan, éléments de description phonologique*, Musée royal de l'Afrique Centrale, Tervuren, Belgique, ann. vol. 122, Sciences humaines, 1986.

noter des voyelles nasales : dans les orthographes pratiques, on a affaire là fondamentalement à une convention orthographique inspirée du français, et cette convention n'a de réelle justification phonologique que dans une partie des langues où elle est utilisée.

De manière générale, l'interprétation des voyelles nasales comme représentant des séquences VN ne doit être retenue que dans la mesure où elle permet de rendre compte de relations (ou bien en termes distributionnels, ou bien en termes d'alternances morphologiques) entre syllabes ouvertes ayant pour noyau une voyelle nasale et syllabes ayant une consonne nasale en fonction de coda. Dans la description synchronique d'une langue attestant sans restriction particulière, en position de noyau dans des syllabes ouvertes, des voyelles nasales totalement stables et n'exerçant aucune influence particulière sur ce qui leur succède (ce qui n'est pas rare en domaine négro-africain), il n'y a aucune raison de ne pas retenir les voyelles nasales parmi les unités phonologiques de base.

NASALITÉ VOCALIQUE ET TON EN MALINKÉ DE KITA

Il est intéressant de remarquer que, parmi les parlers malinké qui présentent une distribution des voyelles nasales du type évoqué ci-dessus, le parler de Kita présente des faits de tonalité qui fournissent des arguments pour retenir l'interprétation des voyelles nasales comme représentant des séquences phonologiques VN et laisser de côté l'interprétation alternative qui consisterait à poser des voyelles nasales phonologiques qui dans certains contextes seraient représentées par des séquences VN. En effet en malinké de Kita, d'un point de vue strictement logique, la donnée des voyelles nasales permet de prédire les consonnes nasales en position de coda, tant en ce qui concerne leur apparition que leur nature exacte. Ceci autorise a priori une interprétation dans laquelle « ± nasal » est retenu parmi les traits distinctifs caractérisant les segments vocaliques, les nasales en position de coda (traitées en quelque sorte comme un appendice des voyelles nasales) étant introduites par une règle d'insertion.

Comparons la forme indéfinie et la forme définie de quelques substantifs de ce parler. Pour les substantifs terminés par une voyelle orale, selon la structure syllabique des substantifs on observe les correspondances suivantes entre forme indéfinie et forme définie[5] :

sú «maison»	*sú (`)* «la maison»
sǔ ~ sù «cheval»	*sǔ (`)* «le cheval»
básá «lézard»	*básà* «le lézard»
mùsú ~ mùsù «femme»	*mùsú (`)* «la femme»
màlú «riz»	*màlú (`)* «le riz»
súŋgúdú «jeune fille»	*súŋgúdù* «la jeune fille»
ɟàŋgúmá «chat»	*ɟàŋgúmà* «le chat»
sàmàdá « chaussure»	*sàmàdá (`)* «la chaussure»

Il est clair que l'élément commun aux formes définies et qui les distingue globalement des formes indéfinies est leur ton bas final. On peut dans tous les cas considérer que ce ton bas est structurellement postposé au substantif, ce qui implique d'expliquer les trois formes *básà*, *ɟàŋgúmà* et *súŋgúdù* en formulant une règle spéciale de rattachement dont le résultat est que la syllabe finale du substantif, au lieu du ton haut qui lui est affecté à la forme indéfinie, s'associe exclusivement au ton bas qui représente le morphème du défini. Cette règle opère dans les cas où la forme indéfinie du substantif se termine par au moins deux syllabes hautes, et seulement dans ces cas.

Or, ceci ne vaut que pour les substantifs dont la voyelle finale est phonétiquement orale. Avec les substantifs se terminant phonétiquement par une voyelle nasale, cette règle de rattachement n'opère jamais, et la forme définie présente dans tous les cas une syllabe finale associée à un ton haut suivi d'un élément bas dont les manifestations sont variables selon les contextes :

kúlṹ «pirogue»	*kúlṹ (`)* «la pirogue»
nógólã́ «feuille gluante»	*nógólã́ (`)* «la feuille gluante»

Si on retenait les voyelles nasales comme phonèmes dans l'analyse de ce parler, on pourrait certes, d'un point de vue strictement formel, poser que le ton bas qui représente le morphème du défini ne

5. L'indication d'un élément tonal bas entre parenthèses à la forme définie signifie que cette forme comporte à sa finale un élément bas dont la manifestation est variable selon les contextes : en isolation, il se rattache à la syllabe finale du substantif pour donner une modulation ; devant un mot à ton initial haut, il se manifeste par un abaissement de ce ton haut ; devant un mot à ton initial bas il ne laisse aucune trace. En ce qui concerne la forme indéfinie, qui n'est jamais dite en isolation, l'indication de deux variantes tient au fait que, pour une partie des substantifs, la forme indéfinie n'a pas la même tonalité selon qu'elle est ou non immédiatement suivie d'un mot dont la syllabe initiale est basse.

se rattache pas à un noyau syllabique constitué par une voyelle nasale de la même façon qu'à un noyau syllabique constitué par une voyelle orale. Toutefois, il est très général dans la description des langues négro-africaines d'avoir à écrire des règles tonales dont l'application est conditionnée, ou bien par des différences de structure syllabique, ou bien par des différences au niveau des segments consonantiques, alors qu'on n'est jamais confronté à des processus tonals dont la description imposerait absolument de tenir compte de la nature des segments vocaliques servant phonétiquement de support aux tons. De ce fait, les deux interprétations étant par ailleurs logiquement équivalentes, on peut estimer préférable de choisir l'interprétation selon laquelle les voyelles nasales représentent phonologiquement des rimes syllabiques du type « voyelle + nasale ». Cette interprétation permet en effet de formuler la règle de rattachement du ton bas qui représente le morphème du défini en ajoutant simplement que cette règle ne peut opérer que si aucun segment consonantique ne sépare ce ton du noyau syllabique auquel il est susceptible de se rattacher.

L'ANALYSE DES VOYELLES NASALES DANS LA PERSPECTIVE D'UNE DÉCOMPOSITION DES UNITÉS PHONOLOGIQUES EN ÉLÉMENTS

Là où l'interprétation des voyelles nasales comme représentant des séquences phonologiques VN peut être retenue, le problème se pose de préciser la nasale qui doit figurer dans les séquences VN sous-jacentes aux voyelles nasales. Il peut arriver que l'observation de certaines alternances donne des arguments en faveur du choix d'une consonne nasale particulière. Ainsi en français, en considérant que la voyelle nasale présente dans la forme de masculin *bɔ̃* « bon » représente une séquence structurelle *ɔn*, on a une présentation plus simple de la relation avec la forme de féminin *bɔn*^{œ} « bonne ». Mais on ne dispose pas toujours de tels arguments. En restant dans un cadre relativement classique, on peut alors postuler une nasale sous-jacente sous-spécifiée ; si on refuse par principe ce type de solution, on doit identifier arbitrairement la nasale sous-jacente à l'une des nasales attestées par ailleurs dans la langue, ce qui n'est pas très satisfaisant.

Il n'est pas exclu que la solution de ce problème soit à chercher dans le cadre d'une hypothèse plus générale de décomposition des voyelles nasales en éléments. En effet, nous verrons au chapitre suivant qu'il y a de manière générale des arguments pour considérer que la nasale vélaire occupe une place particulière parmi les consonnes nasales, ce qui pourrait suggérer de considérer *ŋ* comme la concrétisation, lorsqu'il se présente à l'état pur (non amalgamé à d'autres éléments), de l'élément généralement responsable des phénomènes de nasalité.

Selon cette interprétation, toute consonne nasale inclut *ŋ* comme une de ses composantes, et donc *ŋ* est d'une certaine façon présent dans le système d'une langue même s'il n'est pas possible de reconnaître un phonème *ŋ* au sens de la phonologie classique, ce qui en particulier rend inutile le recours à la notion de nasale sous-spécifiée. Toujours selon cette interprétation, toute voyelle nasale est un amalgame dont l'un des éléments est *ŋ*. Autrement dit, de manière universelle une voyelle nasale et une séquence «voyelle suivie de *ŋ*» seraient constituées des mêmes éléments, la seule différence étant dans leur disposition relativement aux positions squelettales.

Dans ce cadre théorique, le problème d'indétermination de l'interprétation de certaines voyelles nasales analysées comme représentant des séquences VN cesse de se poser. En effet dans ce cadre, en l'absence d'arguments en faveur d'un autre choix, c'est *ŋ* qu'il convient de choisir par défaut, car ce choix permet la description la plus simple de la création de la voyelle nasale, sans aucune modification des éléments en présence, en jouant seulement sur leur configuration :

```
x   x   →   x
|   |       |
V   ŋ       V
            |
            ŋ
```

On peut remarquer par ailleurs que, de manière générale, parmi les séquences «voyelle + consonne nasale», ce sont les séquences «voyelle + *ŋ*» qui sont perçues comme ressemblant le plus aux voyelles nasales – il suffit pour s'en convaincre d'analyser les flottements qu'il peut y avoir dans les transcriptions d'une même langue par plusieurs linguistes différents. Un avantage de l'hypothèse de décomposition des voyelles nasales qui vient d'être évoquée est qu'elle rend bien compte de cette ressemblance.

SYSTÈMES VOCALIQUES CARACTÉRISÉS PAR UNE RELATION ENTRE LA STRUCTURE DES RIMES SYLLABIQUES ET LA PERTINENCE DE LA NASALITÉ

Il n'est pas rare en domaine négro-africain de trouver des langues où voyelles longues orales et voyelles longues nasales s'opposent en contexte identique alors que dans ces mêmes langues les voyelles brèves peuvent éventuellement présenter des faits de nasalité conditionnée mais ne se prêtent à aucune commutation qui justifierait de reconnaître comme pertinent leur caractère oral ou nasal. Cette situation se rencontre notamment dans les langues sara. Par exemple en bédjonde, les voyelles nasales ont d'après Djarangar [6] une distribution qu'on peut présenter de la façon suivante, en se limitant aux types les plus courants d'unités afin de ne pas surcharger l'exposé :

— aucune voyelle nasale n'est possible dans les unités monosyllabiques constituées d'une syllabe légère ;

— dans les dissyllabes constitués de deux syllabes légères (ce qui constitue la très grande majorité des dissyllabes de cette langue, les autres types de dissyllabes étant vraisemblablement à considérer comme des composés figés), la nasalité des voyelles est entièrement déterminée par la nature du segment consonantique médian : les deux voyelles sont nasales si on a en position médiane une simple consonne nasale (*kā̃nā̃* « piment ») ; elles sont toutes deux orales si on a en position médiane une simple consonne orale (*kòrè* « nœud », *màdɨ́* « cynocéphale ») ; la première est nasale et la deuxième orale lorsqu'on a en position médiane un complexe NC (*ɲɨ̃́ŋgɨ̄* « semoule ») ;

— dans les monosyllabes constitués d'une syllabe lourde avec en position de coda une consonne, cette consonne détermine le caractère oral ou nasal de la voyelle occupant la position de noyau ; on aura par exemple *nàl* « bambou », *būr* « varan », *dã̀m* « grenier », *mɔ̃̀ɲ* « maladie » ;

6. D. Djarangar, *Description phonologique et grammaticale du bédjonde, parler sara de Bédiondo, Tchad*, thèse de doctorat, Université Stendhal, Grenoble, 1989.

— dans les monosyllabes à voyelle longue par contre, aucune prévision ne peut être faite quant au caractère oral ou nasal de la voyelle ; des paires comme les suivantes montrent que la nasalité de la voyelle a alors un statut différentiel quelle que que soit la nature de l'attaque syllabique du point de vue de la nasalité : *ndá:* « terrain découvert » / *ndã́:* « distance », *mà:* « rônier » / *mã̀:* « stupide », *gà:* « cuisine » / *gã̀:* « espèce ».

Si on reste dans le cadre d'une phonologie qui conçoit les représentations phonologiques comme pures séquences de segments, sans distinguer clairement le segment proprement dit et sa fonction dans l'unité de rang supérieur qu'est la syllabe, il est tout simplement impossible de concilier de telles observations avec la nécessité de décomposer les voyelles longues en deux segments successifs pour rendre compte d'autres particularités phonologiques des langues concernées. Par exemple dans les langues sara, les arguments pour décomposer les longues en deux brèves successives sont valables pour les voyelles longues nasales aussi bien que pour les voyelles longues orales, mais d'un autre côté il n'est pas possible d'effectuer cette décomposition, puisque les voyelles brèves nasales n'existent pas comme phonèmes distincts des voyelles brèves orales.

C'est seulement dans le cadre d'une théorie explicite de la syllabe qu'on peut résoudre cette contradiction et trouver une présentation du système phonologique de telles langues qui rende compte à la fois de l'équivalence « une longue = deux brèves » et du fait que la nasalité n'est pertinente que pour les longues. Si, comme cela a été proposé ici, on analyse les voyelles longues comme segments uniques associés à deux positions successives dans une rime syllabique lourde, il suffit pour rendre compte des faits évoqués ci-dessus d'inclure la nasalité comme trait distinctif des segments vocaliques tout en formulant la restriction distributionnelle suivante : la spécification du trait ± nasal pour les segments vocaliques n'est indépendante du contexte que dans le cas de segments vocaliques associés à deux positions successives. Par exemple, les lexèmes du bédjonde *gà:* « cuisine » et *gã̀:* « espèce » seront représentés de la façon suivante :

```
     B           B
    / \         / \
  < o  o      < o  o
  |  \ /      |  \ /
  g   a       g   ã
```

Il est possible qu'une réflexion plus approfondie sur l'identification de certaines structures syllabiques conduise à la conclusion que la relation entre nasalité vocalique et structure des rimes syllabiques dans les langues sara est un peu plus complexe que cela n'apparaît dans la description du bédjonde par Djarangar, mais cela ne remet pas en question l'essentiel de ce qui vient d'être dit. Il faut seulement prévoir d'approfondir l'analyse pour rendre compte de cas où le fonctionnement de la nasalité apparaît comme conditionné par la structure des rimes syllabiques, le cas où la nasalité ne serait pertinente que dans le cas des voyelles longues n'étant finalement qu'un cas particulier de cette situation plus générale. Par exemple, il ressort de la présentation du mbay par Ballah [7] que, pour cette langue, la généralisation correcte est que :

— le choix oral / nasal est conditionné dans les rimes légères, alors qu'il a un statut différentiel dans les rimes lourdes ;

— dans les rimes lourdes, le choix oral / nasal concerne la rime dans son ensemble, c'est-à-dire que les deux mores d'une syllabe lourde doivent être en harmonie quant au trait de nasalité. Par exemple :

Syllabes lourdes à rime nasale		**Syllabes lourdes à rime non nasale**	
ndõ̀ː̄	« langue »	*ndòː̄*	« pauvreté »
kĩ̄ã̄	« karité »	*kìā*	« couteau »
gṍĩ́	« cache-sexe »	*góí*	« cuisse »
kã̀r̰̃	« crapaud »	*kàr̰*	« point d'eau »
kṍn	« nez »	*kòl*	« girafe »

Ici encore, la décomposition des unités phonologiques en éléments semble permettre une solution particulièrement intéressante. En effet, si on admet que tout segment nasal (vocalique aussi bien que consonantique) inclut *ŋ* comme une de ses composantes, un lexème mbay comme *gṍĩ́* « cache-sexe » peut être représenté de la façon suivante :

7. D. Ballah, *Étude phonologique du mbay*, mémoire de DEA, Université Stendhal, Grenoble, 1993.

```
      H
     / \
  <  o  o
  |  |  |
  g  o  i
      \ /
       ŋ
```

et on peut résumer très simplement les observations ci-dessus en disant que *ŋ* ne peut figurer dans une rime syllabique du mbay qu'à condition de porter simultanément sur deux mores successives.

L'ORIGINE HISTORIQUE DES VOYELLES NASALES

Les langues négro-africaines attestent au moins deux processus historiques différents par lesquels la nasalité vocalique peut devenir pertinente, et il y a vraisemblablement une relation avec la diversité que l'on peut observer dans la distribution des voyelles nasales et leur comportement phonologique ; en effet, lorsqu'on dispose de données comparatives suffisantes, on peut souvent montrer que :

— les voyelles nasales en relation avec des rimes syllabiques de type VN et susceptibles d'exercer une influence sur la consonne qui leur succède sont issues historiquement d'anciennes séquences *VN où la nasale appartenait à la même syllabe que la voyelle à laquelle elle a transmis sa nasalité avant de disparaître ;

— les voyelles nasales qui ne peuvent pas être mises en relation avec des rimes syllabiques de type VN et qui ne donnent lieu à aucune alternance justifiant de les exclure de l'inventaire des unités phonologiques de base sont issues historiquement d'anciennes séquences *VNV, une nasale en position intervocalique ayant disparu après avoir transmis sa nasalité aux voyelles adjacentes.

L'ensemble dialectal mandingue présente sur ce point des données particulièrement intéressantes, car en ce qui concerne la nasalité on a à la fois des parlers dont on peut considérer qu'ils maintiennent un état ancien du système, caractérisé par l'absence de voyelles nasales, et des parlers qui, de deux façons différentes, ont créé des voyelles nasales.

Dans les parlers les plus occidentaux (en particulier le mandinka de Gambie et du Sénégal), on n'a jamais de syllabe ouverte avec pour noyau une voyelle nasale, et on peut seulement parler de nasalisation des voyelles dans des rimes syllabiques de type VN.

Dans les parlers centraux (généralement désignés comme maninka ou malinké), les rimes syllabiques VN ont, dans certains contextes au moins, perdu leur élément consonantique, la nasalité étant toutefois maintenue par le segment vocalique. Par exemple le mot pour « dix », qui en isolation est prononcé *táŋ* en mandinka, est dans les mêmes conditions prononcé *tã́* dans les parlers malinké. Il y a ainsi apparition d'une nasalité vocalique pertinente, même si les voyelles nasales qui se sont ainsi développées conservent avec les rimes syllabiques VN une complémentarité de distribution qui autorise à les exclure de l'inventaire des unités phonologiques de base, comme il y a été fait allusion ci-dessus.

Les parlers orientaux et méridionaux ont eux aussi développé des syllabes ouvertes ayant pour noyau des voyelles nasales, mais les voyelles nasales de ces parlers ont des propriétés phonologiques très différentes de celles du malinké, et la comparaison permet d'établir qu'elles n'ont pas la même origine historique.

Ainsi, en koyaga de Mankono, le mot pour « dix » est en isolation prononcé sans aucune nasalité : *tá*; ce mot est toutefois susceptible d'exercer sur ce qui lui succède une influence qui justifie de lui reconnaître une forme sous-jacente qui pourrait être quelque chose comme *ta(n)*, avec une consonne finale dont le comportement phonologique rappelle celui des consonnes finales latentes qu'illustre en particulier la « liaison » du français. Mais il existe par ailleurs en koyaga des voyelles nasales opposables en contexte identique à des voyelles orales, voyelles nasales qui de plus sont totalement stables et ne provoquent aucune alternance dans leur environnement. Or, les unités qui présentent de telles voyelles nasales correspondent, dans les parlers mandingues occidentaux ou centraux, à des unités comportant une syllabe de plus qu'en koyaga, avec une nasale en position intervocalique. Par exemple :

mandinka	**koyaga**	
tòːɲaː	*cã̀*	« vérité »
tiɲaː	*cã*	« abîmer »
kèɲe	*cɛ̃̀*	« sable »
kono	*krɔ̃*	« ventre »
suma	*ʃɔ̃*	« froid »
bèɲe	*bjɛ̃̀*	« pointe »

Et en élargissant la comparaison, on peut trouver des parlers qui maintiennent ce qu'on peut interpréter comme des stades intermédiaires dans le processus évolutif ayant fait passer de formes anciennes vraisemblablement très proches des actuelles formes mandinka aux formes attestées en koyaga. Par exemple pour « abîmer », on peut relever à travers les parlers mandingues des formes *tɲa, tĩã.*

Il est intéressant d'examiner de plus près le terme pour « ventre ». Par rapport à une forme ancienne qui devait être très peu différente de l'actuelle forme mandinka *kono,* le koyaga a connu une évolution qui au plan segmental peut se décrire comme la dislocation d'un ancien *n* en un élément apical qui dans la forme koyaga apparaît à l'état isolé sous forme d'un *r* et un élément nasal qui est allé s'amalgamer à la voyelle suivante. Le parler du Maou, géographiquement voisin du koyaga, a connu des évolutions légèrement différentes, puisque dans ce parler la forme *kɔ̃:* « ventre » ne maintient que l'élément nasal de l'ancien *n.*

Lorsqu'on examine du point de vue diachronique les voyelles nasales d'une langue, on peut interpréter l'absence éventuelle de nasales brèves comme un indice du fait que, dans les langues en question, la nasalité vocalique a dû se développer en liaison avec la contraction de deux syllabes successives en une syllabe unique.

SYSTÈMES VOCALIQUES À HARMONIE SELON LE TRAIT D'AVANCEMENT : EXAMEN DE DEUX EXEMPLES

Une partie des parlers igbo ont un mécanisme d'harmonie vocalique qui va être brièvement présenté d'après la description que donne Onumajuru[8] du parler d'Orlu.

Il n'y a aucune difficulté à dégager pour ce parler huit phonèmes vocaliques; en suivant le mode usuel de présentation, compte tenu du déséquilibre entre voyelles antérieures et voyelles postérieures, on peut intégrer le *a* à l'ordre des non-postérieures (ou non-labialisées) pour dresser le tableau suivant, qui implique un trait d'aperture prenant quatre valeurs différentes :

i	*u*
ɩ	*ɷ*
e	*o*
a	*ɔ*

8. E. Onumajuru, *Le Système verbal de l'igbo (parler d'Orlu)*, thèse de 3e cycle, Université Stendhal, Grenoble, 1985.

Mais cette présentation ne permet pas de comprendre les phénomènes d'harmonie vocalique de cette langue. En particulier, un certain nombre de morphèmes que l'on peut considérer comme affixés présentent des alternances vocaliques dont la description impose de répartir les voyelles de l'igbo en deux sous-ensembles : un sous-ensemble A constitué de *i*, *e*, *u*, *o* et un sous-ensemble B constitué de *ɩ*, *a*, *ɷ*, *ɔ*.

Les lexèmes verbaux élémentaires de l'igbo, qui sont presque toujours monosyllabiques, peuvent présenter l'une quelconque des huit voyelles du système, et la voyelle d'un lexème verbal ne subit jamais de modification lors de l'adjonction d'affixes; par contre, divers affixes verbaux peuvent prendre deux formes différentes selon que la voyelle du lexème verbal appartient au sous-ensemble A ou au sous-ensemble B. Par exemple :

— le préfixe de l'infinitif présente un *i* ou un *ɩ* selon que la voyelle de la syllabe suivante appartient au sous-ensemble A ou au sous-ensemble B :

í-'rí	« manger »	*ɩ́-'sɩ́*	« dire »
í-kè	« diviser »	*ɩ́-'gá*	« aller »
í-'zú	« voler »	*ɩ́-'zɷ́*	« acheter »
í-'tó	« grandir »	*ɩ́-'kpɔ́*	« appeler »

— le préfixe d'élocutif singulier présente un *o* ou un *ɔ* selon que la voyelle de la syllabe suivante appartient au sous-ensemble A ou au sous-ensemble B :

ó-rìrì ɟí « il/elle a mangé de l'igname »	*ɔ́-cɩ̀rɩ̀ ŋ́kɦɷ́* « il/elle a ramassé du bois »
ó-ʃèrè óʃíʃí « il/elle a dessiné un arbre »	*ɔ́-zàrà úlò* « il/elle a balayé la maison »
ó-bùrù íbù « il/elle est gros(se) »	*ɔ́-zɷ̀rɷ̀ ɟí* « il/elle a acheté de l'igname »
ó-tòrò ógólógó « il/elle est grand(e) »	*ɔ́-kpɔ̀rɔ̀ ḿ* « il/elle m'a appelé »

— au futur (qui se forme en igbo au moyen d'un auxiliaire qui n'est autre que le verbe « aller »), le lexème verbal est élargi d'un préfixe qui comporte un *e* ou un *a* selon que la voyelle de la syllabe suivante appartient au sous-ensemble A ou au sous-ensemble B :

ɔ́gà è-rí ɟí « il/elle mangera de l'igname »	*ɔ́gà à-ɦɷ́ 'gí* « il/elle te verra »
ɔ́gà è-ɲé 'ḿ égɦú « il/elle me donnera une chèvre »	*ɔ́gà á-wɔ̀ í'wé ńrí* « il/elle privera Iwe de viande »

Chacun des deux sous-ensembles de voyelles que de tels mécanismes imposent de reconnaître peut se décrire selon deux traits binaires, ± ouvert et ± postérieur :

A	– post.	+ post.	B	– post.	+ post.
– ouv.	*i*	*u*	– ouv.	*ɩ*	*ω*
+ ouv.	*e*	*o*	+ ouv.	*a*	*ɔ*

Le problème est de caractériser globalement l'un par rapport à l'autre ces deux sous-ensembles : à la différence de systèmes d'harmonie vocalique comme celui du turc, qui se laisse sans problème décrire en utilisant les traits traditionnellement utilisés pour caractériser les phonèmes vocaliques, une présentation en termes de localisation et de degré d'aperture fait apparaître les deux sous-ensembles A et B dégagés ci-dessus comme imbriqués l'un dans l'autre et ne permet pas de dire ce qui fait l'unité de chacun de ces deux sous-ensembles tout en le distinguant de l'autre.

On ne peut pas évacuer le problème en supposant qu'on aurait là le résultat d'évolutions propres à l'igbo qui auraient peut-être brouillé le conditionnement phonétique initial de ces alternances : le fait que des systèmes d'harmonie vocalique très semblables s'observent dans un grand nombre de langues négro-africaines oblige à admettre qu'une explication phonétique doit exister.

L'agni par exemple connaît un système d'harmonie vocalique qui ne diffère de celui de l'igbo d'Orlu que par le comportement de *a*, cette différence étant liée à la présence d'une distinction entre *e* et *ε* que l'igbo d'Orlu ignore. L'étude des compatibilités entre voyelles de l'agni permet de les répartir en trois sous-ensembles, un sous-ensemble A constitué de *i*, *e*, *u*, *o*, un sous-ensemble B constitué de *ɩ*, *ε*, *ω*, *ɔ* et un troisième sous-ensemble dont l'unique élément est *a*. Le comportement particulier de *a* tient à ce que :

— en tant qu'unique voyelle d'un lexème monosyllabique, *a* se comporte comme les voyelles du sous-ensemble B, c'est-à-dire qu'il détermine l'apparition d'une voyelle du sous-ensemble B dans les affixes dont les voyelles sont soumises à l'harmonie vocalique, comme le montre la comparaison de *ɔ̀-wá-lɩ̀* « il est venu » avec *ò-sé-lì* « il a dit » ;

— par contre, à la différence des voyelles du sous-ensemble B (qui dans les limites de l'unité significative élémentaire sont incompatibles avec les voyelles du sous-ensemble A), le *a* se combine librement dans les limites de l'unité significative élémentaire aux voyelles du sous-ensemble A, en conservant toutefois du point de vue des processus d'affixation le comportement caractéristique d'une voyelle du sous-ensemble B. Ainsi, un lexème verbal tel que *jaki* « laisser » sélectionne des voyelles du sous-ensemble B pour les préfixes et des voyelles du sous-ensemble A pour les suffixes (cf. *ɔ̀-jàkɩ́-lɩ̀* « il a laissé »), tandis qu'un lexème verbal tel que *bisa* « laisser » sélectionne des voyelles du sous-ensemble A pour les préfixes et des voyelles du sous-ensemble B pour les suffixes (cf. *ò-bìsá-lɩ̀* « il a demandé »).

Si on se place dans la perspective morphophonologique, il est permis de négliger la combinabilité de *a* avec les voyelles du sous-ensemble A au niveau de l'unité significative élémentaire, car cela ne met en jeu aucun mécanisme d'alternance, et de privilégier dans la définition de *a* le fait que, dans les mécanismes d'alternance, son comportement est celui d'une voyelle du sous-ensemble B. On pourra retenir ainsi l'organisation suivante du système vocalique de l'agni[9] :

	– post.	+ post.
ap. 1	*i*	*u*
ap. 2	*e*	*o*

	– post.	+ post.
ap. 1	*ɩ*	*ʊ*
ap. 2	*ɛ*	*ɔ*
ap. 3	*a*	

Les linguistes ont longtemps hésité sur l'identification du trait qui sépare les deux sous-ensembles de voyelles dans de tels systèmes. Il a été proposé de voir là une distinction entre voyelles tendues et voyelles relâchées. Mais le recours à de nouvelles méthodes d'investigation a permis de mettre en évidence le rôle joué par le mouvement de la racine de la langue. La démonstration a été faite tout d'abord pour l'akan (langue très proche de l'agni) par J. M. Stewart[10], et de nombreux travaux publiés ensuite ont confirmé la validité de cette hypothèse pour une explication générale de ce type d'harmonie vocalique.

9. En l'absence de données décisives sur ce point, le trait de localisation n'est pas spécifié pour *a* dans ce tableau, mais il n'est pas exclu qu'une meilleure connaissance de l'agni oblige à revoir cette décision.

10. J.M. Stewart, « Tongue root position in Akan vowel harmony », *Phonetica* 16, 1967, p. 198-204.

Par rapport à la position de repos, la racine de la langue peut effectuer un mouvement d'*avancement* qui l'éloigne de la paroi du pharynx, ou un mouvement de *rétraction*, qui l'en rapproche. La rétraction de la racine de la langue constitue l'articulation des fricatives pharyngales et accompagne, à titre d'articulation secondaire, l'articulation des consonnes pharyngalisées (ou «emphatiques») que l'on rencontre dans les langues sémitiques et berbères. Pour ce qui est des systèmes d'harmonie vocalique envisagés ici, c'est un mouvement d'avancement qui est en cause :
— les sous-ensembles de voyelles provisoirement étiquetés A dans la présentation des faits de l'igbo et de l'agni donnée ci-dessus se caractérisent par un avancement de la racine de la langue[11] ;
— pour les voyelles des sous-ensembles provisoirement étiquetés B dans la présentation des faits de l'igbo et de l'agni donnée ci-dessus, la racine de la langue est par contre en position neutre ou légèrement rétractée.

Ce trait avait été longtemps négligé dans la description des articulations vocaliques, et il y a à cela deux raisons : d'abord il ne se prête pas de manière simple à l'observation, et ensuite il y a nécessairement une certaine coordination entre la position de la racine de la langue dans le pharynx et la position de la masse de la langue dans la cavité buccale : le relèvement de la langue dans la cavité buccale va de pair avec l'avancement de la racine de la langue, et l'abaissement de la langue dans la cavité buccale va de pair avec la rétraction de la racine de la langue. Dans la plupart des langues, le paramètre d'avancement de la racine de la langue peut être négligé, car il est redondant du paramètre (seul retenu comme pertinent) d'élévation de la masse de la langue. Les langues comme l'igbo ou l'agni imposent toutefois d'admettre que la hiérarchie entre ces deux traits peut se trouver en quelque sorte inversée, et que certaines distinctions d'aperture peuvent être secondaires par rapport à une distinction plus fondamentale tenant à la position de la racine de la langue, qui seule rend compte de la partition des voyelles en deux sous-ensembles telle qu'elle apparaît dans l'harmonie vocalique de ces langues.

Dans le cas de l'igbo par exemple, le trait d'aperture doit être considéré comme prenant deux valeurs seulement : si ɩ est réalisé

11. Le terme «ATR», abréviation de l'anglais «advanced tongue root», est couramment utilisé y compris en français pour caractériser ces voyelles.

plus ouvert que *i*, du point de vue du système ces deux voyelles sont également d'aperture minimale; elles se distinguent par le trait d'avancement et non pas par celui d'aperture. Les huit voyelles de l'igbo sont à décrire par la combinaison de trois traits binaires :

	± ouvert	± postérieur	± avancé
i	–	–	+
ɩ	–	–	–
e	+	–	+
a	+	–	–
u	–	+	+
ω	–	+	–
o	+	+	+
ɔ	+	+	–

SYSTÈMES VOCALIQUES À HARMONIE SELON LE TRAIT D'AVANCEMENT : PROBLÈMES DE FORMALISATION

La description de systèmes d'harmonie vocalique tels que ceux qui viennent d'être brièvement présentés ne peut se faire de façon satisfaisante dans un cadre théorique où les représentations phonologiques sont conçues comme de strictes concaténations de segments et où on s'interdit en outre d'avoir recours à des unités sous-spécifiées dans les formes sous-jacentes des morphèmes. En effet, étant donné un morphème qui n'existe qu'à l'état affixé et dont la voyelle copie systématiquement un de ses traits sur une voyelle appartenant au lexème auquel ce morphème est affixé, il n'y a aucune raison, au niveau de la forme sous-jacente, de choisir l'une des voyelles pouvant figurer dans la réalisation de ce morphème de préférence à l'autre.

On peut aussi juger souhaitable de tenir compte du fait que l'harmonie vocalique ne se manifeste pas seulement au niveau du choix de la voyelle de certains morphèmes affixés : elle peut intervenir aussi dans les limites des unités élémentaires, dès lors qu'elles comportent au moins deux syllabes. Ainsi en igbo, de très nombreux substantifs se présentent comme V_1CV_2, et la voyelle initiale n'est isolable que dans un nombre limité de cas (essentiellement lorsque le substantif en question est dérivé d'un lexème verbal). Or la voyelle initiale des substantifs (qui donc, du point de vue synchronique au moins, est dans la plupart des cas partie intégrante du lexème) est toujours en harmonie avec la deuxième selon le trait d'avancement.

C'est pour mieux rendre compte de tels phénomènes que certains phonologues préconisent une approche différente consistant à dissocier des segments phonologiques les traits donnant lieu à des phénomènes d'harmonie, en particulier (mais pas seulement [12]) le trait d'avancement pour les langues présentant une harmonie vocalique du type illustré par l'igbo ou l'agni. Dans la version radicale de cette approche, au niveau des formes sous-jacentes, le trait d'avancement n'est jamais attaché à des segments phonologiques : il appartient globalement aux unités significatives élémentaires ; par exemple, selon cette optique, les deux lexèmes verbaux de l'igbo cités à l'infinitif comme *ɪ́'zú* « voler » et *ɪ́'zʊ́* « acheter » ont dans leur forme sous-jacente la même voyelle (définie simplement comme postérieure et fermée), et le premier de ces deux lexèmes est en outre spécifié comme comportant le trait « + avancé », mais sans que ce trait apparaisse associé (directement ou indirectement) à un segment ou à une position squelettale ; ce sont des règles d'association intervenant ultérieurement qui affectent le trait d'avancement aux voyelles des lexèmes positivement spécifiés pour ce trait, plus éventuellement à certains affixes définis comme faisant partie de son domaine de propagation.

Toutefois, des difficultés difficilement surmontables surgissent dès lors qu'on ne se borne pas à l'examen de listes limitées d'exemples et qu'on entreprend véritablement d'appliquer à la description exhaustive d'une langue ce type de présentation dans sa version la plus radicale. Ceci vaut en particulier pour l'igbo. Il faut tout d'abord prendre en considération que l'harmonie vocalique est rarement absolue au niveau des lexèmes de deux syllabes ou plus, y compris dans des langues où elle opère très strictement à la jonction lexème-affixes. Ceci est inévitable compte tenu du fait que le figement d'anciens composés (en particulier nominaux) est un phénomène constant qui, au cours de l'évolution des langues, introduit très rapidement des exceptions aux restrictions à la combinabilité des unités phonologiques dans le cadre de l'unité significative élémentaire valables à un moment donné.

12. Le même traitement peut s'appliquer à tout trait donnant lieu, dans une langue donnée, à un phénomène d'harmonie vocalique : nasalité, labialité ou localisation.

Par ailleurs, dans une langue donnée, plusieurs traits peuvent donner lieu à des phénomènes de propagation analogues à ceux évoqués ici à propos du trait d'avancement, et les domaines de propagation de ces différents traits peuvent ne pas coïncider, ce qui signifie qu'il va être très difficile de maîtriser correctement l'information complexe sur les frontières d'unités qu'implique un traitement utilisant la version radicale du modèle suprasegmental.

Ainsi, le modèle suprasegmental sous sa forme extrême définit un type idéal dont le système phonologique de certaines langues est indéniablement très proche, mais on peut douter qu'il existe réellement des langues se conformant à 100 % à ce modèle.

De telles considérations justifient de s'en tenir, au niveau d'un métalangage descriptif, à un traitement qui retient de l'approche suprasegmentale la possibilité de ne pas faire figurer certains traits dans les segments phonologiques utilisés pour consigner la forme sous-jacente des morphèmes, sans aller pour autant jusqu'à exclure systématiquement de la définition des segments phonologiques de base les traits donnant lieu à des phénomènes de propagation. On proposera donc ici un traitement de l'harmonie vocalique dans lequel les traits impliqués dans des phénomènes de propagation sont, dès le niveau sous-jacent, attachés à des segments phonologiques, mais peuvent à ce niveau n'être spécifiés que pour une partie des segments phonologiques qu'ils concernent au niveau phonologique de surface. Dans la pratique, compte tenu du fait que les mécanismes d'harmonie vocalique sont généralement beaucoup plus réguliers à la jonction lexème-affixes qu'à l'intérieur des lexèmes, on peut s'en tenir au principe consistant à faire figurer des voyelles pleinement spécifiées dans la forme sous-jacente des unités dont le vocalisme est stable en réalisation, et à réserver l'utilisation de voyelles structurellement sous-spécifiées pour la forme sous-jacente d'affixes dont le vocalisme varie selon une règle d'harmonie.

Selon ce type de présentation, les trois voyelles de la forme verbale igbo *ó-tò-rò* que l'on a dans *ótòrò ógólógó* « il est grand » seront traitées de la façon suivante :

— le deuxième *o*, qui fait partie du lexème et n'alterne dans la réalisation de ce lexème avec aucune autre voyelle, représente un *o* sous-jacent, c'est-à-dire une voyelle sous-jacente spécifiée comme ouverte, postérieure et avancée ;

— le premier *o*, qui appartient à l'indice de sujet et alterne avec *ɔ* selon que le lexème auquel se préfixe cet indice comporte une

voyelle avancée ou non avancée (cf. exemples ci-dessus), représente une voyelle sous-jacente spécifiée comme ouverte et postérieure mais non spécifiée pour le trait d'avancement ;
— le troisième *o*, qui appartient à un suffixe aspectuel dont la voyelle est toujours identique à celle du lexème verbal (cf. exemples ci-dessus), représente une voyelle sous-jacente totalement non spécifiée ;
— une règle complète la spécification des voyelles dont certains traits ne sont pas spécifiés au niveau des formes sous-jacentes en copiant les traits en question à partir de la voyelle la plus proche, dans les limites du mot, pour laquelle ce trait est spécifié dès le niveau des formes sous-jacentes. En faisant abstraction de la décomposition en traits des segments consonantiques, qui n'interviennent pas dans ce processus, on peut, dans le cas de *ótòrò*, schématiser comme suit l'action de cette règle (α signifiant dans ce schéma l'absence de spécification d'un trait) :

x	x	x	x	x	→	x	x	x	x	x
|	|	|	|	|		|	|	|	|	|
V	C	V	C	V		V	C	V	C	V
+ ouv.	*t*	+ ouv.	*r*	α ouv.		+ ouv.	*t*	+ ouv.	*r*	+ ouv.
+ pos.		+ pos.		α pos		+ pos.		+ pos.		+ pos.
α ava.		+ ava.		α ava.		+ ava.		+ ava.		+ ava.

et on aurait de même pour *ɔ́zɷ̀rɷ̀* « il a acheté » :

x	x	x	x	x	→	x	x	x	x	x
|	|	|	|	|		|	|	|	|	|
V	C	V	C	V		V	C	V	C	V
+ ouv.	*z*	– ouv.	*r*	α ouv.		+ ouv.	*z*	– ouv.	*r*	– ouv.
+ pos.		+ pos.		α pos.		+ pos.		+ pos.		+ pos.
α ava.		– ava.		α ava.		– ava.		– ava		– ava.

ESQUISSE D'UNE TYPOLOGIE DES SYSTÈMES VOCALIQUES À HARMONIE SELON LE TRAIT D'AVANCEMENT

La comparaison de l'igbo et de l'agni, dont les systèmes d'harmonie ont été brièvement présentés ci-dessus, fait apparaître une subdivision entre deux types de systèmes vocaliques dont le fonctionnement est dominé par une harmonie selon le trait d'avancement.

Dans certaine langues, on a deux sous-systèmes rigoureusement isomorphes d'avancées et de non-avancées. La configuration illustrée ci-dessus par l'igbo d'Orlu (où *a* est traité comme voyelle non avancée non postérieure correspondant à la voyelle avancée *e* et à la voyelle postérieure *ɔ*) semble très rare en dehors de l'igbo. Les deux configurations ci-dessous sont mieux attestées, surtout la première (la deuxième semble propre à quelques parlers krou de Côte d'Ivoire) :

(a)	*i*		*u*	*ɩ*		*ɷ*
	e		*o*	*ɛ*		*ɔ*
		ɐ			*a*	

(b)	*i*	*ɨ*	*u*	*ɩ*	*ɩ̱*	*ɷ*
	e		*o*	*ɛ*		*ɔ*
		ɐ			*a*	

Mais souvent aussi, on rencontre des systèmes vocaliques à harmonie selon le trait d'avancement dans lesquels le sous-système des non-avancées comporte un élément de plus que le sous-système des avancées, *a* étant traité comme voyelle non avancée isolée du point de vue de la corrélation d'avancement. Ceci est conforme à la tendance très générale à une moindre différenciation pour les voyelles d'aperture maximale.

Le déséquilibre entre avancées et non-avancées va généralement de pair avec un comportement de *a* qui met plus ou moins en défaut la régularité de l'harmonie d'avancement, les détails pouvant varier d'une langue à l'autre. Avec l'agni, nous avons vu un cas où *a* trouble la régularité de l'harmonie à l'intérieur des unités élémentaires; dans d'autres langues, la régularité des alternances selon le trait d'avancement à la jonction lexème-affixe peut aussi être troublée par le comportement de *a*.

Ce deuxième type de système vocalique à harmonie d'avancement est peut-être encore plus répandu que le premier. Dans le détail, deux configurations sont possibles. La première (déjà illustrée par l'agni) est de loin la plus commune; la deuxième semble propre à quelques parlers krou de Côte d'Ivoire :

(a)	*i*		*u*	*ɩ*		*ɷ*
	e		*o*	*ɛ*		*ɔ*
					a	

(b)	*i*	*ɨ*	*u*	*ɩ*	*ɩ̱*	*ɷ*
	e	*ə*	*o*	*ɛ*	*ɐ*	*ɔ*
					a	

SYSTÈMES VOCALIQUES NE FONCTIONNANT QUE PARTIELLEMENT SELON LE PRINCIPE D'UNE HARMONIE D'AVANCEMENT

A côté de langues dont le système vocalique doit de façon indiscutable être décrit en introduisant un trait d'avancement se manifestant par des alternances affectant de façon très régulière de nombreux morphèmes affixés, il existe aussi des langues où il y a certaines justifications à introduire le trait d'avancement pour la description du système vocalique, mais où on observe à la fois un déséquilibre accentué entre avancées et non-avancées et une moindre régularité des alternances faisant intervenir ce trait.

En particulier, il est intéressant de comparer le système vocalique illustré ci-dessus par l'igbo d'Orlu, caractérisé par une symétrie parfaite entre avancées et non-avancées, au système vocalique de l'igbo d'Onitsha. Cette variété d'igbo présente phonétiquement neuf timbres vocaliques et non pas huit : *i, ɩ, e, ɛ, a, ɔ, o, ɷ, u*. Mais, à la différence de ce qui est la situation usuelle dans les langues où un système de neuf voyelles s'organise selon le trait d'avancement (situation illustrée ci-dessus par l'agni), en igbo d'Onitsha c'est non seulement le *a* mais aussi le *ɛ* et le *e* qui présentent des restrictions distributionnelles et un comportement combinatoire qui compliquent l'analyse.

Il faut tout d'abord noter qu'en igbo d'Onitsha la distinction entre *ɛ* et *e* a seulement une valeur démarcative : *e* apparaît seulement dans des unités de deux syllabes au moins comportant par ailleurs un *i*, un *u* ou un *o* et n'est jamais attesté comme unique voyelle de lexèmes monosyllabiques. On peut donc à ce niveau reconnaître *e* comme allophone de *ɛ*, ce qui implique d'admettre que la non-avancée *ɛ* se combine avec des avancées et acquiert à leur contact le trait d'avancement.

Lorsque *ɛ* constitue l'unique voyelle d'un lexème monosyllabique et ne se combine qu'à des affixes soumis à une alternance selon le trait d'avancement, son comportement est en effet clairement celui d'une non-avancée ; on a par exemple avec le préfixe de l'infinitif *ɩ́-'ɟɛ́* « aller », *ɩ́-kɛ̀* « partager » à côté de *ɩ́-'lɷ́* « travailler », *ɩ́-'lɔ́* « rêver », *í-'dó* « aller », *í-'bú* « porter ». Mais à la différence de ce qui se passe pour les autres non-avancées (*ɩ, ɷ, ɔ, a*), le trait « – avancé » a pour *ɛ* un caractère récessif : non seulement le *e* qu'on rencontre dans les unités élémentaires de deux syllabes au moins, étant en distribution complémentaire avec *ɛ*, peut être analysé comme un *ɛ* qui a pris le trait «+ avancé» au contact d'une voyelle avancée, mais de plus, lorsqu'un lexème monosyllabique comportant un *ɛ* se combine avec un affixe comportant de manière invariable une voyelle avancée, *ɛ* devient *e* et prend le comportement combinatoire d'une avancée.

Par exemple, lorsque le lexème verbal *kɛ̀* «partager» se combine uniquement à des affixes soumis à l'harmonie d'avancement, le caractère non avancé du *ɛ* s'étend aux affixes, comme par exemple dans *ɔ́-kɛ̀-lɷ̀* «il/elle a partagé» (qu'on peut comparer à *ó-dò-lù* «il/elle a construit»). Mais il suffit d'introduire le suffixe d'accompli *-go* [13], qui n'est pas soumis à l'harmonie vocalique, pour voir *ɛ* se transformer en *e* et transmettre le trait d'avancement au préfixe : *ó-kè-gó* «il/elle a partagé».

Et pour compliquer encore un peu les choses, il existe en igbo d'Onitsha des préfixes dont le vocalisme présente trois formes alternantes et non pas deux : *a*, *ɛ* et *e*, avec la distribution suivante :
a devant des lexèmes en *ɩ, a, ɷ, ɔ*;
ɛ devant des lexèmes en *ɛ*;
e devant des lexèmes en *i, u, o*.
Pour de tels préfixes, compte tenu du fait que *e* est un allophone de *ɛ*, on doit poser fondamentalement une variante en *a* sélectionnée par les lexèmes ayant pour voyelle *ɩ, a, ɷ, ɔ* et une variante en *ɛ* sélectionnée par les lexèmes ayant pour voyelle *i, ɛ, u, o.* Autrement dit, dans ces préfixes tout se passe comme si *ɛ*, qui par ailleurs doit être reconnu comme non avancé, constituait la voyelle avancée correspondant à la non-avancée *a*.

Avec le lamba, qui appartient à un groupe de langues (les langues gurunsi) dont plusieurs présentent des systèmes vocaliques à harmonie d'avancement tout à fait typiques, nous avons un exemple de système vocalique où l'introduction du trait d'avancement, bien que suggérée par un certain nombre d'observations, se heurte à de très sérieuses difficultés.

On peut en lamba retenir l'inventaire suivant de timbres vocaliques à valeur différentielle, inventaire caractérisé par un déséquilibre accentué entre voyelles antérieures et voyelles postérieures ou centrales :

13. La traduction de formes verbales hors contexte ne permet pas de faire apparaître la différence de sens entre ces deux suffixes d'accompli du verbe igbo.

i	*ɨ*	*u*
ɩ	*ɩ̠*	*ɷ*
	ə	
		ɔ
	a	

Il existe en outre un *o* qui n'est jamais attesté à l'intérieur de lexèmes et qui existe seulement comme variante de *ɔ* dans certains morphèmes suffixés.

Le lamba connaît des restrictions aux séquences vocaliques possibles qui justifient de vouloir dégager un système d'harmonie vocalique. En ce qui concerne les combinaisons possibles dans les limites d'unités élémentaires de deux syllabes ou plus, on peut répartir les voyelles du lamba en trois sous-ensembles :

I	*i*	*ɨ*	*u*
II	*ɩ*	*ɩ̠*	*ɷ*
		ə	
			ɔ
III		*a*	

On peut à partir de là formuler la règle suivante : dans les limites d'une unité élémentaire, les voyelles du sous-ensemble I sont incompatibles avec celles du sous-ensemble II ; les voyelles de chacun de ces deux sous-ensembles peuvent par contre se combiner librement entre elles ainsi qu'avec *a*.

Par ailleurs, les morphèmes suffixés du lamba présentent des alternances vocaliques qui ressemblent beaucoup à ce qu'on trouve typiquement dans les systèmes à harmonie d'avancement :
— *ɔ* peut, selon la voyelle à laquelle il succède, être représenté par son allophone *o* ;
— *ɷ* peut, selon la voyelle à laquelle il succède, alterner avec *u* ;
— *ɩ* peut, selon la voyelle à laquelle il succède, alterner avec *i*.

Il y a toutefois un premier problème avec le fait que *ɨ* alterne avec *ə*, et pas avec *ɩ̠*. Mais surtout, il manque au lamba un élément essentiel pour pouvoir être rangé de façon indiscutable dans les langues à harmonie d'avancement. En effet, les alternances vocaliques qui se produisent dans cette langue sont conditionnées par la répartition suivante des voyelles lexématiques :

A	*i*	*ɨ*	*u*
	ι	*ι̱*	*ɷ*
B		*ə*	
			ɔ
		a	

la règle étant que :
— les lexèmes dont la dernière voyelle appartient au sous-ensemble A sélectionnent *i*, *ɨ*, *u* et *o* dans les suffixes ;
— les lexèmes dont la dernière voyelle appartient au sous-ensemble B sélectionnent *ι*, *ə*, *ɷ* et *ɔ* dans les suffixes.

Donc, le système d'harmonie du lamba peut parfaitement se décrire en termes de degré d'aperture : c'est le caractère fermé ou non fermé des voyelles lexématiques qui conditionne la forme prise par les voyelles des suffixes.

On peut aussi évoquer le cas du dida de Lakota. Cette langue présente l'inventaire de neuf timbres vocaliques à valeur différentielle (*i, ι, e, ε, a, ɔ, o, ɷ, u*) le plus typique des langues à harmonie d'avancement, et elle appartient en outre à un groupe de langues dont beaucoup sont connues pour avoir une harmonie d'avancement. Mais si on examine les alternances vocaliques qui peuvent se produire dans les morphèmes affixés du dida de Lakota, on doit reconnaître que seul le suffixe verbal de causatif présente de façon évidente une alternance à peu près conforme aux prédictions que l'on peut faire en introduisant le trait ± avancé dans la description du système vocalique de cette langue.

En conclusion, on peut dire que la découverte du trait d'avancement comme principe explicatif de systèmes d'harmonie vocalique d'un type largement attesté dans les langues négro-africaines a marqué une étape importante dans le développement de la linguistique africaine, mais que la question doit être posée de savoir s'il est bien correct d'avoir recours à ce trait aussi systématiquement que le font certains, tant dans le domaine de la description synchronique des langues que dans celui de la reconstruction. Certains descripteurs semblent considérer que, dès lors qu'un système vocalique évoque par certains aspects le type à harmonie d'avancement, il doit forcément se conformer totalement à ce type ; dans le domaine de la reconstruction, il y a une tendance à interpréter toute alternance vocalique faisant intervenir des distinctions d'aperture comme le vestige d'un ancien système à harmonie d'avancement qui se serait dégradé. On a avancé l'hypothèse selon laquelle l'existence d'une harmonie d'avancement serait une caractéristique ancienne pour une grande partie au moins de la famille Niger-Congo. Il est possible que cette hypothèse soit correcte, mais aucune preuve décisive n'a pour l'instant été apportée.

3

LES SYSTÈMES CONSONANTIQUES

CORRÉLATIONS PHONOLOGIQUES ET ARTICULATIONS SECONDAIRES

Avant de présenter dans une optique typologique les systèmes consonantiques des langues négro-africaines, il faut préciser la position adoptée par rapport à la notion d'articulation secondaire. Certains phonologues ont en effet tendance à abuser de cette notion pour attribuer systématiquement à un segment phonologique unique des traits qui, dans la chaîne parlée, se manifestent par des événements phoniques successifs et non simultanés. Il en résulte dans certaines descriptions une prolifération de séries de phonèmes consonantiques (prénasalisées, labialisées, palatalisées, latéralisées, etc.) qui manifestement doit plus à une option a priori du descripteur qu'à une réelle originalité de la langue décrite.

Une telle façon de procéder est généralement caractéristique de phonologues préoccupés exclusivement d'une analyse phonologique de surface et cherchant à présenter les observations que l'on peut faire à ce niveau en conformité avec un postulat implicite selon lequel toute syllabe doit pouvoir se ramener à un schème (C)V(C) dans lequel ce qui précède aussi bien que ce qui suit le noyau syllabique doit constituer un segment unique. Mais ce type d'analyse est souvent contestable du point de vue des données phonétiques, et il aboutit fréquemment à compliquer inutilement la composante morphologique de la description.

Ma position est que, à partir du moment où une attaque syllabique peut se décomposer phonétiquement en une séquence de segments dont chacun est identifiable comme apte à constituer à lui seul une attaque syllabique, une interprétation monophonématique ne doit être adoptée que si elle est fortement motivée et si elle n'entraîne aucune complication. En particulier, l'interprétation monophonématique d'une attaque syllabique se prêtant à une telle décomposition doit être rejetée chaque fois qu'il existe au moins quelques cas où les éléments de l'attaque complexe n'appartiennent pas à la même unité significative. Par exemple, le tswana admet des attaques syllabiques où une consonne autre que labiale est suivie de *w* mais la reconnaissance d'une série de consonnes labialisées est à mon sens à rejeter du fait que, dans certains cas, le segment *w* d'une telle attaque syllabique peut être isolé comme représentant le morphème de passif (par exemple, *χɷ̀rɛ́kwá* « être acheté » a comme découpage syllabique *χɷ̀-rɛ́-kwá*, mais la comparaison avec *χɷ̀rɛ́ká* « acheter » montre que la segmentation en morphèmes est *χɷ̀-rɛ́k-w-á*, où *-w-* représente le morphème de passif).

Dans le but d'éviter toute complication inutile, il serait raisonnable de poser comme principe que, en l'absence d'arguments positifs en faveur de l'interprétation monophonématique d'une attaque se présentant phonétiquement comme une séquence de segments attestés par ailleurs indépendamment l'un de l'autre, c'est l'interprétation comme une séquence de phonèmes qui doit être retenue.

En linguistique africaine, le problème se pose essentiellement à propos des « prénasalisées », c'est-à-dire des séquences homorganiques d'une consonne orale et d'une consonne nasale devant être reconnues comme constituant globalement une attaque syllabique. Dans une langue admettant par exemple à l'initiale de mot une attaque syllabique *mb* et où *m* et *b* sont par ailleurs attestés comme constituant à eux seuls une attaque syllabique, l'interprétation monophonématique ne doit être retenue que si le segment nasal ne peut en aucun cas être isolé comme représentant un morphème préfixé et si par ailleurs l'interprétation monophonématique aboutit d'une manière ou d'une autre à une simplification significative du système de la langue. Il importe d'avoir conscience qu'il ne peut y avoir simultanéité entre les événements articulatoires qui définissent une « prénasalisée », et qu'il est tout simplement impossible d'imaginer en termes phonétiques une quelconque différence entre une « consonne prénasalisée » et une séquence homorganique « consonne nasale + consonne orale ». Ceci admis, on doit reconnaître que, si une proportion considérable des descriptions de langues africaines reconnaissent une série de consonnes prénasalisées, rares sont les cas où cette analyse est réellement motivée.

Il est important d'évoquer ce problème dans la mesure où, lorsqu'on utilise les descriptions de langues peu connues dans une optique typologique, il est crucial de déterminer ce qui appartient de manière irréductible à la langue elle-même (et qui devra apparaître dans toute description de cette langue sous une forme ou sous une autre) et ce qui tient seulement à une certaine façon de présenter les données.

LE TRAIT ± OBSTRUANT

Le fonctionnement du système phonologique d'une proportion importante des langues négro-africaines ne peut se comprendre que si on considère comme fondamentale la distinction entre deux grandes catégories de consonnes :

— l'articulation des *obstruantes* se caractérise par un obstacle dont la présence n'est compensée par aucun autre facteur, ce qui a comme conséquence que le flux d'air expulsé lors de la production de la parole se heurte fortement à cet obstacle et subit ainsi des perturbations importantes; selon que l'obstacle est une occlusion ou une constriction, on parle de *plosives* ou de *fricatives*; du point de vue acoustique, ces consonnes peuvent être qualifiées de « bruyantes »;

— l'articulation des *non-obstruantes* se caractérise par l'absence d'un tel obstacle ou par l'existence d'autres mécanismes ayant pour effet d'atténuer les perturbations que peut subir le flux d'air du fait d'une occlusion ou d'une constriction : ou bien la constriction est trop faible pour provoquer une réelle perturbation du flux d'air (*approximantes*), ou bien le flux d'air peut par ailleurs s'écouler librement à travers les fosses nasales (*nasales*), ou bien l'obstacle auquel se heurte le flux d'air est très réduit dans le temps (*vibrantes* et *battements*), ou bien un mécanisme glottal a pour effet de ralentir le flux d'air (*ingressives*); du point de vue acoustique, les non-obstruantes peuvent être qualifiées de « résonantes ».

Beaucoup de manuels élémentaires de phonétique posent comme fondamentale pour le classement des consonnes la distinction entre occlusives et constrictives; il est donc utile de souligner que cette présentation, qui ne coïncide pas avec un classement selon le trait ± obstruant, peut gêner la compréhension du fonctionnement des systèmes phonologiques. Selon la force de la constriction, les constrictives se répartissent entre les obstruantes (constrictives fortes, ou fricatives) et les non-obstruantes (constrictives faibles, ou approximantes), et le comportement phonologique des fricatives tend à se rapprocher de celui des plosives et à se distinguer de celui des constrictives non obstruantes. De manière analogue, il est manifeste que les nasales ont, dans bien des systèmes, des comportements qui les rapprochent des « semi-voyelles » et des « liquides », et de ce fait il n'est généralement pas intéressant de les réunir avec les plosives en un grand ensemble d'occlusives se répartissant en deux sous-ensembles selon le trait ± nasal.

Il faut souligner l'existence d'une corrélation typologique entre les traits ± obstruant et ± voisé, qui ne se limite d'ailleurs pas aux langues négro-africaines :

— dans l'immense majorité des langues, les non-obstruantes ignorent l'opposition de voisement et sont normalement réalisées voisées (les réalisations non voisées des non-obstruantes s'expliquant généralement par l'influence du contexte) ;

— pour les obstruantes, le trait ± voisé est très souvent pertinent, et lorsqu'il ne l'est pas, ce sont au contraire les réalisations non voisées qui tendent à prédominer.

LE TRAIT FORTIS / LENIS

Le trait « fortis / lenis », dont certains phonologues font un usage systématique pour décrire l'organisation des systèmes consonantiques et pour expliquer leurs évolutions, est mentionné ici seulement pour mémoire. En effet, à la différence du trait ± obstruant (avec lequel il semble avoir une certaine parenté), le trait fortis / lenis n'a pas de contenu phonétique bien défini. Il a été suggéré de le définir en termes de pression sub-glottale, mais la question n'a jamais été véritablement éclaircie. En fait, il est prudent de considérer que, dans les descriptions qui introduisent ce trait, il ne faut y voir rien de plus qu'une étiquette commode pour séparer deux classes de phonèmes consonantiques sans avoir à se prononcer de façon précise sur ce qui, phonétiquement parlant, distingue ces deux classes l'une de l'autre.

LA QUESTION DES AFFRIQUÉES

Les affriquées (ou « semi-occlusives ») constituent un sous-ensemble des plosives, caractérisées articulatoirement par un relâchement moins rapide de l'occlusion. Beaucoup de descriptions rangent les affriquées en une ou plusieurs séries distinctes de celles où sont rangées les plosives non affriquées. Cette position n'est pas confirmée par les observations qu'on peut faire sur les fonctionnements phonologiques des affriquées, et qui incitent plutôt à négliger la distinction entre plosives affriquées et plosives non affriquées. Or dans une langue, les affriquées n'ont jamais exactement les mêmes points d'articulation que les plosives non affriquées, ce qui a priori permet tout aussi bien de les ranger dans les mêmes séries que les plosives non affriquées et de considérer leur mode particulier de relâchement comme redondant avec la spécification précise de leur point d'articulation. Je ne connais pour ma part aucun cas de langue négro-africaine où il y aurait des raisons impératives d'ériger le trait ± affriqué en trait pertinent en rangeant une affriquée dans un ordre comportant par ailleurs une plosive non affriquée. Au contraire, un tel classement rend souvent incohérente la présentation des mécanismes d'alternance consonantique.

Le cas du tswana est significatif. Les descriptions de cette langue publiées jusqu'ici reconnaissent comme plosives vélaires k, k^h et $\widehat{kx}^h$, les deux dernières se distinguant seulement par le trait ± affriqué. Mais les palatogrammes montrent que la consonne identifiée comme $\widehat{kx}^h$ est en réalité une affriquée uvulaire ($\widehat{q\chi}^h$) et non pas vélaire. Or en considérant la différence de lieu d'articulation entre k^h et $\widehat{q\chi}^h$ comme primordiale et leur différence de mode d'articulation comme une simple redondance, on a une présentation bien plus cohérente des alternances consonantiques du tswana. Dans une transcription fine cette consonne doit donc être notée $\widehat{q\chi}^h$, mais du point de vue du système elle doit être identifiée comme plosive uvulaire, et dans une notation phonologique on peut négliger son caractère affriqué pour la noter q^h.

LA STRUCTURATION DES SOUS-SYSTÈMES DE PLOSIVES EN ORDRES

Comme la quasi-totalité des langues du monde, les langues négro-africaines ont toutes des plosives réparties selon au moins trois points d'articulation : bilabial (*p* et/ou *b*), apico-dental (*t* et/ou *d*)[1] et dorso-vélaire (*k* et/ou *g*). Un quatrième ordre constitué de (pré)palatales est particulièrement répandu dans ces langues.

Les palatales des langues négro-africaines sont généralement des affriquées prédorso-prépalatales, qu'en toute rigueur il conviendrait de noter *t͡ɕ* (non voisée) et *d͡ʑ* (voisée). En fait ces symboles ne sont jamais utilisés, et les descriptions des langues négro-africaines notent les palatales, ou bien à l'aide des symboles *t͡ʃ* / *d͡ʒ* (qui notent en principe des articulations plus antérieures, laminales plutôt que prédorsales), ou bien *c* / *ɟ* (qui notent en principe des articulations plus postérieures). Le cas de langues où coexisteraient des réalisations *t͡ʃ* / *d͡ʒ* et *c* / *ɟ* à la fois bien distinctes et susceptibles de s'opposer entre elles (situation illustrée par la plupart des langues parlées en Europe centrale et dans les Balkans) semble exceptionnel en domaine négro-africain, ce qui explique les flottements qu'on y observe quant à l'identification des palatales. On s'en tiendra ici généralement à la pratique la plus courante en linguistique africaine, qui consiste à noter *c* / *ɟ* les plosives palatales sans tenir compte de leur réalisation précise.

Un certain nombre de langues négro-africaines distinguent deux ordres de plosives apicales : d'une part des apico-dentales (semblables au *t* et au *d* du français) et d'autre part des apico-alvéolaires, c'est-à-dire des plosives dont le point d'articulation est exactement celui de *l* ou *r*. Ceci explique la notation *t͡r* / *d͡r* qu'on utilise parfois pour les noter.[2] L'opposition entre des apico-dentales et des apico-alvéolaires existe par exemple en comorien, en temne. Les plosives apico-alvéolaires ont souvent, mais de façon pas toujours nette, une réalisation affriquée.

Un certain nombre de descriptions de langues négro-africaines mentionnent des plosives rétroflexes, surtout la voisée. En réalité, les véritables rétroflexes semblent rares dans les langues négro-africaines, et lorsque les symboles *ʈ* / *ɖ* sont utilisés, souvent au

1. En principe, *t* et *d* représentent dans la transcription API des apico-alvéolaires, du type qu'illustre par exemple l'anglais, un diacritique devant être rajouté pour noter des apico-dentales. Toutefois, du fait que les plosives apico-dentales sont beaucoup plus communes dans les langues que les apico-alvéolaires, la pratique s'est instaurée d'utiliser *t* et *d* dépourvus de tout diacritique pour transcrire des plosives apico-dentales.

2. Rappelons que l'application stricte des conventions de l'API devrait conduire à utiliser *t* / *d* pour la notion de ces consonnes, le problème étant que l'usage s'est instauré d'utiliser *t* / *d* pour noter les apico-dentales.

moins ils représentent des apico-alvéolaires (c'est-à-dire les mêmes sons que ceux notés *t͡r* / *d͡r* dans la description d'autres langues) plutôt que de véritables rétroflexes comme on en trouve dans les langues de l'Inde par exemple.

Toujours dans le domaine des articulations coronales, il n'est pas rare de rencontrer des plosives lamino-alvéolaires (c'est-à-dire des plosives dont le lieu d'articulation est exactement celui des fricatives *s* / *z*). La non-voisée *t͡s* est beaucoup plus commune que la voisée. La relation entre *t*, *t͡s* et *c* (ou *t͡ʃ*) est souvent un point qui mérite d'être approfondi dans l'analyse des systèmes phonologiques, car il y a fréquemment entre ces consonnes des relations qui mettent en jeu la nature de la voyelle qui leur succède.

On peut mentionner le comorien comme attestant ce qui est probablement le maximum de distinctions de lieu d'articulation que peut présenter une langue dans le domaine des plosives coronales, puisque dans cette langue, *t* / *d*, *t͡r* / *d͡r*, *t͡s* / *d͡z* et *t͡ʃ* / *d͡ʒ* sont à considérer comme huit phonèmes distincts.

Les plosives uvulaires (essentiellement la non-voisée *q*) sont certainement beaucoup moins rares en domaine négro-africain que ne le laisse penser un examen superficiel de la documentation disponible : beaucoup de descripteurs ont reconnu comme fricatives ou affriquées vélaires des consonnes qui en réalité sont des plosives uvulaires. En dehors de la famille afro-asiatique (où les uvulaires sont relativement communes), *q* est attesté à l'extrême ouest du continent africain dans un groupe géographiquement compact de parlers atlantiques (sérère, wolof) et mandé (soninké, dialonké, certains parlers mandingues). On trouve aussi des plosives uvulaires dans les langues bantoues d'Afrique australe, notamment en tswana.

Dans beaucoup de langues, l'occlusive glottale *ʔ* apparaît seulement de façon plus ou moins régulière en début de mot, et peut s'interpréter comme la concrétisation d'une attaque syllabique phonologiquement vide. Mais l'occlusive glottale peut aussi se trouver totalement intégrée au système consonantique. Ainsi en oromo, on peut en position intervocalique distinguer une occlusive glottale simple d'une occlusive glottale géminée comme on le fait pour les autres consonnes : *hoʔa* « tenez » / *hoʔʔa* « cousez ». On peut citer aussi le sérère, où par exemple dans le système verbal, l'occlusive glottale peut représenter un morphème à valeur d'inactuel : *a fadaχam* « il m'a frappé » / *a fadʔaχam* « il m'avait frappé ».

Les occlusives doubles labio-vélaires *k͡p* / *g͡b*, caractérisées par une double occlusion (bilabiale et dorso-vélaire) suivie d'un relâchement (quasi) simultané de ces deux occlusions, constituent un type particulier de plosive qui semble propre aux langues négro-africaines. Il est curieux de noter qu'en Afrique même, ce type de consonne est attesté, indépendamment de la famille génétique à laquelle elles appartiennent, par la très grande majorité des langues occupant une zone compacte s'étendant de la Guinée à la République centrafricaine et comprise en gros entre le 10e parallèle et l'équateur, et semble par contre inconnu en dehors de cette zone.

La différence avec les vélaires labialisées k^w / g^w (beaucoup plus courantes à l'échelle des langues du monde et largement attestées aussi en domaine négro-africain) est que les occlusives doubles labio-vélaires mettent en jeu deux articulations simultanées dont le degré de fermeture est équivalent, alors que les vélaires labialisées combinent une articulation principale (occlusion dorso-vélaire) et une articulation secondaire (protrusion des lèvres). Dans une plosive labio-vélaire, le relâchement des deux occlusions est à peu près simultané, ce qui confère à ces occlusives doubles une qualité acoustique qui les différencie très nettement de séquences *k* + *p* ou *g* + *b*. Toutefois, l'absence de simultanéité parfaite dans le relâchement des deux occlusions a pour effet, selon que le relâchement de l'occlusion labiale intervient un peu avant ou un peu après celui de l'occlusion vélaire, des variations assez importantes dans l'impression auditive produite.

La comparaison entre parlers apparentés permet souvent de supposer que les occlusives doubles labio-vélaires sont issues de vélaires labialisées, elles-mêmes issues d'un processus de « dislocation » de voyelles postérieures labialisées se décomposant en une voyelle antérieure non labialisée et un élément *u* allant s'associer à l'attaque de la syllabe :

go → *gwa* ou *gwe*	*ko* → *kwa* ou *kwe*
gu → *gwi*	*ku* → *kwi*

L'observation des emprunts appuie cette hypothèse : en tswana par exemple, les termes pour « foulard », « école » et « sucre » sont respectivement *túkú* ~ *túkwí*[3], *sìkóló* ~ *sìkólé* ~ *sìkwélé* et *súkìrí* ~ *swíkìrí* ; dans chacun de ces trois cas, la première variante corres-

3. Du néerlandais doek.

pond certainement à la forme sous laquelle le terme a été emprunté, les autres résultant d'évolutions qui se sont produites ultérieurement.

On sait, ne serait-ce que par les langues indo-européennes, quelle est l'instabilité des vélaires labialisées et la variété des processus évolutifs qu'elles peuvent subir. La comparaison à l'intérieur de groupes de langues apparentées montre que les mêmes tendances se manifestent dans les langues négro-africaines, mais en plus, une partie de ces langues ont des occlusives doubles qui semblent explicables comme le résultat d'une évolution originale d'anciennes vélaires labialisées.

Ainsi, parmi les parlers mandingues, il en est qui ignorent totalement les labio-vélaires, d'autres où elles sont attestées sous forme de vélaires labialisées, d'autres enfin (ceux situés dans la partie sud du domaine) où elles sont attestées sous forme d'occlusives doubles, et on a des correspondances comme :

kɔ̃ ~ gã ~ gwã ~ gbã « gombo »
kote ~ gede ~ wɛrɛ ~ gbɛrɛ « autre »

On a donc là le même type de correspondance que dans les exemples tswana cités ci-dessus, à ceci près qu'on a en plus une variante délabialisée et une variante où au contraire la labio-vélaire est attestée sous forme d'une occlusive double.

Mentionnons enfin la présence dans quelques langues (notamment en tswana, en zoulou) d'un type de plosive que les manuels de phonétique générale oublient régulièrement de signaler : les plosives latérales, qui en tswana au moins doivent indiscutablement être traitées phonologiquement comme constituant un ordre à part à l'intérieur des plosives (et non pas comme un sous-ensemble des plosives apicales). Nous y reviendrons dans un paragraphe spécial consacré aux latérales, car ce type de consonne oblige à se demander si la notion de « latérale » ne nécessiterait pas certaines révisions.

LA STRUCTURATION DES SOUS-SYSTÈMES DE PLOSIVES EN SÉRIES : LE VOISEMENT

La plupart des langues négro-africaines ont une distinction pertinente entre consonnes voisées et consonnes non voisées qui, conformément à une tendance valable à l'échelle des langues du monde, concerne en premier lieu les plosives : dans beaucoup de langues négro-africaines, les plosives sont les seules consonnes pour lesquelles cette distinction est pertinente.

Il est fréquent que la totalité des plosives d'une langue entre dans la corrélation de voisement, ce qui donne des sous-systèmes de plosives tels que :

p	*t*	*k*		*p*	*t*	*c*	*k*
b	*d*	*g*		*b*	*d*	*ɟ*	*g*

Toutefois certaines langues (par exemple le lamba) on une seule série de plosives, qui sont alors généralement non voisées. Il arrive aussi (et ceci est beaucoup plus fréquent) que la corrélation de voisement existe mais de manière lacunaire. On relève alors les tendances suivantes :

— si une langue possède un seul couple non-voisée / voisée, c'est généralement le couple *t / d*;

— si une langue dans laquelle le trait de voisement est pertinent possède une seule plosive labiale, c'est généralement *b*;

— si une langue dans laquelle le trait de voisement est pertinent possède une seule plosive vélaire, c'est généralement *k*.

Autrement dit, il n'est pas rare de rencontrer des sous-systèmes de plosives ayant la configuration suivante :

	t	*k*
b	*d*	

Un certain nombre de langues ouest-africaines présentent de ce point de vue une particularité curieuse, dont l'explication reste encore à trouver : dans ces langues, qui connaissent le couple *t / d* (et aussi éventuellement *k / g*), *p* est attesté, mais presque exclusivement dans cette catégorie bien particulière d'unités que sont les « adverbes expressifs » – un type d'unités par ailleurs bien connu pour faire souvent exception aux lois qui, dans une langue donnée, définissent les types de syllabes possibles. C'est le cas du mandinka, où par exemple le verbe signifiant « s'emplir » a comme intensificateur *tep* « (s'emplir) à ras bord », alors que de manière générale, si on met à part des termes identifiables comme emprunts relativement récents, *p* est très peu attesté en mandinka.

Cette particularité de *p* est fréquemment signalée dans les descriptions de langues ouest-africaines. Ce qui est moins connu, c'est que, dans nombre de langues, on peut en dire autant de deux autres

plosives non voisées : la palatale *c* et la labio-vélaire *k͡p*. Ainsi dans les parlers mandingues, *b, t, d* et *k* sont les seules plosives attestées dans la totalité des parlers avec un statut phonématique indiscutable; l'étude des correspondances dialectales autorise à considérer qu'au niveau du diasystème mandingue :
— *p* est généralement une variante expressive de la fricative *f* (les parlers marka étant les seuls où *p* correspond systématiquement dans certains contextes au *f* des autres parlers);
— *c* peut selon les cas s'interpréter, soit comme variante de *t* ou de *k* au contact d'une voyelle palatale, soit comme variante expressive de la fricative *s*.

Il est intéressant de remarquer que les alternances *f* ~ *p* et *s* ~ *c*, qui dans le diasystème mandingue ont un caractère sporadique et semblent conditionnées par le trait sémantique d'expressivité, existent dans de nombreuses autres langues dans le cadre d'alternances systématiques entre fricatives et plosives.

LA STRUCTURATION DES SOUS-SYSTÈMES DE PLOSIVES EN SÉRIES : ASPIRATION ET MURMURE

Si la corrélation de voisement est particulièrement exploitée pour la structuration des sous-systèmes de plosives en séries, elle n'est toutefois pas la seule. Un certain nombre de langues ont des plosives «aspirées» phonologiquement distinctes des non-aspirées correspondantes. C'est par exemple le cas en tswana, comme le montre le couple *kútsɔ́* «vol» / *kʰútsɔ́* «malédiction». Dans cette langue, toutes les plosives non voisées à la seule exception de l'uvulaire q^h entrent dans la corrélation d'aspiration :

p^h	t^h	*t͡ɬʰ*	*t͡sʰ*	*t͡ʃʰ*	k^h	q^h
p	*t*	*t͡ɬ*	*t͡s*	*t͡ʃ*	*k*	

Pour comprendre les difficultés qui peuvent surgir avec l'analyse de l'aspiration, il est utile de se souvenir tout d'abord que ce terme est particulièrement inadéquat, puisque sa signification en phonétique n'a absolument rien à voir avec ce qu'évoque «aspirer» dans le langage courant, et ensuite qu'il ne désigne pas exactement la même réalité selon qu'il s'applique à des voisées ou à des non-voisées. Il faut aussi se souvenir que les aspirées se caractérisent par une séquence d'événements phoniques identique à celle que met en jeu une fricative laryngale succédant immédiatement à une autre consonne, c'est-à-dire qu'à partir du moment où une langue possède une fricative laryngale, la reconnaissance de consonnes aspirées plutôt que de séquences dont le deuxième élément serait *h* nécessite d'être justifiée.

Pour un approfondissement de la notion d'aspiration au niveau phonétique, on pourra en particulier consulter avec profit P. Ladefoged.[4] Comme l'explique très bien cet auteur, ce qui caractérise une plosive non voisée aspirée, relativement à la non-aspirée correspondante, c'est « a brief period of voicelessness during and immediately after the release of an articulatory stricture » : un certain laps de temps s'écoule entre le relâchement de l'occlusion et l'établissement du voisement, et pendant ce laps de temps, l'air s'écoule librement à travers les cordes vocales écartées, produisant le bruit caractéristique d'une fricative laryngale.

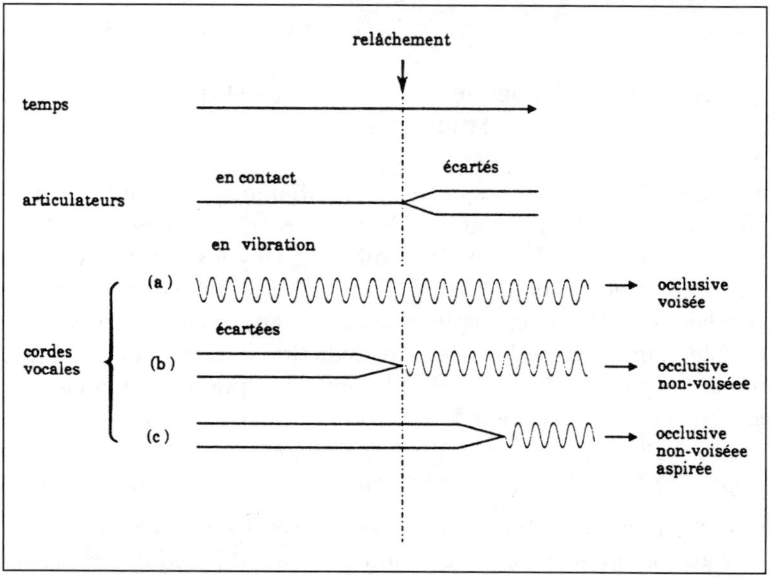

Il semble que dans aucune langue n'existent des « voisées aspirées » dont la réalisation serait conforme à cette définition de l'aspiration (ce qui impliquerait une vibration des cordes vocales qui

4. P. Ladefoged, *Preliminaries to Linguistic Phonetics*, The University of Chicago Press, 1971.

serait présente pendant l'articulation de la consonne et cesserait lors du relâchement pour se rétablir aussitôt après). Comme le dit nettement Ladefoged, « when one uses a term such as voiced aspirated, one is using neither the terme voiced nor the term aspirated in the same way as in the description of the other stops ». Les « voisées aspirées » sont fondamentalement des *murmurées*, c'est-à-dire des consonnes caractérisées par le mode particulier de vibration laryngale produit par un rapprochement des ligaments allant de pair avec un écartement des aryténoïdes : si, dans une syllabe où une voyelle normalement voisée est précédée d'une consonne mumurée en position d'attaque, le passage de la glotte de l'état de murmure à l'état de voisement se trouve plus ou moins retardé par rapport au relâchement de l'articulation de la consonne, il apparaît à la jonction du segment consonantique et du segment vocalique le bruit caractéristique d'un *ɦ* (cf. ci-dessous), d'où une impression auditive comparable à celle que produit une non-voisée aspirée. Dans une langue où les murmurées s'accompagnent d'un tel retard dans l'établissement du voisement, on peut éventuellement envisager une interprétation phonologique qui réunit aspirées et murmurées en une classe de consonnes caractérisées par un voisement retardé. Mais, alors qu'il existe beaucoup de langues possédant deux séries de non-voisées se distinguant seulement par la présence ou l'absence d'un retard dans l'établissement d'un voisement, il ne semble pas exister de langues qui posséderaient deux séries de consonnes également murmurées se distinguant entre elles au niveau du délai d'établissement du voisement dans la transition avec la voyelle qui leur succède. Dans les langues où la pratique des phonologues est de reconnaître quatre séries de plosives définies comme résultant du croisement des deux traits binaires ± voisé et ± aspiré, il faut garder à l'esprit que le contenu phonétique de ces quatre séries ne peut être que le suivant :

– voisé, – aspiré	→	consonne non voisée, établissement du voisement non retardé
– voisé, + aspiré	→	consonne non voisée, établissement du voisement retardé
+ voisé, – aspiré	→	consonne voisée
+ voisé, + aspiré	→	consonne murmurée, établissement du voisement retardé

A la différence de l'aspiration, qui en tant que trait pertinent semble ne jamais concerner que les plosives, la corrélation de mumure peut s'étendre aux fricatives et même aux non-obstruantes, en particulier aux nasales. C'est notamment le cas en shona.

LA STRUCTURATION DES SOUS-SYSTÈMES DE PLOSIVES EN SÉRIES : LA « GLOTTALISATION »

En ce qui concerne la « glottalisation », qui intervient dans la structuration de nombreux systèmes consonantiques négro-africains, il est proposé ici, sur la base d'une confrontation des propriétés phonologiques manifestées à travers les langues par les « glottalisées », de séparer beaucoup plus nettement qu'on ne le fait généralement :
— les éjectives, qui constituent un sous-ensemble des plosives ;
— les ingressives[5], qui seront classées parmi les non-obstruantes.

Cette proposition s'appuie à la fois sur des données typologiques concernant la structuration des inventaires consonantiques et sur l'observation des processus phonologiques dans lesquels sont impliqués les différents types de « glottalisées ». Tout d'abord, les éjectives existent exclusivement sous forme non voisée, ce qui est cohérent avec leur appartenance à la grande catégorie des obstruantes : en l'absence d'une distinction pertinente de voisement, les obstruantes tendent à être non voisées ; au contraire, les ingressives sont généralement voisées, ce qui est une propriété typologique des non-obstruantes. Ensuite, les ingressives sont très souvent à analyser comme allophones de phonèmes dont les autres variantes sont des nasales ou des approximantes, c'est-à-dire des non-obstruantes. Enfin, dans les langues où il existe des relations entre le ton associé à un noyau syllabique et la nature de la consonne qui constitue l'attaque de la syllabe, les ingressives n'ont pas l'effet systématique d'abaissement propre aux obstruantes voisées et ont au contraire un comportement global identique à celui des nasales ou des « liquides ».

Les éjectives sont des plosives non voisées caractérisées par une occlusion labiale ou buccale s'accompagnant d'une fermeture laryngale et d'un mouvement du larynx vers le haut, d'où une com-

5. On désigne souvent ces consonnes comme « injectives » ; ce terme suggère une parenté avec les éjectives, et son emploi va donc de pair avec la conception courante selon laquelle il s'agit là de deux variétés de « glottalisées ». Dans la mesure où on insiste au contraire sur ce qui sépare ces deux types de consonnes, il est préférable de choisir des désignations qui ne suggèrent pas un tel rapprochement.

pression de l'air intra-buccal, ce qui au moment du relâchement de l'occlusion confère au bruit d'explosion une qualité particulière. Ce type de consonne est surtout attesté pour des articulations localisées à l'arrière de la cavité buccale, *k'* étant typologiquement la plus commune parmi les éjectives.

En oromo, une paire comme *məka* « mélange » / *mək'a* « nom » prouve la pertinence de la distinction entre éjective et non-éjective. Cette langue illustre le cas de systèmes de plosives dans lesquels une série complète d'éjectives s'oppose à une série de non-voisées non éjectives (série dans laquelle on note l'absence de *p*) et à une série de voisées :

p'	*t'*	*c'*	*k'*	
	t	*c*	*k*	*ʔ*
b	*d*	*ɟ*	*g*	

En Afrique, les éjectives se rencontrent surtout dans des groupes de langues rattachés à la famille afro-asiatique (couchitique et tchadique), et il semble qu'elles soient en relation avec les pharyngalisées[6] que l'on trouve dans d'autres langues afro-asiatiques (arabe notamment).

Les éjectives sont aussi attestées, du moins au niveau phonétique, dans les langues bantoues d'Afrique australe (notamment en tswana), mais leur statut phonologique est différent, car dans ces langues il y a redondance entre le trait ± éjectif et le trait ± aspiré. En tswana par exemple, il existe phonologiquement deux séries de plosives non voisées. L'une de ces séries se caractérise de manière constante par une très nette aspiration (par exemple, *k^{h}útsɔ́* « malédiction » est toujours prononcé avec une forte aspiration), l'autre série par contre peut présenter des réalisations éjectives, mais ces réalisations n'ont pas un caractère constant : toute plosive non voisée non aspirée peut être réalisée éjective, mais ce n'est jamais nécessaire. Par exemple, le terme pour « vol » peut se prononcer *kútsɔ́* ou *k'útsɔ́*, la deuxième réalisation étant caractéristique d'une diction lente et soignée. Donc phonologiquement, c'est l'aspiration qu'il faut considérer comme pertinente, la réalisation éjective des

6. Les pharyngalisées, relativement bien connues du fait qu'elles existent en arabe (où on les désigne traditionnellement comme « emphatiques »), sont par ailleurs très rares. En Afrique, elles ne semblent attestées, en dehors de l'arabe, que par les langues berbères. Il est intéressant de remarquer qu'en comorien, langue bantoue qui a emprunté une proportion considérable de son lexique à l'arabe, les pharyngalisées de l'arabe sont systématiquement rendues par une séquence « consonne + *w* ».

non-aspirées n'étant en quelque sorte qu'un procédé facultatif pour faire ressortir l'absence d'aspiration[7].

LES FRICATIVES

La tendance générale des langues est à avoir des sous-systèmes de fricatives moins différenciés que les sous-systèmes de plosives, tant en ce qui concerne le nombre des ordres qu'en ce qui concerne le nombre des séries, et cette tendance se vérifie particulièrement bien dans les langues négro-africaines.

Ainsi, un nombre très important de langues qui opposent une série de plosives voisées à une série de plosives non voisées connaissent une seule série de fricatives, réalisées non voisées. Par ailleurs, si aucune langue négro-africaine ne possède moins de trois ordres de plosives, les systèmes comportant seulement deux ordres de fricatives ne sont pas rares. Ainsi, dans certains parlers malinké, le sous-système des consonnes obstruantes se présente de la façon suivante, avec deux fricatives seulement à côté des sept plosives :

p	*t*			*k*	
b	*d*		*ɟ*	*g*	
		s			*h*

Souvent dans les langues qui ignorent les plosives de type affriqué, les points d'articulation des fricatives ne coïncident pas avec ceux des plosives, ce qui autorise le cas échéant à négliger phonologiquement la distinction entre plosives et fricatives pour les ranger dans les mêmes séries. Par exemple, l'inventaire présenté ci-dessus pourrait fort bien être repris (pourvu que cela ne soulève pas par ailleurs de difficulté dans la description des parlers qui l'attestent), en considérant que phonologiquement il n'y a là que deux séries d'obstruantes, et que *s* constitue dans ce système la non-voisée correspondant à *ɟ*[8] :

7. Il est intéressant de comparer sur ce point la situation des langues bantoues d'Afrique australe à celle de langues à deux séries de plosives non voisées comme le géorgien, où les plosives non voisées doivent être nécessairement, ou bien aspirées, ou bien éjectives.

8. Dans le diasystème mandingue, mais aussi dans d'autres ensembles dialectaux ouest-africains, il y a une relation entre *s* et *c* d'une part, *ɟ* et *z* d'autre part, ce qui montre qu'une telle présentation mériterait au moins d'être prise en considération lors de l'analyse des parlers ayant précisément cet inventaire de consonnes obstruantes.

p	*t*	*s*	*k*	*h*
b	*d*	*ɟ*	*g*	

Il faut toutefois examiner toutes les implications de ce type d'analyse avant de l'adopter dans la description d'une langue. En particulier, nombreuses sont les langues négro-africaines connaissant des alternances consonantiques dont le principe général est que les fricatives alternent avec des plosives de lieu d'articulation identique ou voisin : en rangeant dans les mêmes séries plosives et fricatives, ce qui implique de mettre l'accent sur les distinctions de lieu d'articulation, on s'interdit de pouvoir résumer de façon simple de telles relations d'alternance. Dans de telles langues, on a au contraire intérêt à choisir une spécification des consonnes obstruantes qui fasse ressortir la distinction entre plosives et fricatives et permette dans la mesure du possible de ranger dans les mêmes ordres les fricatives et les plosives présentant une relation d'alternance, même si leur lieu d'articulation n'est pas exactement le même.

Dans les langues négro-africaines, les fricatives sont surtout attestées au niveau labio-dental (*f / v*), lamino-alvéolaire (*s / z*), dorso-uvulaire (*χ / ʁ*) et laryngal (*h / ɦ*). En dehors de ces types particulièrement communs de fricatives, on rencontre assez souvent des lamino-prépalatales (*ʃ / ʒ*), moins souvent des bilabiales (*ɸ / β*) ou des apico-dentales (*θ / ð*). L'ewe a la particularité (rare) d'avoir à la fois *ɸ*, *β*, *f* et *v* comme quatre phonèmes distincts. Des fricatives latérales (*ɬ / ɮ*) sont sporadiquement attestées. Dans les langues bantoues d'Afrique australe, où ce type de fricatives est assez commun, elles constituent le réflexe de palatales du proto-bantou. En mandé, quelques parlers bambara ont développé *ɬ* comme résultat de la coalescence d'une séquence *tl* (cf. par exemple *ɬo* « oreille », qui correspond en malinké à *tolo*), et certains parlers dan attestent des fricatives latérales qui semblent résulter de l'évolution de séquences *sl* ou *zl*. En ce qui concerne *ʃ / ʒ*, il faut noter que dans un certain nombre de langues où ces consonnes sont attestées, il ne s'agit que de variantes contextuelles de *s / z*. Les fricatives pharyngales (*ħ / ʕ*), qui existent en arabe et de ce fait ont pu être acquises par des langues ayant subi une influence très forte de la part de l'arabe, sont par ailleurs très rares.

Les fricatives dorso-uvulaires sont presque toujours étiquetées par les descripteurs comme « vélaires ». Cette confusion s'explique largement par le fait que (à la différence de ce qui se passe pour les plosives correspondantes) aucune langue ne semble opposer entre elles fricatives vélaires et fricatives uvulaires, ce qui pourrait faire conclure que c'est là une affaire de précision phonétique plus que de phonologie à proprement parler. Toutefois, dans les langues qui ont des alternances systématiques entre fricatives et occlusives, une fois qu'on a pris conscience de cette confusion, on se rend compte que, souvent, l'identification erronée de fricatives uvulaires comme « vélaires » empêche de résumer de façon simple les règles d'alternance. Ainsi en tswana, la plosive vélaire k^h n'alterne pas avec χ (qui alterne très régulièrement avec la plosive uvulaire q^h), mais avec la laryngale h. Si, comme c'est le cas dans toutes les descriptions disponibles du tswana, on range χ et q^h dans l'ordre des « vélaires », on doit renoncer à toute systématisation cohérente des relations d'alternance entre fricatives et plosives aspirées ; si par contre on identifie ces uvulaires pour ce qu'elles sont réellement, l'alternance entre k^h et *h* ne pose plus aucun problème, puisque l'absence de fricative vélaire en tswana autorise à réunir en un ordre unique (du point de vue phonologique) vélaires et laryngales et à présenter comme suit les correspondances entre plosives aspirées et fricatives[9] :

p^h	t^h	$\widehat{ts}^h$	$\widehat{tʃ}^h$	k^h	q^h
f	*r*	*s*	*ʃ*	*h*	χ

Les fricatives laryngales posent un problème particulier. D'abord, la fricative laryngale voisée *ɦ* n'est pas à proprement parler voisée : la production d'une fricative laryngale est tout simplement incompatible avec le voisement, et *ɦ* est en réalité une murmurée (cf. ci-dessus). A vrai dire, la plupart des linguistes ne se soucient pas d'identifier la nature précise des fricatives laryngales auxquelles ils sont confrontés lors de la description de langues, pour la raison évidente qu'il est très rare de rencontrer des langues dans lesquelles la distinction entre *h* et *ɦ* est pertinente. Une opposition entre *h* et *ɦ* est toutefois attestée en zoulou, ainsi que dans certains parlers igbo, en particulier l'igbo d'Ohafia.

Comme cela a déjà été évoqué lors de la discussion à propos de la nasalité vocalique, les fricatives laryngales (et aussi pharyngales) semblent favoriser le développement d'une résonance nasale au

9. Nous reviendrons plus loin sur le fait que, pour aller jusqu'au bout de la systématisation des relations d'alternance de cette langue, il est nécessaire de reconnaître *r* comme membre d'une série dont tous les autres membres sont des fricatives.

niveau de la voyelle qui leur succède, ce qui pose un problème dans la mesure où il est impossible d'expliquer ceci de façon simple (comme on peut le faire lorsque des voyelles nasales succèdent à une consonne elle-même nasale) en termes d'assimilation progressive.

LES NASALES

La plupart des langues négro-africaines possèdent au moins deux phonèmes consonantiques de réalisation invariablement nasale : *m* et *n*. Nous reviendrons toutefois un peu plus loin sur le cas de langues qui s'écartent de cette situation.

Il est rare que les nasales d'une langue se distinguent entre elles autrement que par leur lieu d'articulation; toutefois, certaines langues opposent une série de nasales voisées à une série de nasales murmurées.

Aux deux nasales fondamentales *m* et *n* s'ajoute souvent une troisième qui peut être *ɲ* ou *ŋ*, parfois les deux. On peut avoir alors des sous-systèmes de nasales se présentant comme le prolongement exact du sous-système des plosives :

p	*t*	*c*	*k*
b	*d*	*ɟ*	*g*
m	*n*	*ɲ*	*ŋ*

Les langues qui ont des occlusives doubles labio-vélaires ont souvent aussi (mais pas toujours) la nasale correspondante *ŋ͡m*.

Dans l'analyse phonologique d'une langue, il faut être attentif au fait que, souvent, les nasales autres que *m* et *n* sont attestées sans que l'on ait toutefois à les retenir comme phonèmes distincts; souvent en effet, *ŋ* et/ou *ɲ* ne sont attestées que dans des contextes où leur lieu d'articulation s'explique par une règle qui impose aux nasales immédiatement suivies d'une plosive d'être homorganiques de la plosive qu'elles précèdent. Dans un cadre théorique classique on peut alors envisager de les analyser, soit comme variantes combinatoires de *m* ou de *n*, soit comme réalisations d'une nasale structurelle dont le lieu d'articulation n'est pas spécifié et qui copie nécessairement le lieu d'articulation d'une autre consonne.

Dans les langues qui admettent des consonnes en position de coda, les nasales sont particulièrement bien attestées dans cette position, mais souvent les nasales en position de coda ne connaissent pas les mêmes possibilités d'opposition qu'en position d'attaque syllabique. Souvent, plusieurs nasales sont attestées en position de coda, mais une seule est possible dans un contexte donné, et alors il est intéressant de voir laquelle apparaît dans les contextes où le lieu d'articulation de la nasale ne peut pas s'expliquer par une règle d'assimilation, c'est-à-dire en particulier en finale absolue. Dans pas mal de langues, la seule nasale admise en finale absolue est *n*. Il arrive aussi que ce soit *m*, mais cela est très rare (on peut toutefois citer le bissa). Ce qui est curieux et nécessite une explication, c'est que *ŋ* est attesté comme unique réalisation nasale possible en finale absolue y compris dans des langues où par ailleurs *ŋ* ne figure pas (ou n'occupe qu'une place très marginale) dans l'inventaire des nasales susceptibles de s'opposer entre elles en position d'attaque. Cette situation, qui est celle des variétés méridionales du français, n'est pas rare en domaine négro-africain.

Il conviendrait donc de reprendre la question des nasales pour essayer d'expliquer la place manifestement très particulière qu'occupe *ŋ*.

Il est bon dans cette perspective d'attirer l'attention sur le fait que, si les manuels élémentaires de phonétique présentent généralement les nasales comme un sous-ensemble des occlusives, en réalité ceci n'est pas tout à fait exact en ce qui concerne la nasale vélaire. Une occlusion (bilabiale, apico-dentale ou dorso-palatale) est effectivement nécessaire à la production des sons notés couramment *m*, *n* et *ɲ*. Par contre, la production du son noté *ŋ* n'implique pas nécessairement une occlusion dorso-vélaire : une constriction dorso-vélaire suffit, pourvu qu'elle soit suffisamment marquée et que ce soit là le point de rétrécissement maximum du conduit vocal.

Par ailleurs, la production de toute nasale implique un abaissement du voile du palais, ce qui a nécessairement pour conséquence un certain rétrécissement du conduit vocal au niveau dorso-vélaire. Ainsi, on peut dire que, d'une certaine façon, l'articulation d'une quelconque nasale inclut, ne serait-ce qu'à l'état d'ébauche, le geste articulatoire qui à lui seul déboucherait sur la production d'une nasale vélaire.

Ceci permet de comprendre que la nasale vélaire puisse se comporter en quelque sorte comme une « nasale par défaut », en liaison avec des évolutions historiques dans lesquelles une nasale vélaire apparaît du fait de processus qu'il est tentant d'expliquer en termes d'affaiblissement de l'articulation (ou en termes de perte de substance) d'une autre nasale. Toutefois, cette observation semble difficile à exploiter dans une phonologie qui s'en tient à la conception classique des phonèmes comme ensemble non structuré de traits abstraits : dans ce cadre, la seule possibilité semble être de mettre toutes les nasales sur le même plan en les analysant comme la combinaison du mode d'articulation « nasal » avec un lieu d'articulation (« bilabial » pour *m*, « apico-dental » pour *n*, « dorso-palatal » pour *ɲ* et « dorso-vélaire » pour *ŋ*). En revanche, dans une phonologie qui analyse les phonèmes comme combinaisons d'éléments dont certains au moins peuvent tels quels se concrétiser par un segment, il est tentant d'exploiter phonologiquement la remarque ci-dessus en considérant *ŋ* comme un des éléments irréductibles sur lesquels se fonde un système phonologique, une analyse possible des autres nasales étant de les considérer comme résultant de l'adjonction du trait « occlusif » (et de la spécification du lieu d'occlusion) à l'élément *ŋ*. Selon cette hypothèse, la représentation phonologique des nasales aurait l'allure suivante [10] :

x	x	x	x
|	|	|	|
ŋ	*ŋ*	*ŋ*	*ŋ*
	|	|	|
	occlusif	occlusif	occlusif
	|	|	|
	bilabial	apico-dental	dorso-palatal
ŋ	*m*	*n*	*ɲ*

La différence essentielle par rapport aux analyses courantes de la nasalité est de poser que *l'élément phonologique ŋ, étant inclus dans les autres nasales, est présent dans le système d'une langue indépendamment du fait que le segment ŋ soit ou non attesté comme opposable aux autres nasales dans des positions où le lieu d'articulation des nasales est phonologiquement pertinent*. Ceci a des conséquences importantes pour l'analyse des nasales dans des contextes où se produisent des neutralisations.

10. La représentation des nasales proposée ici serait bien sûr à préciser dans le cadre d'une théorie plus générale de la décomposition des phonèmes consonantiques en éléments. Il ne faut pas voir dans les schémas proposés ici autre chose qu'une figuration très provisoire et très approximative de la façon dont une telle théorie pourrait traiter la question de la nasalité.

Nous avons vu en effet qu'à travers les langues, *ŋ* est relativement peu fréquent en tant que segment opposable aux autres nasales [11] et apparaît en revanche fréquemment comme unique réalisation nasale possible dans des contextes où se produisent des neutralisations. L'important est que *ŋ* en tant qu'unique réalisation nasale possible en contexte de neutralisation est attesté dans des langues où ce même segment *ŋ* n'est jamais opposable à une autre nasale, et surtout que ceci se produit souvent dans des contextes où l'articulation vélaire de la nasale ne peut pas s'expliquer par un phénomène d'assimilation, en particulier en finale absolue.

Il y a indéniablement dans l'évolution des langues une tendance des nasales finales à évoluer vers *ŋ*. Or selon l'hypothèse proposée ici, le passage d'une nasale quelconque à *ŋ* n'est pas interprété comme le *changement* d'un trait mais comme l'*effacement* des spécifications qui s'ajoutent à l'élément *ŋ* pour donner l'une des autres nasales, ce qui permet de comprendre pourquoi, la plupart du temps, la neutralisation de l'opposition entre nasales aboutit *par défaut* (c'est-à-dire dans des contextes où le choix d'un lieu d'articulation ne peut pas être justifié par un phénomène d'assimilation) à l'apparition de *ŋ*.

Un autre argument en faveur de ce traitement de la nasalité est la relation entre nasalité consonantique et nasalité vocalique. En particulier, comme cela a déjà été évoqué au chapitre précédent, la ressemblance perceptive évidente entre les voyelles nasales et les séquences « voyelle suivie de *ŋ* » peut être prise en compte de façon très simple dans les représentations phonologiques à partir de l'idée que les phénomènes de nasalité, y compris ceux concernant les voyelles, sont imputables à un élément phonologique qui à l'état isolé se concrétise comme *ŋ*.

11. De ce point de vue, il y a typologiquement une différence très nette entre les plosives et les nasales : presque toutes les langues attestent avec un statut identique des plosives bilabiales, apicales et vélaires, tandis que, parmi les nasales, seules la bilabiale et l'apicale sont attestées par la quasi-totalité des langues dans des positions où les consonnes appartenant à une même série sont opposables entre elles en termes de lieu d'articulation. C'est d'ailleurs là une raison pour ne pas se contenter du traitement traditionnel des plosives et des nasales comme deux sous-ensembles de l'ensemble des occlusives.

LES NON-OBSTRUANTES ORALES

La catégorie des non-obstruantes orales regroupe :
— les vibrantes ou battements;
— les approximantes;
— les ingressives.

Dans la majorité des langues du monde (et ceci vaut pour les langues négro-africaines), on trouve avec le statut de phonèmes opposables entre eux ainsi qu'avec tous les autres sons attestés en fonction d'attaque syllabique :
— la vibrante apicale *r*,
— l'approximante latérale *l*,
— les approximantes médianes palatale (*j*) et labio-vélaire (*w*),
ces quatre réalisations représentant donc quatre phonèmes différents. Ici, on s'attachera essentiellement à voir de quelles façons des groupes plus ou moins importants de langues négro-africaines peuvent s'écarter de cette situation.

Le terme d'approximante (emprunté à la terminologie anglaise) s'applique à des sons qu'on pourrait décrire comme des « constrictives faibles », c'est-à-dire des sons dont la production met en jeu une constriction qui n'est pas suffisante pour provoquer l'apparition du bruit de frottement caractéristique des constrictives fortes que sont les fricatives.

Les « voyelles » sont des approximantes assumant la fonction de noyau syllabique. Dans beaucoup de langues, les voyelles fermées *i* et *u* sont également aptes à assumer des fonctions syllabiques non nucléaires; on parle alors traditionnellement de « semi-voyelles », et on les inclut (notées respectivement *j* et *w*) dans les inventaires consonantiques. Le français illustre le cas où la semi-voyelle *ɥ*, qui correspond à la voyelle *y*, est opposable aux autres semi-voyelles, mais cette situation semble rarissime. Dans les langues négro-africaines, *ɥ* apparaît assez souvent comme variante de *w* immédiatement suivi d'une voyelle antérieure en fonction de noyau syllabique. En utilisant la documentation existante, il faut être attentif au fait que des linguistes francophones peuvent facilement faire l'erreur consistant à identifier comme *ɥ*, qui leur est plus familier, ce qui est en réalité une approximante labiale (*ʋ*).

Quelques langues attestent en outre en fonction syllabique non nucléaire les approximantes suivantes : labio-dentale (*ʋ*), apico-alvéolaire (*ɹ*), dorso-vélaire (*ɰ*). Dans certaines langues (comme c'est le cas par exemple en anglais), l'approximante *ɹ* et la vibrante *r* fonctionnent comme deux réalisations possibles d'un même phonème, mais il arrive que ces deux consonnes soient opposables, comme par exemple en urhobo (*rù* « perdre la vue » / *ɹù* « faire »).

En ce qui concerne les approximantes latérales, la distinction entre une approximante latérale apicale et une approximante latérale palatale (*ʎ*) est commune dans les langues romanes. Une telle distinction est pour le moins très rare (sinon tout à fait inexistante) en domaine négro-africain.

La plupart des descriptions de langues notent indifféremment *r* une consonne apico-alvéolaire qui peut être vibrante ou battue. Une distinction pertinente entre ces deux types de réalisation n'est effectivement pas courante, mais dans certaines langues il faut distinguer la vibrante *r* du battement *ɾ*.

Un *r* non voisé phonologiquement distinct du *r* voisé est signalé dans quelques langues : urhobo, kgalagadi.

Une distinction pertinente entre *r* et *ɽ* (battement rétroflexe) est attestée dans une partie des parlers hausa ainsi que dans des langues du groupe sara.

Le remplacement de *r* apical par *ʀ* uvulaire est bien connu par l'exemple du français. Un processus analogue semble être en cours en sotho.

Les ingressives sont des occlusives dont l'articulation s'accompagne d'un mouvement d'abaissement de la glotte, les cordes vocales étant généralement rapprochées en position de vibration. Elles sont surtout communes au niveau bilabial : beaucoup de langues ont une seule ingressive, qui est alors dans tous les cas *ɓ*. L'apicale *ɗ* est assez répandue. La palatale est beaucoup plus rare.

Les ingressives peuvent être rangées parmi les non-obstruantes, si on entend par là des articulations qui, *d'une manière ou d'une autre*, atténuent les perturbations que peut subir le flux d'air du fait d'un obstacle (constriction ou occlusion) auquel il se heurte : dans le cas des ingressives, ce résultat est obtenu en agissant sur le flux d'air lui-même, par un mécanisme glottal ayant pour effet une baisse de la pression intra-buccale. Mais le classement des ingressives parmi les non-obstruantes est principalement motivé par une observation des comportements phonologiques des consonnes que les descriptions de langues identifient comme ingressives.

Bien qu'il soit parfaitement possible de produire des ingressives avec le larynx complètement fermé, les ingressives sont presque toujours voisées. Leur rapport au voisement les apparente nettement aux divers types de consonnes que tout le monde s'accorde à reconnaître comme non-obstruantes. Il est exceptionnel que des ingressives voisées s'opposent à des ingressives non voisées : seul le sérère semble avoir été signalé comme connaissant une telle opposition.

Par ailleurs, il est courant que des réalisations ingressives soient à analyser comme variantes combinatoires de phonèmes dont les autres variantes sont clairement des non-obstruantes (nasales ou « liquides »). Enfin, dans les langues où la distinction entre obstruantes et non-obstruantes intervient dans le conditionnement de processus phonologiques (notamment tonals), les ingressives se rangent à côté des nasales, « liquides » et « semi-voyelles ».

Ceci dit, il est fort possible que la question des « glottalisées » reste encore à approfondir, et il n'est pas exclu que l'usage des symboles *ɓ*, *ɗ* par les descripteurs cache des réalités phonétiques différentes d'une langue à l'autre. C'est en tout cas ce qui semble se dégager de remarques faites par Ladefoged, selon lesquelles, plutôt que de représenter de véritables ingressives, ces symboles seraient parfois utilisés pour noter des consonnes caractérisées par un mode particulier de voisement dans lequel les cordes vocales sont dans une position très proche d'une fermeture totale du larynx (« creaky voice »).

LANGUES OÙ *l* ET *r* CONSTITUENT UN PHONÈME UNIQUE

Dans la plupart des langues, *l* et *r* (ou *ɾ*) constituent deux phonèmes distincts. Il y a toutefois un nombre non négligeable de langues où *l* et *r* (ou *ɾ*) constituent deux allophones d'un même phonème, le conditionnement tenant le plus souvent au caractère coronal ou non coronal[12] du son précédent.

Ainsi en baoulé, *r* n'est attesté que comme deuxième élément d'attaques syllabiques complexes dont le premier élément est une coronale, tandis que *l* est impossible dans un tel contexte. Par exemple :

12. Dans la description des processus phonologiques, on a souvent à tenir compte de propriétés communes à tous les sons dont l'articulation implique une élévation de la partie antérieure de la langue : apicales, laminales et prédorsales. Le terme de « coronale » est utilisé ici comme étiquette englobant tous les sons ayant cette caractéristique, quel que soit leur lieu d'articulation précis.

bla	« mentir »	*trɛ*	« s'agrandir »
flɛ	« appeler »	*ɟra*	« descendre »
glo	« se détendre »	*srɛ*	« demander »
klo	« aimer »	*jra*	« brûler »
kpla	« heurter »		
wlu	« entrer »		

Comme par ailleurs, seul *l* est apte à constituer à lui seul une attaque syllabique, on peut considérer qu'on a en baoulé un phonème *l* assorti d'une règle phonétique selon laquelle *l* succédant immédiatement à une coronale appartenant à la même syllabe est représenté par *r*.

Plusieurs langues de la famille kwa présentent une distribution de *l* et *r* analogue à celle qui vient d'être décrite pour le baoulé. Dans certaines variétés de ganda [13], on a un phénomène semblable, à ceci près qu'en ganda, la substitution de *r* à *l* concerne *l* situé en initiale de syllabe, le facteur conditionnant étant que la rime de la syllabe précédente soit constituée par *i* ou par *e* : dans ce cas aussi, c'est bien le caractère coronal du son qui précède immédiatement *l* qui est en cause.

Dans les parlers tswana, *l* est souvent en distribution complémentaire avec *d*, et non pas avec *r*, et le conditionnement diffère de ceux qui viennent d'être évoqués : la règle en tswana est que *d* figure à l'attaque de syllabes dont le noyau est une voyelle d'aperture 1 (*i* ou *u*), tandis que *l* figure à l'attaque de syllabes dont le noyau est une voyelle d'aperture au moins égale à 2. Toutefois, les premières transcriptions du tswana par des Européens notaient uniformément *r* là où on a actuellement *d* en tswana standard, ce qui indique que dans cette langue, *d* a dû se développer récemment à partir d'un *r* plus ancien, et que la situation originelle (conservée d'ailleurs par une partie des parlers) était d'avoir un phonème identifiable comme non-obstruante non nasale apicale avec pour allophones *l* et *r*.

LANGUES À UNE SEULE SÉRIE DE NON-OBSTRUANTES

Les langues dont il va être question maintenant ont parfois été qualifiées de « langues sans consonnes nasales », mais on peut juger

13. D'après M. Halle et N. Clements, *Problem Book in Phonology*, The MIT Press, 1983.

ce terme impropre dans la mesure où, phonétiquement, ces langues ont bien des consonnes nasales; simplement, leur statut phonologique est différent de celui qu'on doit généralement leur reconnaître.

Dans la plupart des langues, on relève au minimum deux phonèmes dont tous les allophones sont des nasales (la nasale bilabiale *m* et la nasale apicale *n*), et *n* est opposable à au moins un autre phonème (le plus souvent, *l*) caractérisable comme apical, non obstruant et non nasal. Dans ce cas, qui est celui de la plupart des langues, on doit distinguer au moins deux séries de non-obstruantes, une série nasale et une série non nasale, et le trait ± nasal est directement nécessaire pour distinguer entre elles les consonnes de certains ordres au moins.

Toutefois, un certain nombre de langues localisées en Afrique occidentale, dans une zone s'étendant du Libéria au sud du Nigéria, ont la particularité de ne jamais opposer une nasale à une non-obstruante orale qui appartiendrait au même ordre. Autrement dit, dans ces langues, des nasales sont attestées en position d'attaque syllabique, mais la spécification « + nasal » n'est jamais nécessaire pour les différencier des non-nasales auxquelles on peut les opposer: les nasales représentent des phonèmes qui, dans les langues en question, sont à définir comme des non-obstruantes que la donnée de leur lieu d'articulation suffit à spécifier entièrement.

Il s'agit dans tous les cas de langues connaissant exclusivement des syllabes ouvertes et dans lesquelles des rimes syllabiques constituées d'une voyelle nasale sont, dans certains contextes au moins, opposables à des rimes syllabiques constituées d'une voyelle non nasale.

Dans la pratique, deux types de configurations sont attestés.

Le premier type, qu'on peut illustrer par le yoruba ou le baoulé, se présente de la façon suivante :

— l'ordre des bilabiales comporte une seule non-obstruante, toujours réalisée *m*;

— dans les autres ordres où on relève des non-obstruantes, il y a toujours complémentarité de distribution entre réalisations orales et réalisations nasales. Par exemple en baoulé, on peut dresser l'inventaire suivant de segments susceptibles de constituer une attaque syllabique simple (dans ce tableau, la barre oblique signifie une complémentarité de distribution entre deux sons analysables comme allophones du même phonème) :

p		*t*		*c*	*k*	*k͡p*
b		*d*		*ɟ*	*g*	*g͡b*
	f		*s*			
	v		*z*			
m		*n/l*		*ɲ/j*		*ŋ*^{w}*/w*

En baoulé, *n*, *ɲ* et *ŋ*^{w} apparaissent, ou bien immédiatement suivis de voyelles nasales, ou bien immédiatement précédés de nasale syllabique, et dans ces mêmes contextes on ne trouve jamais *l*, *j* ou *w*. Par ailleurs, le statut différentiel de la nasalité vocalique peut être établi en considérant des syllabes dont l'initiale est une consonne obstruante (par exemple : *si* « connaître » / *sĩ* « passer »). Donc, sous réserve de s'assurer que cela ne crée pas de difficulté pour l'analyse des nasales syllabiques (nous reviendrons là-dessus un peu plus loin), on a là tous les éléments pour conclure que *n* et *l* constituent un phonème unique, et qu'il en va de même pour *ɲ* et *j*, ainsi que pour *ŋ*^{w} et *w*.

Autrement dit, on a en baoulé une unique série de quatre nonobstruantes entièrement spécifiées phonologiquement par leur lieu d'articulation, et dont la nature orale ou nasale est fixée par une règle :
— la non-obstruante bilabiale est toujours nasale ;
— les trois autres non-obstruantes sont nasales au contact immédiat d'une voyelle nasale ou d'une nasale syllabique, orales dans les autres contextes.

Le deuxième type de configuration attesté dans les langues à une seule série de non-obstruantes peut être illustré par le gouro. Il se caractérise par une complémentarité de distribution entre nasales et non-obstruantes orales s'étendant à la totalité des lieux d'articulation où sont attestées des non-obstruantes : à la différence du baoulé où *m* est la seule non-obstruante bilabiale phonétiquement attestée, le gouro atteste *m* et *ɓ*, mais avec la même complémentarité de distribution que pour les couples *n* / *l*, *ɲ* / *j* et *ŋ*^{w} / *w*. On peut dresser l'inventaire suivant de segments susceptibles de constituer en gouro une attaque syllabique simple :

p		*t*		*c*	*k*	*k͡p*
b		*d*		*ɟ*	*g*	*g͡b*
	f		*s*			
	v		*z*			
m/ɓ		*n/l*		*ɲ/j*		*ŋ*^{w}*/w*

Les langues à une série unique de non-obstruantes ont par ailleurs généralement des nasales syllabiques, et il y a là, si on n'y prend pas garde, un risque sérieux de contradiction : de manière générale il a été proposé d'analyser les nasales syllabiques comme nasales assumant simultanément, dans une syllabe, la fonction d'attaque et celle de rime, mais comment retenir cette analyse si par ailleurs on pose qu'aucun segment consonantique n'a de manière inhérente le trait « + nasal » ? Ici encore, il semble bien que la seule façon simple d'échapper à la contradiction consiste à se situer dans le cadre d'une analyse en éléments qui considère *ŋ* comme l'élément universellement responsable des phénomènes de nasalité. En effet, dans le cadre de cette hypothèse, on peut caractériser les langues dont le cas est évoqué ici en disant que dans ces langues, l'élément *ŋ* ne peut être *phonologiquement* associé qu'à une position dominée par un nœud « rime », position qu'il partage généralement avec un ou plusieurs éléments vocaliques; *ŋ* peut ensuite selon certaines règles étendre son association aux positions adjacentes. Par exemple, la représentation d'une syllabe comme *nã* dans une telle langue pourrait avoir l'allure suivante (les pointillés signifiant une association qui n'a pas à être posée au départ et qui découle de l'application d'une règle) :

```
       Σ
     /   \
   At     Ri
    |      |
    x      x
    |      |
    l      a
     ......|
           ŋ
```

Ceci étant, pour rendre compte de l'existence de nasales syllabiques dans de telles langues, il suffit d'admettre que l'élément *ŋ* puisse non seulement partager avec un ou plusieurs éléments vocaliques une position dominée par un nœud « rime », mais aussi éventuellement occuper à lui seul une telle position; la représentation d'une nasale syllabique dans des langues comme le baoulé ou le gouro pourra ainsi, sans qu'il y ait là une quelconque contradiction, être quelque chose comme :

```
       Σ
      / \
    At   Ri
    |    |
    x    x
     ....|
         ŋ
```

UNE HYPOTHÈSE DIACHRONIQUE SUR L'INSTAURATION D'UNE COMPLÉMENTARITÉ DE DISTRIBUTION ENTRE NASALES ET NON-OBSTRUANTES ORALES

Certains linguistes pensent qu'à date ancienne, l'ensemble des parlers Niger-Congo aurait connu une organisation de la nasalité du type évoqué au paragraphe précédent. Ces linguistes font remarquer en particulier que des systèmes « sans consonnes nasales » sont attestés dans des branches de la famille Niger-Congo éloignées les unes des autres : mandé, kwa et Bénoué-Congo. Toutefois, ces mêmes faits peuvent être expliqués très simplement sans avoir à postuler pour le proto-Niger-Congo autre chose qu'un système consonantique tout à fait banal en ce qui concerne la prise en compte du trait de nasalité.

On doit tout d'abord remarquer que, si des langues « sans consonnes nasales » se rencontrent effectivement dans plusieurs branches de la famille Niger-Congo, dans chacune des branches en question cela concerne des langues dont une caractéristique remarquable est d'avoir une très forte proportion de lexèmes monosyllabiques : dans chacune des branches concernées existent aussi des langues se caractérisant à la fois par la rareté des lexèmes monosyllabiques et par des systèmes consonantiques où les consonnes nasales ont leur statut habituel. Or, étant donné un groupe de langues génétiquement apparentées, il est raisonnable de penser que ce sont celles où on trouve une proportion particulièrement forte de lexèmes monosyllabiques qui ont connu les remaniements les plus importants de leur système phonologique.

Il faut se souvenir en particulier de ce qui a été dit à propos de l'origine des voyelles nasales : les langues où sont attestées des voyelles nasales totalement stables (ce qui est le cas des langues

« sans consonnes nasales ») ont vraisemblablement créé leurs voyelles nasales à l'occasion de la contraction de séquences dissyllabiques comportant à l'origine une nasale en position intervocalique. A partir de là, on peut proposer ce qui constitue au moins un scénario vraisemblable pour la mise en place de systèmes « sans consonnes nasales ». Il suffit pour cela d'imaginer que, préalablement au processus de contraction de séquences dissyllabiques qui a créé les voyelles nasales, un phénomène d'harmonie de nasalité se soit développé entre la consonne initiale et la consonne médiane d'unités dissyllabiques.

Bien qu'on l'évoque moins souvent que l'harmonie vocalique, l'harmonie consonantique est une notion indispensable pour rendre compte de contraintes mutuelles que l'on observe parfois entre la consonne initiale et la consonne médiane d'une unité dissyllabique. Par exemple, dans beaucoup de parlers mandingues, il y a presque complémentarité de distribution entre *w* et *ŋ* en position initiale, *ŋ* apparaissant presque exclusivement à l'initiale de formes dissyllabiques ayant en position médiane une nasale ou une séquence de type NC, tandis que *w* n'apparaît pas dans un tel contexte.

Imaginons donc que, dans une langue ayant à l'origine une majorité de lexèmes dissyllabiques, opère tout d'abord un processus d'harmonie de nasalité entre la consonne initiale et la consonne médiane des unités dissyllabiques dont les deux syllabes ont pour attaque une non-obstruante. En représentant respectivement par N, L et K une nasale quelconque, une non-obstruante orale quelconque et une obstruante quelconque, cela veut dire qu'à ce stade de son évolution, la langue va éliminer les schèmes d'unités dissyllabiques LVNV et NVLV pour leur substituer systématiquement NVNV ou LVLV, seuls conformes à la règle d'harmonie de nasalité. Imaginons que, dans un deuxième stade, les dissyllabes ayant une non-obstruante en position médiane se contractent en monosyllabes. Compte tenu du processus d'harmonie ayant précédemment opéré, on aboutira ainsi à quatre schèmes possibles de monosyllabes :

*KVLV → $KV_{-\text{nas}}$
*KVNV → $KV_{+\text{nas}}$
*LVLV → $LV_{-\text{nas}}$
*NVNV → $NV_{+\text{nas}}$

Par contre les schèmes de monosyllabes $LV_{+\text{nas}}$ et $NV_{-\text{nas}}$ n'apparaissent pas, car les schèmes de dissyllabes qui auraient pu leur donner naissance (*LVNV et *NVLV) ont été précédemment éliminés.

Ainsi, on peut facilement expliquer comment, à partir d'un état de langue où les faits de nasalité se présentent de la façon la plus banale qui soit, on peut passer à un état de langue où la nasalité vocalique doit être considérée comme pertinente et où, par contre, les consonnes nasales se trouvent en complémentarité de distribution avec les non-obstruantes orales. Il semble donc raisonnable de penser que, dans les langues qui ont une telle organisation de la nasalité, il s'agit d'une innovation relativement récente, liée à des processus de réduction syllabique, plutôt que d'un héritage ancien.

LANGUES OÙ LES NASALES SONT EN DISTRIBUTION COMPLÉMENTAIRES AVEC DES SÉQUENCES NC

En gbeya, on relève quatre séquences homorganiques NC correspondant à quatre consonnes nasales de même point d'articulation :

m	*n*	*ŋ*	*ŋ͡m*
mb	*nd*	*ŋg*	*ŋ͡gb*

Le gbeya a par ailleurs des voyelles nasales opposables en contexte identique aux voyelles orales correspondantes (*ʔák* « demander » / *ʔã́k* « déchirer », *kɔ̀* « bouillie » / *kɔ̃̀* « trou »).

Les consonnes du gbeya peuvent figurer dans trois types de positions : initiale, médiane ou finale. Or :
— en position finale, on peut trouver des nasales, mais on ne trouve jamais de séquence NC ;
— en position initiale ou médiane, nasales et séquences NC sont également possibles, mais leur apparition dépend de la voyelle suivante : devant voyelle orale on trouve des séquences NC mais jamais de nasales (*ndák* « poursuivre », *mbɔ́j* « consoler », *ŋgbá* « coller »), tandis que devant voyelle nasale on trouve des nasales mais jamais de séquence NC (*nã́k* « trembler », *mɔ̃́j* « ressembler », *ŋmã́* « piétiner »).

On a donc tous les éléments pour considérer qu'en gbeya, une nasale et la séquence NC de même lieu d'articulation que cette nasale constituent deux variantes combinatoires d'un même phonème. La nasale étant la forme prise par ce phonème lorsqu'il n'est pas suivi d'une voyelle (c'est-à-dire en finale), il est cohérent de considérer qu'on a fondamentalement affaire là à des nasales, mais qu'immédiatement suivies de voyelle non nasale, les nasales subissent un processus de dénasalisation partielle qui les transforme en séquences NC.

Cette analyse est confirmée par l'existence d'alternances dont elle fournit une explication très simple. Considérons par exemple les suffixes verbaux « accompli » et « indice d'objet allocutif pluriel ». Ces suffixes présentent des variations de leur forme segmentale sur le détail desquelles il est inutile de s'étendre, la seule chose à souligner ici étant l'existence d'une harmonie de nasalité ; la voyelle de ces suffixes est en effet automatiquement orale si le lexème verbal a une voyelle orale, nasale si le lexème verbal a une voyelle nasale :

ʔà̃-zɔ̀k-á	« il a vu »	*ʔà̃-rı̃̀k-ɔ̃́*	« il a frappé »
ʔà̃-zɔ́k-ɔ́j	« il vous voit »	*ʔà̃-rı̃́k-ı̃́j*	« il vous frappe »

Or, en combinant ces deux suffixes aux lexèmes verbaux *ŋgɛ́m* « attendre » et *gɔ̃́m* « donner un coup de pied », nous constatons que le *m* final de ces deux lexèmes se comporte différemment :

ʔà̃-ŋgɛ̀mb-á	« il a attendu »	*ʔà̃-gɔ̃̀m-ã́*	« il a donné un coup de pied »
ʔà̃-ŋgɛ́mb-ɛ́j	« il vous attend »	*ʔà̃-gɔ̃́m-ɔ̃́j*	« il vous donne un coup de pied »

L'explication est que le lexème signifiant « attendre » est phonologiquement *ŋɛ́m*, la suffixation donnant des formes *ŋɛ̀m-á, ŋɛ́m-ɛ́j* dans lesquelles les nasales remplissent les conditions d'application de la règle de dénasalisation. Par contre avec *gɔ̃́m*, l'harmonie de nasalité donne des formes suffixées *gɔ̃̀m-ã́, gɔ̃́m-ɔ̃́j* dans lesquelles la règle de dénasalisation ne s'applique pas.

Ainsi, le gbeya est une langue où on peut considérer que, phonologiquement, il y a à la fois des consonnes nasales et des voyelles nasales se combinant sans restrictions particulières, mais où les consonnes nasales subissent une dénasalisation partielle chaque fois qu'elles précèdent immédiatement une voyelle non nasale.

Cette règle de dénasalisation est phonétiquement naturelle. En effet, la réalisation d'une syllabe $NV_{-\text{nas}}$ suppose qu'il y a simultanéité entre le relâchement de l'occlusion buccale et le relèvement du voile du palais. Si le relèvement du voile du palais accuse un retard sensible par rapport au relâchement de l'occlusion buccale, la voyelle sera perçue nasale ; si au contraire le relèvement du voile du palais précède le relâchement de l'occlusion, c'est NCV qui sera perçu. Ainsi, dans une langue où des syllabes $NV_{-\text{nas}}$ doivent être maintenues distinctes de syllabes NV_{+nas}, la dénasalisation partielle des consonnes nasales précédant des voyelles non nasales peut être une façon de renforcer la distinction.

On observe dans d'autres langues des variations qui s'expliquent par la relation temporelle entre le relâchement de l'occlusion et le relèvement du voile du palais lors de la réalisation d'une syllabe NV– nas. Ainsi en koyaga, on observe en variation libre des réalisations dans lesquelles le relèvement du voile du palais précède le relâchement de l'occlusion et d'autres où c'est l'inverse qui se produit : *kɔ́má* «parole» peut être perçu comme *kɔ́mã́*, *kɔ́má* ou *kɔ́mbá*. L'originalité du gbeya est d'avoir figé NCV comme réalisation régulière de syllabes à analyser phonologiquement comme NV_{-nas}.

Une situation identique à celle du gbeya a été décrite pour le jukun par Welmers[14], qui précise qu'à sa connaissance aucune autre langue africaine ne présente un tel système. L'exemple du gbeya montre que la chose n'est peut-être pas aussi rare.

LA QUESTION DES LATÉRALES

Les phonologues semblent considérer comme allant de soi que le caractère latéral d'une consonne soit à prendre en compte comme un mode d'articulation. En réalité, la notion de latérale recoupe les distinctions de mode d'articulation : à côté de la latérale approximante, particulièrement commune, les langues peuvent avoir des latérales obstruantes, fricatives (non voisée *ɬ*, voisée *ɮ*) ou plosives (non voisée *t͡ɬ*, voisée *d͡ɮ*), et les plosives latérales peuvent être aspirées, éjectives. Autrement dit, il serait parfaitement possible de considérer que la notion de latérale relève de la notion de lieu d'articulation plutôt que de celle de mode. Et de fait, dans les langues qui ont des obstruantes latérales, ce qui est courant dans les langues bantoues d'Afrique australe, le traitement de «latéral» comme définissant un mode d'articulation multiplie inutilement les distinctions entre séries et empêche de faire apparaître certaines régularités. Ainsi en tswana, il existe une opposition entre l'aspirée *t͡ɬʰ* et la non-aspirée *t͡ɬ*; si on veut rendre compte simplement de la corrélation d'aspiration en rangeant toutes les consonnes pour lesquelles ce

14. Wm. E. Welmers, *African Language Structures*, University of California Press, 1973.

trait est pertinent en deux séries se différenciant par le trait ± aspiré, il est impératif de considérer que la différence entre le couple *t͡ɬ*^{h}, *t͡ɬ* et le couple t^h, *t* est une différence de lieu d'articulation plutôt que de mode d'articulation.

Pour les obstruantes comme pour les non-obstruantes, les latérales ont le plus souvent dans une langue donnée un unique lieu d'articulation, plutôt antérieur. Le zoulou a la particularité d'avoir à la fois des plosives latérales antérieures *t͡ɬ* et *d͡ɮ*, qui semblent analysables comme variantes de *ɬ* et *ɮ* succédant immédiatement à une nasale syllabique, et une plosive latérale postérieure, qu'on peut noter *k͡ɬ*, et qui semble constituer un phonème à part.

LES CLICS

Les clics sont attestés dans les langues khoi-san ainsi que dans une partie des langues bantoues parlées au voisinage de langues khoi-san (zoulou, xhosa, swati, sotho).

Un clic est une articulation complexe, dont la deuxième partie est toujours identifiable comme une plosive vélaire (*k*, k^h, *g*) ou une nasale vélaire (*ŋ*). La première partie du clic, qui se déroule pendant la tenue de l'occlusion vélaire, consiste à réaliser à l'avant de la zone vélaire une occlusion dont le relâchement, s'effectuant alors que l'occlusion dorso-vélaire est encore tenue, produit un fort bruit de succion.

Du fait que la première partie du clic est indissociable de la deuxième, l'habitude a été prise de représenter (en principe du moins) chaque clic par un symbole unique, faisant référence au lieu où se produit le bruit de succion. Mais ceci oblige à ajouter des diacritiques pour représenter les différences de mode d'articulation au niveau de la deuxième partie du clic. Il serait donc bien plus pratique (et phonétiquement plus exact) de noter systématiquement les clics par des digraphes faisant explicitement apparaître leurs deux composantes.

Par exemple, en suivant ce principe on pourrait représenter comme suit les 12 clics du zoulou[15] :

15. C'est cette notation qui figure dans C.M. Doke et B.W. Vilakazi, *Zulu-English Dictionary*, Witwatersrand University Press, second edition (revised), 1953.

articulation vélaire / succion	plosive – vois. – asp.	plosive – vois. + asp.	plosive + vois.	nasale
dentale ou alv.	*ʇ͡k*	*ʇ͡k*^{h}	*ʇ͡g*	*ʇ͡ŋ*
latérale	*ʖ͡k*	*ʖ͡k*^{h}	*ʖ͡g*	*ʖ͡ŋ*
palatale	*ʗ͡k*	*ʗ͡k*^{h}	*ʗ͡g*	*ʗ͡ŋ*

4

LES ALTERNANCES CONSONANTIQUES

REMARQUES GÉNÉRALES SUR LES ALTERNANCES CONSONANTIQUES

Dans beaucoup de langues africaines appartenant aux familles les plus diverses, les bases substantivales et les bases verbales présentent une initiale consonantique qui alterne en fonction du contexte.

Il est probable qu'à l'origine, les alternances se produisent toujours, ou bien en présence de certains préfixes, ou bien en cas de relation syntaxique particulièrement étroite avec le mot précédent, leur fonctionnement ayant une explication immédiate selon la nature phonétique de ce qui précède l'initiale consonantique soumise à alternance. Mais la disparition ou la modification de l'élément conditionnant peut avoir pour conséquence l'instauration d'alternances dont le fonctionnement n'obéit plus à un conditionnement phonétique évident, et qui à la limite peuvent constituer la seule trace de certaines distinctions grammaticales.

En particulier, dans une famille de langues apparentées dont certaines connaissent un système de préfixes nominaux alors que d'autres ont à l'initiale des bases nominales une alternance consonantique assumant des fonctions analogues, il est raisonnable de penser que le système de préfixes représente un état archaïque. En effet, les affixes tendent généralement à subir des processus de réduction de leur forme phonique plus importants que ceux affectant les lexèmes ; on peut donc imaginer comment, à partir d'un système de préfixes, le développement de processus phonétiques à la jonction préfixe-base accompagné d'une réduction des préfixes peut aboutir à un état de langue où les anciens préfixes ne subsistent plus qu'à travers les modifications que leur présence faisait subir à l'initiale consonantique des bases. L'article de J.L. Doneux « Hypothèses pour la comparative des langues atlantiques » [1] discute ce problème dans le cadre plus général d'une reconstruction du proto-atlantique.

ALTERNANCES CONSONANTIQUES EXPLICABLES PAR LE CONTACT AVEC UNE NASALE

Le koyaga illustre le cas d'alternances consonantiques conditionnées par le fait que l'unité concernée est en relation syntaxique étroite [2] avec une unité à finale nasale qui la précède. Les choses apparaissent de façon particulièrement claire lorsqu'on compare le koyaga aux autres parlers mandingues. En effet, en mandingue, les lexèmes peuvent de manière générale se terminer par une nasale, mais cette nasale n'est invariablement représentée par une consonne en position de coda que dans les parlers les plus occidentaux. Dans les parlers centraux, selon les contextes, elle peut s'amalgamer avec la voyelle précédente (cet amalgame se produit en particulier en finale absolue). En koyaga, lorsqu'on considère des unités en isolation, cette nasale semble avoir disparu : par exemple, les numéraux « un » et « dix », cités respectivement comme *kílíŋ* et *táŋ* en mandinka et comme *kélẽ́* et *tã́* en malinké, sont cités en koyaga comme *kjé* et *tá*. Mais certaines unités ont en koyaga la propriété de modifier l'initiale d'une autre unité leur succédant immédiatement à travers une limite faible ; or :

— dans la plupart des cas, le changement en question peut phonétiquement être décrit comme une nasalisation ;

— les unités qui induisent un tel changement sur l'initiale de l'unité qui leur succède correspondent à très peu d'exceptions près à

1. *Africana linguistica* VI, Musée royal de l'Afrique centrale, Tervuren, Belgique, Sciences humaines n° 88, 1975, p. 41-129.

2. Pour la description des alternances consonantiques, les limites entre unités se succédant dans la phrase koyaga doivent être réparties en limites « fortes » (qui marquent le début d'une proposition ou d'un constituant nominal) et limites « faibles » (toutes les autres : limites internes de constituant nominal, limite objet-verbe, limite nom-postposition, limite verbe-adverbe, etc.).

celles qui, dans les parlers mandingues occidentaux ou centraux, manifestent une nasale finale.

Par exemple, succédant immédiatement à un substantif, le numéral « un » (qui, à l'initiale absolue, apparaît comme *kjé*) peut prendre comme initiale *k* ou *ŋ*, en fonction du substantif : *ʃò kjè* « un cheval » / *bwó ŋjé* « une case ». Il convient donc de poser qu'une partie des unités de cette langue ont une forme sous-jacente se terminant par une nasale latente qui s'efface devant pause ou limite forte et qui autrement va s'amalgamer à l'initiale de l'unité suivante. Le syntagme *bwó ŋjé* « une case » provient d'une structure sous-jacente qu'on peut figurer comme *bwo(ŋ) kje(ŋ)* : chacune des deux unités composant ce syntagme comporte une nasale finale latente, mais seule la première peut se manifester ici.

Même si cela n'est pas toujours évident, les alternances consonantiques des langues négro-africaines s'expliquent la plupart du temps, au moins du point de vue diachronique, par le contact de l'initiale des unités concernées avec une nasale. Autrement dit, ces alternances ont la plupart du temps une explication, directe ou indirecte, en termes de propriétés phonétiques de configurations du type ...N-C...

Il faut de manière générale distinguer, dans une configuration de type ...N-C..., selon la nature de la consonne C. Pour comprendre les modifications observées, il faut se souvenir que les nasales sont occlusives (propriété qu'elles partagent avec les plosives), mais aussi que ce sont des non-obstruantes (donc en particulier des sons naturellement voisés). Ceci veut dire que, de tous les types consonantiques, c'est avec les fricatives que les nasales ont le moins d'affinités. Quant au statut syllabique des éléments en présence, il apparaît indépendant des processus affectant les segments eux-mêmes : les consonnes se modifient de la même façon au contact de nasales qui constituent à elles seules la syllabe précédente ou au contact de nasales qui constituent seulement la coda de la syllabe précédente.

En ce qui concerne la description du résultat du processus, il est utile, de manière générale, de distinguer entre les cas où, à partir d'une configuration ...N-C..., la nasale et la consonne suivante subsistent comme deux segments distincts, et ceux où subsiste un segment unique. Lorsque la séquence NC laisse la place à un segment unique, cet unique segment peut éventuellement être associé à plus d'une position squelettale : l'amalgame de deux segments consonantiques n'implique pas nécessairement une réduction au niveau des positions squelettales; du point de vue diachronique, on peut seulement dire que le remplacement de deux segments successifs par un segment unique favorise la réduction, sans toutefois la rendre absolument nécessaire. Lorsque la configuration ...N-C... aboutit à un segment unique non géminé (comme c'est généralement le cas en koyaga), c'est-à-dire lorsque le segment nasal structurellement présent à la finale de certaines unités ne se concrétise pas comme associé à une position squelettale distincte de celle occupée par la consonne initiale de l'unité suivante, on peut parler de nasale latente. On peut dans un tel cas envisager de simplifier la présentation en considérant cette nasale finale comme structurellement *flottante*, ou *extra-syllabique*, c'est-à-dire dépourvue d'association à une position squelettale :

```
      Σ
     / \
   At   Ri
   / \   |
  x   x  x
  |   |  |
  b   u  o  ŋ
```

Si une nasale se trouve immédiatement suivie d'une autre nasale, on aboutit généralement à un segment nasal unique dont le lieu d'articulation est celui de la deuxième nasale sous-jacente.

Si une nasale se trouve immédiatement suivie d'une plosive, les deux segments peuvent se maintenir distincts, avec toutefois des phénomènes d'assimilation : la plosive impose généralement son lieu d'articulation à la nasale qui la précède, et en outre, il n'est pas rare que la plosive devienne voisée (si elle ne l'est pas déjà) au contact de la nasale. Mais la rencontre d'une nasale et d'une plosive peut aussi aboutir à un segment unique, qui peut selon les cas être, soit une nasale, soit une plosive. C'est la première possibilité qu'illustre le koyaga, comme le montre l'exemple de *kjé* «un», dont l'initiale devient *ŋ* après une unité dont la forme sous-jacente se termine par une nasale latente. C'est aussi un unique segment nasal, constituant à la fois une syllabe et l'attaque de la syllabe suivante, qui apparaît en tswana comme résultat de la rencontre d'une nasale et d'une plosive dans des forme comme *m̀mìlì* «corps» ou *kìbíńné* «j'ai dansé»; ces formes proviennent en effet respectivement de *mὼ-bìlì* et *kì-bín-íd-é*, la chute d'une voyelle ayant pour effet de mettre en contact direct *m* et *b* dans le premier cas, *n* et *d* dans le deuxième[3].

Lorsque la consonne C est une fricative, on observe essentiellement deux types de modifications : ou bien la fricative laisse la place à une plosive, et alors la nasale et la consonne qui lui succède peuvent subsister comme deux segments distincts, ou bien la fricative se maintient (éventuellement voisée sous l'influence de la nasale), mais alors le segment nasal disparaît en tant que tel. Le koyaga illustre la deuxième possibilité ; par exemple, les numéraux *flà* « deux » et *sàwà* « trois » prennent respectivement pour initiale *v* et *z* lorsqu'ils succèdent à un substantif dont la forme sous-jacente comporte une nasale finale latente (*ʃò flâ* « deux chevaux » / *bwó vlà* « deux maisons », *ʃò sáwà* « trois chevaux » / *bwó záwà* « trois maisons ») ; de la nasale sous-jacente, il ne subsiste plus que le trait de voisement incorporé à la fricative. La première possibilité peut être illustrée par le soninké ; par exemple, dans *à dà kómpè ɲ céllà* « elle a balayé la pièce », l'initiale fricative du verbe *séllà* « balayer » a laissé la place à la plosive *c* au contact de la nasale qui représente l'article accompagnant le substantif objet.

Lorsque la consonne C est une non-obstruante orale, le contact avec une nasale peut la faire alterner avec une plosive, et dans ce cas la nasale et la consonne suivante peuvent se maintenir comme deux segments distincts, mais le plus souvent on aboutit à un segment unique qui peut être, soit une nasale, soit une non-obstruante orale. En soninké, la rencontre d'une nasale et de *r* aboutit à *l* (géminé), tandis que la rencontre d'une nasale et de *w* aboutit à *ŋ* (géminé). Par exemple, dans *à dà lémúnù ŋ ŋùtú* « il a pris les enfants », l'initiale *w* du verbe *wùtú* « prendre » s'est amalgamée à la nasale qui représente l'article accompagnant le substantif objet pour donner *ŋ*, et dans *à dà lémúnù l lí:tì* « il a ramené les enfants », l'initiale *r* du verbe *rí:tì* « ramener » s'est amalgamée à la nasale qui représente l'article accompagnant le substantif objet pour donner *l*.

3. Dans ces exemples tswana, on doit remarquer qu'il ne se produit aucune réduction au niveau des positions squelettales, puisque la nasale représentant des séquences sous-jacentes *mʊb* ou *nid* constitue à la fois une syllabe et l'attaque de la syllabe suivante, c'est-à-dire qu'elle est associée à trois positions squelettales successives. Par ailleurs, il faut signaler qu'en tswana, ce résultat de la rencontre d'une nasale et d'une plosive peut être considéré comme quelque peu exceptionnel : il ne s'observe que dans des contextes très particuliers, alors que, comme nous le verrons un peu plus loin, la rencontre d'une nasale avec *b* ou *d* aboutit généralement en tswana à respectivement *mp* et *nt*.

ALTERNANCES CONSONANTIQUES AU CONTACT DE NASALES, VOISEMENT ET ASPIRATION : LE CAS DU TSWANA

Beaucoup de langues bantoues connaissent une alternance consonantique dont il est admis qu'historiquement au moins, elle est conditionnée par le fait que les consonnes concernées sont ou non immédiatement précédées d'une nasale. Dans l'état actuel de ces langues, la nasale qui a conditionné le développement de l'alternance est plus ou moins conservée en réalisation, et là où elle n'apparaît pas de manière évidente, sa présence est plus ou moins facile à rétablir dans une analyse morphophonologique.

Le problème est que, très souvent, la description de cette alternance nécessite une règle substituant des plosives aspirées à des fricatives lorsque ces dernières sont en contact avec des nasales ; or, si la substitution d'une plosive à une fricative est naturelle dans ce contexte, par contre l'apparition d'une aspiration ne correspond directement à aucun processus phonétique naturel. Il y a dans certaines de ces langues un problème supplémentaire avec le fait que des consonnes voisées se dévoisent au contact d'une nasale, ce qui est contraire à ce que l'on peut considérer comme l'influence naturelle que peut exercer une nasale au niveau du voisement. Une explication s'avère donc utile, la question se posant toutefois de savoir si une explication phonétique directe est possible, ou si on doit se placer dans une perspective diachronique et expliquer plutôt par l'enchaînement de changements historiques successifs une telle relation.

En tswana par exemple, on relève à l'initiale des bases substantivales ou verbales les alternances suivantes :

A		B	A		B
b	~	*p*	*r*	~	*tʰ*
d/l	~	*t* [4]	*s*	~	*tsʰ*
ɟ	~	*tʃ* [5]	*ʃ*	~	*tʃʰ*
Ø	~	*k* [6]	*h*	~	*kʰ*
f	~	*pʰ*	*χ*	~	*qʰ*

4. En tswana, *l* et *d* constituent deux variantes d'un phonème unique.
5. Cette alternance est propre à certaines variétés dialectales du tswana ; en tswana standard, *ɟ* au contact d'une nasale ne subit aucune modification.
6. Ø indique ici une attaque syllabique à laquelle n'est associé aucun segment consonantique.

La variante B s'observe exclusivement au contact de quelques préfixes :
— l'indice d'objet élocutif singulier, qui est toujours réalisé comme une nasale syllabique avec un ton structurel bas (cf. par exemple *ɷ̀-à-mɷ̀-rátá* « tu l'aimes » / *ɷ̀-à-ǹ-t̲ʰátá* « tu m'aimes ») ;
— le préfixe substantival ou adjectival de classe 9, qui apparaît comme une nasale syllabique à ton bas avec les bases monosyllabiques et sinon ne se manifeste que par son action sur l'initiale de la base (cf. par exemple *ɲ̀-tʃʰá*, forme de classe 9 de la base adjectivale *~ʃá* « nouveau », ou *qʰɷ́lɷ́*, forme de classe 9 de la base adjectivale *~χɷ́lɷ́* « grand ») ;
— le préfixe substantival ou adjectival de classe 10, qui apparaît comme *dìǹ~* avec les bases monosyllabiques et sinon apparaît comme *dì~* mais exerce en outre sur l'initiale de la base la même influence que si une nasale était toujours présente (cf. par exemple *dìɲ̀-tʃʰá*, forme de classe 10 de la base adjectivale *~ʃá* « nouveau », ou *dì-qʰɷ́lɷ́*, forme de classe 10 de la base adjectivale *~χɷ́lɷ́* « grand ») ;
— l'indice de voix moyenne (couramment désigné comme « morphème du réfléchi ») qui, à la différence des précédents, a la particularité de ne jamais comporter d'élément nasal dans sa forme réalisée (cf. par exemple *ɷ̀-à-mɷ̀-húmísá* « tu l'enrichis » / *ɷ̀-à-í-k̲ʰúmísá* « tu t'enrichis »).

Dans une description synchronique du tswana, il est clair que, compte tenu des contextes très limités dans lesquels les bases à initiale alternante présentent la variante B de leur initiale, c'est la variante A qui doit être retenue comme forme sous-jacente de l'initiale, c'est-à-dire qu'on doit écrire des règles qui au contact de ces préfixes :
— insèrent *k* dans une attaque syllabique ne comportant aucun segment consonantique ;
— transforment certaines consonnes voisées (*b*, *d/l*, plus *ɟ* dans certains dialectes) en plosives non voisées non aspirées,
— transforment les fricatives ainsi que *r* en plosives non voisées aspirées.

Divers articles ont déjà débattu la question de savoir si cette alternance se laisse directement décrire en termes de processus phonétiques naturels opérant sur la variante A pour produire la variante B. Certains ont tenté, dans cette perspective, de donner un contenu phonétique au terme de « renforcement » souvent utilisé pour désigner l'ensemble de ces modifications, l'idée étant de classer les consonnes selon une hiérarchie naturelle de « force » qui permettrait de prédire directement en termes phonétiques le passage de A à B. Mais cette explication a été vigoureusement contestée par Dickens [7], qui a montré que, comme on peut d'ailleurs souvent s'en rendre compte pour des langues dont l'histoire est connue ou du moins relativement facile à reconstituer, l'alternance consonantique brièvement exposée ci-dessus résulte de plusieurs évolutions qui se sont produites à différents moments de l'histoire de la langue; une fois ces évolutions effectuées, le principe phonétique auquel chacune d'elles se conformait a pu se trouver masqué par des évolutions ultérieures qui, tout en maintenant les relations d'alternance, ont modifié de manière indépendante la réalisation du terme A et/ou du terme B d'un même couple. C'est ainsi une erreur de vouloir à tout prix, dans les règles telles que doit les formuler une morphophonologie synchronique, une cohérence phonétique dont il est tout à fait normal qu'elles soient dépourvues.

L'explication donnée par Dickens est, en gros, que les règles qui font apparaître en B une non-aspirée résultent d'évolutions différentes de celles faisant apparaître en B une aspirée.

Selon Dickens, il faut partir d'un état ancien du tswana où, outre une série de nasales, le système consonantique de cette langue comportait :

— une série de plosives non voisées, réalisées avec une aspiration : $*p^h$, $*t^h$, etc. ;

— une série de non-occlusives voisées : **β*, **l*, etc.

Une première évolution aurait affecté la série des plosives non voisées (aspirées) : sauf au contact d'une nasale (où leur réalisation ancienne s'est maintenue), ces consonnes sont devenues fricatives [8]; ultérieurement, la fricative issue de $*t^h$ a évolué vers *r*.

Une autre évolution, indépendante de la précédente, aurait ensuite transformé en plosives (non aspirées) les non-occlusives voisées se trouvant au contact de nasales. Les plosives non aspirées ainsi apparues se seraient ensuite dévoisées, la distinction avec l'autre série de plosives restant assurée par l'aspiration, qui de ce fait est devenue pertinente.

7. P. Dickens, « The history of so-called strengthening in Tswana », *Journal of African Languages and Linguistics*, vol. 6, n° 2, 1984, p. 97-125.

8. Une telle évolution s'est produite en grec, où les anciennes plosives aspirées p^h, t^h, k^h sont devenues respectivement *f, θ, x/ç*.

Si cette explication est juste, la règle d'alternance telle qu'elle fonctionne actuellement en tswana n'a pas d'un cas à l'autre la même signification historique : dans une partie des cas, la variante attestée en contexte nasal constitue bien, du point de vue historique, la transformation de la variante attestée dans les autres contextes, mais dans d'autres cas c'est l'inverse, et c'est au contraire la variante attestée en contexte nasal qui maintient une forme relativement ancienne de la consonne en question. Ceci rend bien sûr sans objet la recherche d'un principe phonétique unique susceptible d'expliquer globalement les modifications que le contact avec une nasale peut faire subir aux consonnes du tswana.

ALTERNANCES CONSONANTIQUES AU CONTACT DE NASALES ET ATTAQUES SYLLABIQUES VIDES

Il y a en tswana des couples de formes qui, si on les analysait sans connaître le reste de la morphologie de la langue, suggéreraient de reconnaître un préfixe de nominalisation *k-* : *χὼ-árábá* « répondre »/ *kárábɔ́* « réponse ».

Mais la comparaison avec des couples grammaticalement semblables montre que cette analyse n'est pas correcte et que l'apparition de *k* doit être traitée en termes de modification de l'attaque initiale de la base plutôt qu'en termes de préfixation : *χὼ-bώtsá* « interroger » / *pώtsɔ́* « question » ; *χὼ-rútá* « étudier » / *tʰútɔ́* « étude ». D'ailleurs, lorsqu'on considère des bases verbales monosyllabiques, on voit apparaître un préfixe constitué d'une nasale syllabique : *χὼ-fá* « donner » / *m̀-pʰɔ́* « don ».

L'analyse correcte est donc de reconnaître dans tous les cas la présence en structure d'une nasale (il s'agit de façon précise du préfixe de classe 9), qui n'est apparente qu'avec les bases monosyllabiques mais qui, dans tous les cas, est susceptible de modifier l'attaque initiale de la base.

Dans un cadre où segments phonématiques et fonctions syllabiques ne sont pas clairement dissociés, il est difficile de traiter ceci de façon satisfaisante, car on ne peut guère faire autrement que de postuler, dans la forme sous-jacente du lexème signifiant « répondre », une consonne initiale qui se transformerait en *k* au contact de nasale et qui sinon serait systématiquement effacée. Formellement parlant, du fait que *g* n'existe pas phonétiquement en tswana, il n'y a aucune difficulté à postuler dans cette langue un morphophonème *g* qui se transformerait en *k* de la même façon que *b* se transforme en *p* et qui sinon serait effacé. Mais un tel traitement pose le problème théorique du recours à des morphophonèmes ne correspondant à aucune unité phonologique attestée dans les formes de surface de la langue et de la confusion qui en découle entre traitement systématique des alternances et reconstitution des processus historiques dont elles sont la trace. A partir du moment où les structures syllabiques sont explicitement prises en compte, on peut juger préférable de résoudre ce problème en considérant que la forme structurelle d'un tel lexème commence par une attaque syllabique vide, c'est-à-dire comporte à son initiale, sinon une consonne, du moins une position susceptible d'accueillir une consonne, et qu'au contact d'une nasale, cette position doit se trouver garnie par une règle d'insertion.

Il est curieux de remarquer que, dans les alternances consonantiques explicables par le contact avec une nasale, l'alternance entre attaque vide et *k* s'observe dans des langues très éloignées les unes des autres, ce qui suggère qu'il doit y avoir une explication phonétique : tout se passe comme si, de toutes les non-plosives, les vélaires étaient particulièrement prédisposées à s'amuïr.

Observons par exemple en wolof les alternances conduisant à l'apparition d'une plosive non voisée (*p, t, k*) lors de la nominalisation de lexèmes verbaux :

fɔ « jouer »	*pɔ* « jeu »
fo:t « laver »	*po:t* « lessive »
su:b « teindre »	*cu:b* « tissu teint »
sɔl « s'habiller »	*cɔl* « habillement »
addu « répondre »	*kaddu* « parole »
ɐf « plaisanter »	*kɐf* « plaisanterie »

et comparons avec le même mécanisme de nominalisation appliqué à des lexèmes qui, en tant que verbes, ont comme initiale une plosive voisée :

ba:χ « être bon »	*m-ba:χ* « bonté »
bo:m « tuer »	*m-bo:m* « meurtre »
dɔf « être fou »	*n-dɔf* « folie »
duggɐ « faire le marché »	*n-duggɐ* « provisions pour le repas »
ɟaŋgɐ « étudier »	*ɲ-ɟaŋgɐ* « étude »
ɟi « semer »	*ɲ-ɟi* « semailles »

gɨm «croire» *ŋ-gɨm* «foi»
gɛlɐw «venter» *ŋ-gɛlɐw* «vent»

On peut rendre compte de tout ceci en postulant un préfixe de nominalisation constitué structurellement d'une nasale soumise aux règles de réalisation suivantes :
— les fricatives succédant immédiatement à une nasale sont converties en plosives non-voisées ;
— *k* s'insère dans une attaque syllabique vide succédant immédiatement à une nasale ;
— une nasale précédant immédiatement une plosive non-voisée est effacée ;
— une nasale précédant immédiatement une plosive voisée prend le lieu d'articulation de cette plosive.

Il est intéressant de rappeler que le wolof présente d'autres faits qui rendent utile la notion d'insertion d'un segment dans une attaque syllabique structurellement vide. En effet, les lexèmes verbaux dont l'initiale est une voyelle antérieure ont souvent en variation libre une forme à initiale *j*, et les lexèmes verbaux dont l'initiale est une voyelle postérieure ont souvent en variation libre une forme à initiale *w*, la forme nominalisée de ces lexèmes commençant dans tous les cas par *k* :

(j)ɛrsɐ «être poli» *kɛrsɐ* «politesse»
(w)ɔr «trahir» *kɔr* «trahison»

On a donc affaire là à des lexèmes dont la forme structurelle commence par une attaque syllabique vide, avec une règle qui insère obligatoirement *k* au contact du préfixe nasal de nominalisation (lequel préfixe n'a pas de représentation directe au contact de plosive non voisée), et avec une autre règle qui, en l'absence de préfixe, peut facultativement faire apparaître en position d'attaque ce qu'on peut considérer comme une «projection» de la voyelle suivante.

Des faits du même genre sont attestés dans diverses branches de la famille Niger-Congo en liaison avec des mécanismes de nominalisation de lexèmes verbaux par préfixation. Peut-être n'est-ce là qu'une coïncidence, mais il est tout de même troublant de constater que dans les langues sara (classées dans la famille nilo-saharienne), la nominalisation des lexèmes verbaux met en jeu un mécanisme formel qui n'est pas sans analogie avec ce que nous venons de voir pour le wolof.

Dans les langues sara, on peut dire que les lexèmes verbaux à initiale consonantique sont aptes à fonctionner nominalement sans avoir à subir une quelconque modification ou adjonction, tandis que les lexèmes verbaux à initiale vocalique doivent, pour fonctionner nominalement, s'adjoindre un *k* initial. Par exemple en bédjonde, à côté de *ɓāː* « appeler / appel » ou *dã̄n* « accompagner / accompagnement », etc., on a *ã̀ɲ̄* « s'enfuir » / *kã̀ɲ̄* « fuite », *ɔ̀ː* « être fatigué » / *kɔ̀ː* « fatigue », *àw̄* « aller » / *kàw̄* « départ », etc.

Pour un linguiste habitué à décrire les alternances consonantiques du type couramment attesté en Niger-Congo, il est très tentant de voir là l'ultime résidu d'un système d'alternances qui aurait lui-même constitué le vestige de la préfixation d'une nasale, à l'instar de ce qu'on peut observer par exemple en wolof. Toutefois, alors qu'en wolof les données synchroniques restent suffisantes pour reconstituer ce processus (du fait qu'il y a encore des cas où la nominalisation se réalise par adjonction d'un préfixe nasal), dans la morphologie des langues sara par contre le phénomène semble tout à fait isolé, et, dans une description synchronique de ces langues, il ne semble pas possible d'aller au-delà de la reconnaissance d'un préfixe de nominalisation *k~*. Mais on souhaiterait savoir comment a pu apparaître un « préfixe » qui a la particularité de ne se manifester que devant des bases à initiales vocaliques et de ne correspondre à rien pour les bases à initiale consonantique.

L'ALTERNANCE CONSONANTIQUE EN MENDE ET EN KPELLE

Les langues mandé-sud-ouest (dont les deux plus connues sont le mende et le kpelle) sont parmi les plus citées dans les travaux sur l'alternance consonantique en domaine négro-africain. Beaucoup d'études leur ont été consacrées, qui presque toutes passent très vite sur la description des faits synchroniques, adoptant à ce niveau sans véritable discussion une présentation qu'il est permis de juger contestable, pour aborder immédiatement des hypothèses de reconstruction. Toutes ces études insistent sur les différences considérables qu'il y aurait entre l'alternance consonantique du kpelle et celle qu'on trouve dans les autres langues du groupe (représentées ici par le mende).

Dans un premier temps, nous allons voir qu'une application rigoureuse des principes de la morphophonologie aboutit à décrire l'alternance consonantique du mende d'une façon qui s'écarte notablement de ce qu'on trouve dans les grammaires descriptives de cette langue. Nous reprendrons ensuite dans le même esprit mais de façon indépendante la description synchronique de l'alternance du kpelle, et enfin nous examinerons quelles peuvent être, dans l'optique d'une reconstruction, les conséquences de ce ré-examen des données synchroniques de ces deux langues.

La présentation traditionnelle de l'alternance consonantique du mende repose sur un certain nombre de décisions arbitraires :
(a) l'alternance consonantique à l'initiale des substantifs est privilégiée, et la présentation de l'alternance à l'initiale des verbes est subordonnée à des décisions prises dans un premier temps pour rendre compte de ce qui se passe à l'initiale des substantifs;
(b) la forme de base d'un lexème est considérée comme coïncidant nécessairement avec sa forme de citation;
(c) les séquences NC sont traitées comme s'il était évident qu'on doive les considérer comme monophonématiques.

Ce dernier point est crucial, comme c'est d'ailleurs souvent le cas lorsqu'on examine de telles questions en domaine négro-africain.

Ainsi on trouve chez Innes[9], présentées comme allant de soi, des formulations telles que : «... *ngílɛí* is the unmutated form, and *yílɛí* the mutated form of the word for "dog"». Ce même auteur donne la répartition suivante des consonnes du mende en «mutated consonants» et «unmutated consonants» :

unmutated		**mutated**
p	~	*w*
t	~	*l*
k	~	*g*
k͡p	~	*g͡b*
f	~	*v*
s	~	*ɟ*
mb	~	*b*
nd	~	*l*
ɲɟ	~	*j*
ŋg	~	*j* / — *i, e, ɛ, a* *w* / — *ɔ, o, u* [10]

9. G. Innes, *A Practical Introduction to Mende*, School of Oriental and African Studies, Londres, 1971.
10. Font exception à cette règle quelques cas où *ŋg* alterne avec *j* devant *ɔ*.

La première règle d'alternance donnée par Innes est qu'un substantif présente sa consonne initiale de base (unmutated), sauf s'il est en relation syntaxique étroite avec le terme qui le précède immédiatement, auquel cas sa consonne initiale se transforme. Par exemple, le *f* initial de *fàndé* « coton » se transforme dans un syntagme de détermination :

fàndèí mìà « c'est du coton »
mɛ̀ndé vándèí mìà « c'est du coton mende »

Ayant formulé cette première règle, Innes est amené à dire que le verbe a une consonne initiale modifiée (mutated) lorsqu'il est précédé d'un objet ; par exemple, avec *pàá* ~ *wàá* « tuer » :

táà nìkɛ̀í wàámà « il tue la vache » [11]
táà pàámà « il la tue »

Donc, la présentation choisie par Innes suggère que les limites déterminant-déterminé et objet-verbe seraient également caractérisées par un processus de lénition de la consonne initiale du deuxième terme. C'est là, à première vue, une explication séduisante, mais qui se heurte à de sérieuses difficultés du fait que, comme l'explique Innes dans une formulation manifestement embarrassée, « some ma-forms, however, have a mutated initial consonant when they do not have an object in front ; these all have intransitive meaning ». Les exemples suivants illustrent le comportement d'un même lexème verbal figurant avec une valeur de type moyen dans une construction intransitive (« se faire », « avoir lieu ») et avec une valeur factitive (« faire ») dans une construction transitive :

táà ŋgèŋgèí ɲí wíémà « il fait ce travail » (« ce travail » = *ŋgèŋgèí ɲí*)
táà píémà « il le fait »
táà wíémá « ça arrive »

Il importe d'ailleurs de remarquer que le schème tonal du verbe, mettant la troisième phrase à part des deux autres, contribue à imposer la reconnaissance d'une distinction entre :

11. N'ayant pas eu l'occasion de reprendre avec des informateurs les exemples de ce paragraphe, tous tirés de divers travaux de Welmers, Innes et Dwyer, il m'a paru prudent de respecter au maximum les transcriptions données par ces auteurs et de me limiter dans ce domaine à mettre la notation des consonnes palatales en conformité avec les conventions de l'API ; en particulier, j'ai maintenu la notation de voyelles redoublées telle qu'elle apparaît chez les auteurs auxquels les exemples ont été empruntés.

— d'une part des constructions réellement intransitives, d'où tout objet quel qu'il soit est absent (*táà wíémá* « ça arrive », *táà gbùàmá* « il sort », *táà gùlàmá* « il tombe ») ;
— d'autre part des constructions en fait transitives, où l'objet est bien présent sous forme d'un élément anaphorique dont les manifestations formelles (qu'il faudra analyser) mettent en jeu à la fois le schème tonal et la consonne initiale du lexème verbal : *táà píémà* « il le fait », *táà kpùámà* « il l'enlève », *táà kùlámà* « il l'abat ».

Convenons provisoirement d'appeler simplement « forte » et « faible » les initiales respectivement qualifiées de « unmutated » et « mutated » par Innes, de façon à éviter toute prise de position prématurée quant au sens dans lequel il convient de décrire la relation, et reprenons les faits jusqu'ici résumés dans la présentation qu'en donne Innes.

Si on ne disposait d'aucune autre donnée que l'alternance à l'initiale des substantifs, il serait très tentant de penser à un processus de lénition des initiales fortes lorsque celles-ci ne seraient séparées de la voyelle finale du mot précédent que par une limite faible. Il resterait tout de même à expliquer le cas des initiales qui, selon cette interprétation, auraient une forme de base de type NC : il n'y a rien d'étonnant à avoir à écrire des règles qui, en position intervocalique, transforment des occlusives en constrictives ou des non-voisées en voisées, par contre il n'est pas très satisfaisant d'avoir à mettre sur le même plan des règles qui effaceraient l'élément nasal d'attaques complexes de type NC.

Mais cette description de l'alternance consonantique n'est possible que pour les substantifs et ne peut pas s'étendre aux verbes. Or dans la mesure où ce sont exactement les mêmes couples de consonnes qui alternent à l'initiale des substantifs et à l'initiale des verbes, une description nécessitant deux jeux de règles différents ne peut pas être considérée comme satisfaisante.

Reprenons donc les faits concernant les verbes, en rappelant tout d'abord que la phrase à prédicat verbal du mende se conforme à la structure canonique des langues de la famile mandé : sujet + objet + verbe + autres compléments. Par ailleurs, beaucoup de verbes du mende peuvent fonctionner avec ou sans objet, la relation sémantique entre les deux types d'emploi pouvant selon les cas se décrire, ou bien comme la transformation d'un intransitif à valeur moyenne en un transitif à valeur factitive, ou bien comme la transformation d'un transitif à valeur active en intransitif à valeur passive.

Lorsqu'un verbe du mende présente une initiale soumise à alternance, c'est la variante faible qui apparaît,
(a) dans les emplois intransitifs :

táà jèŋgèmá « ça arrive »
táà làpìmá « il combat »
màhɛ̀í lɔ̀ wàmá « le chef vient »
ɲăpòí lɔ̀ gbùàmá pɛ́lɛ́í bù « la jeune femme sort de la maison »
mbɛ̀í ɲí lɔ̀ bémá « ce riz est en train de mûrir »
ŋgíì gílímá à hànì gbí « je ne pense à rien »

(b) dans les emplois transitifs à objet explicite :

táà nìkɛ̀í wàámà « il tue la vache »
táà ndɔ̌ gbɔ̀émà « il boit du vin de palme »
ɲáà mbówɛ́í ná jéjámà « j'achète ce couteau »
ɲáà bí lólímà « je t'appelle »

On peut donc rendre compte provisoirement de l'alternance à l'initiale des verbes par la formulation suivante : le verbe ne présente une initiale forte que lorsque le constituant objet est en apparence absent mais que cette absence apparente peut s'interpréter comme la présence d'un objet anaphorique présentant le trait « – humain ». Reprenons en effet quelques exemples en faisant apparaître la structure des phrases et en montrant comment intervient le trait ± humain lors d'une anaphore concernant le constituant objet :

sujet	**verbe**	
táà	*wíémá*	« ça a lieu »

sujet	**objet**	**verbe**	
táà	*ŋgèŋgèí ɲí*	*wíémà*	« il fait ce travail »
táà	Ø	*píémà*	« il le fait (ce travail) »
táà	*nìkɛ̀í*	*wàámà*	« il tue la vache »
táà	Ø	*pàámà*	« il la tue (la vache) »
táà	*ɲăpòí*	*wàámà*	« il tue la femme »
táà	*ŋgí*	*wàámà*	« il la tue (la femme) »
ɲáà	*ŋgì*	*gbêmà*	« je le regarde (être humain) »
ɲáà	Ø	*kpêmà*	« je le regarde (objet ou animal) »

Il semble évident que, dans les phrases où le verbe présente la variante forte de sa consonne initiale, il faille admettre la présence en structure d'un anaphorique en fonction d'objet, dont seule la présence peut d'ailleurs expliquer le ton pris par le suffixe verbal *~ma*. Ainsi, si on analyse les verbes sans se laisser influencer par les premières observations faites sur les substantifs, on est conduit à penser que c'est plutôt l'initiale faible qui représente directement la consonne initiale du lexème, tandis que l'initiale forte résulte de l'action exercée sur cette consonne par un morphème occupant la fonction d'objet.

Or il existe un cas où le passage d'une structure intransitive (caractérisée par l'absence effective de tout constituant objet) à une structure transitive avec en fonction d'objet un anaphorique non humain se traduit clairement par l'adjonction d'un segment – à condition de ne pas s'être laissé enfermer dans l'analyse monophonématique des séquences NC. Il s'agit bien sûr du cas des verbes qui, à l'intransitif où en présence d'un objet autre que cet anaphorique, ont comme initiale *b*, *j*, *w* (dans le cas où *w* alterne avec *ŋg*) ou *l* (dans le cas où *l* alterne avec *nd*) ; le segment nasal qui apparaît dans l'« initiale forte » de ces verbes doit être isolé comme représentant cet anaphorique :

táà bémá « ça sèche »
táà m bémà « il le sèche »
táà wùàmá « il entre »
táà ŋ gùámà « il l'enfile »

Avec de tels verbes, à condition de ne pas avoir pris de décision phonologique interdisant d'isoler le segment N des séquences NC, on peut voir l'anaphorique non humain en fonction d'objet commuter avec d'autres constituants nominaux occupant la même fonction :

táà mbɛ̀í jílímà « elle fait cuire le riz »
táà ŋ gílímà « elle le fait cuire »
ɲáà mbówɛ́í ná jéjámà « j'achète ce couteau »
ɲáà ŋ géjámà « je l'achète »

On doit donc en mende reconnaître un anaphorique non humain apte à occuper la fonction d'objet et dont la forme structurelle est une nasale. C'est cette nasale qui, d'une manière ou d'une autre, conditionne l'apparition de la variante forte de l'initiale des verbes, après quoi elle ne se maintient en tant que segment nasal que devant les occlusives voisées :

táà bémá	« ça sèche »	*táà m bémà*	« il le sèche »
táà wùàmá	« il entre »	*táà ŋ gùámà*	« il l'enfile »
táà wíémá	« ça a lieu »	*táà (m) píémà*	« il le fait »
táà gùlàmá	« il tombe »	*táà (ŋ) kùlámà*	« il l'abat »

En ce qui concerne les substantifs, l'identification d'un morphème de forme sous-jacente *ŋ* [12] responsable de l'apparition des initiales fortes est beaucoup moins évidente que pour les verbes : dans les contextes où les substantifs présentent l'initiale forte, il n'est pas possible d'isoler le segment nasal des initiales fortes de type NC pour le faire commuter en contexte identique avec un autre morphème ou avec sa propre absence. Il est toutefois possible de préserver un traitement unitaire de l'alternance consonantique en considérant qu'en mende, l'initiale forte des substantifs s'explique par la présence d'un morphème *ŋ* à valeur démarcative : rien ne s'oppose à rendre compte des initiales fortes des substantifs en posant une règle syntaxique qui, en mende, introduit un morphème *ŋ* immédiatement devant la base d'un constituant nominal si et seulement si cette base n'est pas immédiatement précédée d'un déterminant génitival. Compte tenu de ce qu'on peut généralement observer quant à la structure des constituants nominaux et à la façon dont elle évolue, on peut voir dans ce morphème démarcatif l'ultime stage de figement auquel peut parvenir un ancien article avant de disparaître tout à fait en tant que morphème. Nous verrons d'ailleurs que la comparaison avec le kpelle va dans le sens de cette hypothèse.

Ainsi, on posera par exemple *gila, bowa, fande* [13] comme forme structurelle des lexèmes signifiant respectivement « chien », « couteau », « coton », et on posera que :

ɲá jìlɛ̀í « mon chien » provient de *ɲa gila i*
ŋgílɛ̀í « le chien » provient de *ŋ gila i*
bí bòwɛ̀í « ton couteau » provient de *bi bowa i*
mbówɛ́í « le couteau » provient de *ŋ bowa i*
ɲăpòí vàndèí « le coton de la femme » provient de *ŋ ɲapo i fande i*
fàndèí « le coton » provient de *ŋ fande i*

A ce stade de l'analyse, l'élément responsable de l'alternance est donc identifié : c'est une nasale. Il reste toutefois à discuter du choix

12. Conformément aux remarques présentées dans un chapitre précédent à propos de l'analyse des faits de nasalité, une nasale dont le lieu d'articulation est systématiquement copié sur celui de la consonne suivante est structurellement interprétée comme *ŋ*; le fait d'identifier différemment cette nasale serait sans incidence sur le reste de la présentation de l'alternance consonantique du mende.

13. En l'absence d'une étude approfondie de la combinatoire tonale qui permettrait de proposer une hypothèse sur la tonalité du mende et du kpelle au niveau structurel, il m'a paru plus prudent de citer sans indications tonales les formes sous-jacentes auxquelles il est fait référence au cours de cette discussion.

des consonnes qu'il convient de postuler à l'initiale de la forme structurelle des lexèmes. En effet, compte tenu de ce qui précède, il serait normal de retenir la forme faible comme forme structurelle de l'initiale des lexèmes, mais ce choix est contestable du fait qu'à très peu d'exceptions près, c'est la variante forte qui permet de prédire la variante faible, alors que l'inverse n'est pas vrai (par exemple, *l* peut alterner aussi bien avec *t* qu'avec *nd*). Il semble que la seule façon de résoudre cette contradiction consiste à interpréter de la façon suivante les consonnes alternantes du mende :

Consonne de base *C*	**Réalisation de la séquence *ŋC***		**Réalisation de *C* non situé au contact de *ŋ***
p	*p*	~	*w*
t	*t*	~	*l*
k	*k*	~	*g*
k͡p	*k͡p*	~	*g͡b*
f	*f*	~	*v*
s	*s*	~	*ɟ*
b	*mb*	~	*b*
d	*nd*	~	*l*
ɟ	*ɲɟ*	~	*j*
g	*ŋg*	~	*j* / — *i, e, ɛ, a* *w* / — *ɔ, o, u* [14]

Reste à examiner la façon précise d'écrire les règles de réalisation qu'implique cette interprétation. Le cas le plus simple est celui de *b*, qui ne nécessite aucune règle particulière. Il n'y a guère de problème non plus en ce qui concerne *d*, *ɟ* et *g*, qui, en l'absence de contact immédiat avec une nasale, doivent subir une règle de lénition.

En ce qui concerne *p*, *t*, *k*, *k͡p*, *f* et *s*, on pourrait imaginer de même une règle de lénition lorsqu'ils ne sont pas immédiatement précédés de nasale, suivie d'une règle effaçant *ŋ* au contact immédiat de consonnes autres que *b*, *d*, *ɟ* et *g*. Mais il existe une autre façon de présenter les choses qui formellement parlant n'est pas plus compliquée, et qui sera retenue ici car elle présente des avantages du point de vue de la comparaison qui sera faite plus loin avec l'alternance consonantique du kpelle. Elle consiste à poser que, dans une première étape, la nasale précédant autre chose qu'une plosive voisée s'efface en tant que segment, la position squelettale

14. Quelques cas où *ŋg* alterne avec *j* devant *ɔ* semblent ne pas pouvoir être traités autrement que comme des exceptions à la règle générale.

qu'elle occupait n'étant par contre pas effacée : étendant son association à cette position, la consonne suivante devient géminée ; il suffit alors d'écrire successivement une règle de lénition des consonnes qui ne sont ni géminées ni au contact de *ŋ*, puis une règle de simplification des géminées.

Nous retiendrons pour le mende l'inventaire suivant d'unités consonantiques de base :

p	*t*		*k*	*k͡p*	
b	*d*	*ɟ*	*g*		
f	*s*				*h*
m	*n*	*ɲ*	*ŋ*		

ces consonnes étant soumises aux règles suivantes :
R1 : *ŋ* précédant immédiatement une plosive voisée copie le lieu d'articulation de cette plosive.
R2 : Une séquence structurelle *ŋ*C dans laquelle C n'est pas une plosive voisée devient une consonne géminée.
R3 : Lorsqu'elles ne sont ni géminées, ni immédiatement précédées de nasale, les consonnes suivantes subissent une règle de lénition :

p	→	*w*
t	→	*l*
k	→	*g*
k͡p	→	*g͡b*
f	→	*v*
s	→	*ɟ*
d	→	*l*
g	→	*j* / — *i, e, ɛ, a*
		w / — *ɔ, o, u*
ɟ	→	*j*

R4 : Les géminées sont converties en consonnes simples.

Le tableau ci-contre permet de voir sur quelques exemples comment, étant donné le contraste sous-jacent entre consonnes simples et consonnes précédées de *ŋ*, cette dérivation prédit les formes réalisées correspondantes.

Un avantage de ce traitement est la façon dont il permet de rendre compte du fait qu'en position médiane de lexèmes, on peut trouver en mende des consonnes qui, en position initiale, ont le statut de variante forte d'un couple de consonnes alternantes : *tòkó* « bras », *ndòpô* « enfant », *hótá* « étranger ». Si on faisait figurer telle quelle, dans la forme sous-jacente de ces lexèmes, la consonne attestée en réalisation, il faudrait préciser qu'exceptionnellement, elle ne subit

R1 / R2	→	R3	→	R4	→	
p		*p*		*w*		*w*
ŋp		*pp*		*pp*		*p*
f		*f*		*v*		*v*
ŋf		*ff*		*ff*		*f*
d		*d*		*l*		*l*
ŋd		*nd*		*nd*		*nd*
h		*h*		*h*		*h*
ŋh		*hh*		*hh*		*h*
m		*m*		*m*		*m*
ŋm		*mm*		*mm*		*m*

pas la règle de lénition. Or, dans le système proposé ici, pour aboutir automatiquement à la réalisation correcte, il suffit d'inscrire cette consonne comme géminée dans la forme sous-jacente des lexèmes : *tòkó* « bras », *ndòpô* « enfant », *hótá* « étranger » ont respectivement pour forme sous-jacente *tokko, doppo* et *hotta* [15].

Quant aux unités dont l'initiale fait partie d'un couple de consonnes alternantes mais n'est pas soumise à alternance dans l'unité en question, il faut distinguer deux cas :

(a) Pour les unités qui en position initiale présentent invariablement une consonne normalement soumise à la règle de lénition, il suffit de poser dans la forme sous-jacente une consonne redoublée : *téni̇̀* « train », *kéɲà* « oncle maternel », *tá* « lui », *ɟí* « ceci », *fèlé* « deux » ont respectivement pour forme sous-jacente *tteni, kkeɲa, tta, ɟɟi* et *ffele* [16].

(b) Pour les unités qui présentent invariablement à l'initiale la variante faible d'un couple de consonnes alternantes, il suffit généralement d'admettre qu'exceptionnellement, peuvent figurer à l'initiale de la forme structurelles de lexèmes des consonnes autres que

15. Le substantif signifiant « étranger » est *sondaŋ* en koranko, *luntaŋ* en mandinka : cette correspondance (qui est parfaitement régulière en ce qui concerne la différence au niveau des consonnes initiales) suggère que l'interprétation morphophonologique proposée ici pour le mende pourrait bien être le reflet direct de processus ayant effectivement eu lieu dans l'histoire de cette langue.

16. Comme ces exemples le montrent, on a affaire ici pour une part à des emprunts récents, et pour une autre part à des unités qui vraisemblablement retiennent à l'initiale un ancien élément morphologique maintenant figé, que seule la comparaison pourrait restituer.

celles prévues dans le tableau ci-dessus. Ainsi, *lámbò* « lampe » n'entre ni dans l'alternance *nd ~ l*, ni dans l'alternance *t ~ l*, mais en posant *l* à l'initiale de la forme structurelle de ce lexème, il n'y a rien à modifier aux règles formulées ci-dessus pour aboutir invariablement à *l* à l'initiale de la forme réalisée. Le seul problème est avec *b* : pour rendre compte d'unités présentant invariablement *b* à leur initiale, il ne semble pas y avoir d'autre solution que de signaler au lexique l'existence de termes à initiale *b* pour lesquels exceptionnellement c'est la règle R2 qui s'applique, et non pas R1.

Nous aboutissons ainsi à une description synchronique de l'alternance consonantique du mende qui s'écarte considérablement de la présentation usuelle de ce phénomène, mais qui dégage pour le mende un système dont l'écart avec celui des autres langues mandé-sud-ouest est bien moins important qu'une observation superficielle ne le laisse supposer. C'est ce que nous allons constater en examinant brièvement l'alternance consonantique du kpelle.

Le kpelle connaît deux mécanismes distincts d'alternance consonantique et, comme pour le mende, nous les abordons à partir de l'observation des verbes.

Commençons par les verbes dont une des formes alternantes présente à l'initiale une non-obstruante orale (*ɓ, l, j, ɣ, w*). Ces verbes présentent trois initiales possibles, avec la distribution suivante :

— la non-obstruante orale apparaît chaque fois que le verbe n'est pas immédiatement précédé d'un morphème d'élocutif singulier ou de délocutif singulier;

— le morphème d'élocutif singulier immédiatement antéposé au verbe en fonction d'objet fait apparaître une nasale syllabique à ton haut dont le lieu d'articulation dépend de la consonne initiale du lexème;

— le morphème de délocutif singulier immédiatement antéposé au verbe en fonction d'objet fait apparaître une nasale syllabique à ton bas dont le lieu d'articulation dépend de la consonne initiale du lexème.

Ainsi *ɣálá* « traîner », *ɓáló* « guérir » se combinant avec un objet élocutif singulier ou délocutif singulier vont donner :

ŋ́álá	« traîne-moi »	*ŋ̀álá*	« traîne-le »
ḿáló	« guéris-moi »	*m̀áló*	« guéris-le » [17]

17. Ces transcriptions ne font apparaître aucune consonne en fonction d'attaque dans la syllabe qui succède à la nasale syllabique ; à en juger par certaines descriptions du

Antéposés à un substantif en fonction de déterminants génitivaux, ces morphèmes provoquent les mêmes alternances :

í jéé	« ta main »	*ɲéé*	« ma main »	*ɲ̀éé*	« sa main »
í láá	« ton nom »	*ńáá*	« mon nom »	*ǹáá*	« son nom »

A ce stade de l'analyse, il semble évident qu'il faille poser pour forme sous-jacente de ces morphèmes une nasale associée au ton haut (pour l'élocutif singulier) ou au ton bas (pour le délocutif singulier). Cette analyse a toutefois été contestée par Welmers, du fait que ces deux morphèmes n'ont plus le même comportement au contact des obstruantes orales. En effet, avec les lexèmes qui ont dans d'autres contextes une initiale *p*, *t*, *k*, *k͡p*, *f* ou *s*, le morphème d'élocutif singulier reste représenté par une nasale syllabique homorganique de la consonne initiale du lexème, qui quant à elle subit un processus de voisement :

kú tólí	« appelle-nous »	*ń dólí*	« appelle-moi »
í pólù	« ton dos »	*ḿ bólù*	« mon dos »

Par contre, avec ces mêmes lexèmes, l'antéposition du morphème de délocutif singulier produit un effet dont la nature phonétique demande à être précisée, mais qui ne comporte en tout cas l'apparition d'aucune nasalité.

C'est Dwyer [18] qui donne la caractérisation la plus précise du résultat de la combinaison du morphème de délocutif singulier du kpelle avec une initiale obstruante : au niveau segmental, la présence de ce morphème se traduit par une initiale obstruante voisée et forte – qui dans la transcription est redoublée ; au niveau tonal, le ton de la première syllabe de l'unité concernée subit un abaissement. Il n'y a donc là aucune difficulté à isoler une manifestation du morphème de délocutif singulier et à l'analyser comme représentant une nasale sous-jacente à ton bas dont le traitement est conforme à ce qu'on est amené à poser dans quantité d'autres langues [19] :

kú tólí « appelle-nous » provient de *ku toli*
ń dólí « appelle-moi » provient de *ŋ́ toli*

kpelle, il n'est pas impossible qu'on ait plutôt à reconnaître une attaque de cette deuxième syllabe qui serait le simple prolongement de la nasale syllabique (*ŋ́ŋálá*, etc.), ou éventuellement la plosive orale voisée correspondante (*ŋ́gálá*, etc.), mais cela ne changerait rien d'essentiel à la suite de l'analyse.

18. Cf. D. Dwyer, « The historical development of South-Western-Mande consonants », *Studies in African Linguistics*, vol. 5, n° 1, 1974, p. 59-94.

19. Dans les transcriptions suivantes, l'abaissement tonal, qui est automatique après une obstruante voisée redoublée, n'est pas indiqué explicitement.

d dólí « appelle-le » provient de *ŋ̀ toli*
b báá « tue-le » provient de *ŋ̀ paa*
g gáá « vois-le » provient de *ŋ̀ kaa*
v vílí « trompe-le » provient de *ŋ̀ fili*

Comme cela a été dit un peu plus haut, cette analyse a toutefois été contestée par Welmers : cet auteur accepte une nasale associée au ton haut comme forme sous-jacente du morphème d'élocutif singulier mais propose de considérer que la forme sous-jacente du morphème de délocutif singulier se réduit à un ton flottant bas. En réalité, Welmers semble surtout avoir été influencé par le souci de dégager une forme sous-jacente du morphème de délocutif singulier du kpelle susceptible d'être reliée à la forme *à* (*a* à ton bas) qui, en mandé, constitue la forme la plus banale des morphèmes de délocutif singulier. Ceci l'a conduit à poser pour le kpelle une règle selon laquelle un ton flottant bas aurait pour effet, dans certains contextes, de nasaliser une consonne. Or, il existe par ailleurs de manière indépendante des indications qui montrent qu'à date ancienne, les langues mandé devaient avoir au moins deux morphèmes différents de délocutif singulier : **à* et **ŋ̀*, ce qui fait que, même dans la perspective d'une reconstruction, il n'y a aucune raison de se refuser à identifier comme une nasale à ton bas le morphème de délocutif singulier du kpelle. Et en se limitant au point de vue synchronique, il n'y a aucune justification à postuler une forme sous-jacente qui, bien que ne comportant aucun élément nasal, exercerait parfois un effet de nasalisation sur son environnement, alors qu'il est aussi simple et plus naturel de postuler une nasale sous-jacente et d'écrire des règles effaçant sous certaines conditions l'élément nasal.

On aimerait bien sûr pouvoir expliquer pourquoi l'élément nasal associé à un ton haut se maintient comme tel dans des contextes où l'élément nasal associé à un ton bas n'est pas apparent. Selon Dwyer, l'explication est à chercher dans le fait qu'une syllabe à ton haut est naturellement « accentuée », et que les éléments non accentués tendent à subir plus que les éléments accentués des processus de réduction.

Quoi qu'il en soit, on peut accepter de conclure qu'en kpelle comme en mende, l'alternance consonantique doit s'expliquer à partir de la reconnaissance d'un morphème de délocutif singulier de forme segmentale sous-jacente *ŋ*. La différence entre les deux langues porte sur les deux points suivants :

— alors que le morphème de délocutif singulier *ŋ* du mende ne peut représenter que des non-humains, celui du kpelle ignore cette restriction;
— alors qu'en mende ce morphème (du moins au vu des données disponibles) ne semble inclure dans sa forme sous-jacente aucun élément tonal, en kpelle le morphème de délocutif singulier inclut un ton bas.

Il y a aussi une différence entre les deux langues quant au problème de déterminer la consonne initiale qui doit être attribuée, au niveau structurel, aux unités dont l'initiale alterne en réalisation. En kpelle, il n'y a pas la contradiction relevée ci-dessus en mende : non seulement l'initiale «faible» est morphologiquement simple alors que l'initiale «forte» est morphologiquement complexe, mais de plus la connaissance de la variante faible d'une initiale donnée permet de prévoir la forte correspondante. Donc dans une analyse synchronique, il n'y a aucune raison de ne pas retenir comme consonne de base la variante faible des couples de consonnes alternantes.

Un point sur lequel l'analyse de l'alternance consonantique du kpelle est plus simple que dans le cas du mende est l'extension aux substantifs de l'interprétation élaborée sur la base de l'observation des verbes. En effet en kpelle, non seulement on trouve, à l'initiale des substantifs, des alternances identiques à celles observées pour les verbes en présence du morphème de délocutif singulier, mais, de plus, on peut démontrer de manière indépendante qu'elles sont imputables à un morphème dont la forme sous jacente *ŋ̀* est identique à celle du morphème de délocutif responsable de l'alternance à l'initiale des verbes.

La comparaison de la forme définie et de la forme indéfinie des substantifs montre qu'en kpelle, la forme définie met en jeu à la fois un élément postposé *í* et un élément préfixé qui a les mêmes manifestations phonétiques que le morphème de délocutif singulier identifié ci-dessus; il convient donc de reconnaître à cet élément préfixé la même forme sous-jacente *ŋ̀* [20] :

20. Il est d'ailleurs fort possible que la coïncidence entre les deux morphèmes *ŋ̀* du kpelle ne soit pas fortuite (on peut par exemple comparer avec le français, où l'homonymie entre l'article le/la/les et l'indice d'objet délocutif le/la/les s'explique par une origine latine commune pour ces deux unités).

pɛ́rɛ́ « maison » a pour forme définie *b-bɛ́rɛ́-í < ŋ̀-pɛrɛ-i*
káli̇̀ « houe » a pour forme définie *g-gáli̇̀-í < ŋ̀-kali-i*
ɓóá « couteau » a pour forme définie *m̀-óá-í < ŋ̀-ɓoa-i*
ɣílà « chien » a pour forme définie *ŋ̀-ílà-í < ŋ̀-ɣila-i*

Ainsi en kpelle, on peut opposer :

ddí ɓóá kùlà « ils ont sorti un couteau »
ddí m̀óáí kùlà « ils ont sorti le couteau »

et on peut imaginer que le mende a connu aussi un tel fonctionnement, avant que le figement de la marque de défini *ŋ* ne débouche sur la situation actuelle de cette langue.

Nous aboutissons ainsi à une analyse de l'alternance consonantique en mende et en kpelle qui, non seulement dégage un conditionnement identique pour ces deux langues, mais de plus fait apparaître au niveau de leurs formes structurelles un écart bien moins important que celui qui existe au niveau des réalisations. Comparons par exemple :

mende

táà nìkɛ̀í wàámà « il tue la vache » < *ttaa ŋ nikka i paa-ma*
táà pàámà « il la tue » < *ttaa ŋ paa-ma*

kpelle

ddí ǹīŋāī páà « ils ont tué la vache » < *ddi ŋ niŋa i paa*
ddí bbàà « ils l'ont tuée » < *ddi ŋ paa*

Le tableau ci-dessous résume la relation entre les consonnes structurelles du kpelle et leur réalisation ; on le comparera avec un tableau analogue dressé ci-dessus pour le mende :

Consonne de base *C*	Réalisation de la séquence *ŋ̀C*		Réalisation de *C* non situé au contact de *ŋ*
p	*bb*	~	*p*
t	*dd*	~	*t*
k	*gg*	~	*k*
k͡p	*gg͡bb*	~	*k͡p*
f	*vv*	~	*f*
s	*zz*	~	*s*
ɓ	*m̀*	~	*ɓ*
l	*ǹ*	~	*l*
j	*ɲ̀*	~	*j*
ɣ	*ŋ̀*	~	*ɣ*
w	*ŋ̀w*	~	*w*

Au niveau des formes structurelles, la différence essentielle entre mende et kpelle est que l'analyse synchronique du mende suggère comme consonnes de base des obstruantes voisées dans des cas où l'analyse synchronique du kpelle conduit à poser des non-obstruantes. Les différences parfois importantes qu'il y a au niveau des réalisations sont imputables aux règles de réalisation, qui sont effectivement bien différentes pour les deux langues. Il convient en effet pour le kpelle de poser les règles suivantes :
R'1 : une séquence «*ŋ* + non-obstruante» est représentée par une nasale syllabique dont le lieu d'articulation est celui de la non-obstruante en question.
R'2 : une obstruante non voisée succédant immédiatement à *ŋ* devient voisée.
R'3 : une séquence «*ŋ̀* (à ton bas) + obstruante» est représentée par obstruante voisée forte.
R'4 : *ŋ́* (à ton haut) précédant immédiatement une obstruante prend le lieu d'articulation de cette obstruante.

Du point de vue d'une reconstruction, on peut admettre que, là où l'analyse morphophonologique dégage les mêmes unités de base pour les deux langues, cela correspond au maintien d'un état ancien du consonantisme, les règles propres à chaque langue reflétant donc directement des processus qui se sont effectivement produits au cours de l'histoire. Là où il y a divergence (obstruantes voisées du mende correspondant aux non-obstruantes du kpelle), dans l'optique d'une reconstruction on peut être sensible au fait qu'en l'absence de nasale, en général les deux langues ont également la non-obstruante comme réalisation; ceci suggère de reconstruire une non-obstruante, et de poser qu'en mende le développement d'un processus de lénition des obstruantes non géminées a entraîné une réorganisation du système.

Compte tenu du problème particulier posé par *h* et *s* (qui constituent le seul cas de correspondance entre mende et kpelle où il y a une différence phonétique importante entre deux consonnes se correspondant régulièrement et ayant la même origine historique), on peut présenter comme suit la relation entre les consonnes reconstruites du proto-mandé-sud-ouest, les consonnes structurelles du mende et du kpelle et les alternances auxquelles elles donnent lieu en réalisation dans chacune de ces deux langues :

proto-mandé-sud-ouest	**mende**	**kpelle**
**p*	*p → p ~ w*	*p → bb ~ p*
**t*	*t → t ~ l*	*t → dd ~ t*
**k*	*k → k ~ g*	*k → gg ~ k*
**k͡p*	*k͡p → k͡p ~ g͡b*	*k͡p → gg͡bb ~ k͡p*
**f*	*f → f ~ v*	*f → vv ~ f*
**s*	*h → h*	*s → zz ~ s*
**ɓ*	*b → mb ~ b*	*ɓ → m̀ ~ ɓ*
**l*	*d → nd ~ l*	*l → ǹ ~ l*
**j*	*ɟ → ɲɟ ~ j*	*j → ɲ̀ ~ j*
**ɣ*	*g → ŋg ~ j*	*ɣ → ŋ̀ ~ ɣ*
**w*	*g → ŋg ~ w*	*w → ŋ̀w ~ w*
**m*	*m → m*	*m → m̀ ~ m*
**n*	*n → n*	*n → ǹ ~ n*
**ɲ*	*ɲ → ɲ*	*ɲ → ɲ̀ ~ ɲ*
**ŋ*	*ŋ → ŋ*	*ŋ → ŋ̀ ~ ŋ*

De cette discussion de l'alternance consonantique dans les langues mandé-sud-ouest, on peut dégager deux conclusions. La première est qu'une analyse approfondie d'un mécanisme d'alternance à première vue très particulier peut révéler un fonctionnement qui, au fond, ne met en jeu que des mécanismes relativement banals dans les langues qui ont à l'initiale des lexèmes des alternances consonantiques conditionnées par le contact avec un élément nasal. La deuxième est qu'une reconstruction, qui peut paraître très spéculative si on l'aborde directement à partir de la seule observation de réalisations parfois très divergentes, devient pratiquement évidente à partir du moment où l'on dispose d'une analyse morphophonologique précise des deux systèmes confrontés. S'il reste bien entendu que l'analyse morphophonologique ne doit pas être confondue avec la reconstitution de l'histoire d'une langue, elle peut la faciliter dans la mesure où elle fait apparaître des régularités non immédiatement apparentes et permet parfois de révéler, entre deux langues apparentées, plus d'éléments communs que ne le laisserait penser un examen superficiel.

ALTERNANCES CONSONANTIQUES NE S'EXPLIQUANT PAS PAR LE CONTACT AVEC UNE NASALE

Si, comme cela a été souligné, les alternances consonantiques des langues négro-africaines s'expliquent le plus souvent par l'influence des nasales sur d'autres consonnes avec lesquelles elles peuvent se trouver en contact, il ne faudrait pas pour autant croire qu'il n'y ait jamais d'autre explication au développement d'alternances consonantiques.

L'agni illustre de façon relativement simple le cas d'alternances dont il est évident qu'elles n'impliquent pas seulement le contact avec une nasale. En effet, un certain nombre de lexèmes à initiale consonantique ont dans cette langue trois formes différentes de leur initiale selon les contextes. Pour les lexèmes verbaux, les exemples suivants montrent que l'alternance est conditionnée par la présence d'un morphème s'intercalant entre l'indice de sujet et le lexème verbal :

ɔ̀-ká « il reste »	*ɔ̀-à-há* « il est resté »	*ɔ́-ŋ-gà* « il reste »
ɔ̀-dàfí « il dort »	*ɔ̀-à-làfí* « il a dormi »	*ɔ́-n-náfì* « il ne dort pas »
ɔ̀-bá « il vient »	*ɔ̀-à-wá* « il est venu »	*ɔ́-m-mà* « il ne vient pas »

L'alternance qui se dégage de la comparaison entre la première et la deuxième colonne porte sur le caractère occlusif ou non occlusif de la consonne initiale du lexème. Quant à la comparaison entre la première et la troisième colonne, elle fait apparaître une alternance entre non-voisée et voisée (*k* ~ *g*) ou entre orale voisée et nasale (*d* ~ *n*). Cette deuxième alternance n'est pas seulement conforme aux tendances générales des alternances au contact d'une nasale : un segment nasal, représentant le morphème de négation, est effectivement présent. La première alternance par contre pose un problème d'interprétation : phonétiquement parlant, le remplacement d'une occlusive par une non-occlusive peut être considéré comme naturel pour une consonne en position intervocalique ; mais ceci n'explique pas pourquoi en agni, ce remplacement n'a pas lieu dans *ɔ̀-bá* « il vient » alors qu'il a lieu dans *ɔ̀-wá-lì* « il vint ». Dans une description synchronique de l'agni, il n'y a aucune façon évidente de définir en termes de configuration phonologique les conditions de fonctionnement de l'alternance entre occlusive et non-occlusive.

Les alternances consonantiques du peul posent un problème analogue. Dans cette langue, les formes substantivales se décomposent en « base + désinence ». La désinence, dont le choix reflète en particulier (mais pas exclusivement) la distinction entre singulier et pluriel, participe à un système d'accords qu'on peut illustrer en présentant quelques syntagmes épithétiques :

haj-re maw-nde « grosse pierre »
ŋgaː-ri maw-ndi « gros taureau »
wur-o maw-ŋgo « gros village »

On a ainsi selon les parlers de 20 à 25 classes d'accord. On se base ici sur le fulfulde du Nord-Cameroun, où les classes nominales d'accord sont au nombre de 20.

Chaque désinence substantivale peut avoir jusqu'à quatre variantes qui diffèrent entre elles par leur attaque (attaque complexe de type NC, attaque simple occlusive, attaque simple non occlusive ou attaque vide). Par exemple, *ɟaːw-ŋgal* « pintade » (pl. *ɟaːw-le*), *gerto-gal* « poule » (pl. *gertoː-ɗe*), *ɟigaː-wal* « vautour » (pl. *ɟigaː-ɟe*) et *gerl-al* « perdrix » (pl. *gerl-e*) présentent quatre variantes de la désinence *ŋgal*. Mais la question du choix entre les variantes d'une même désinence substantivale reste un point obscur de la description du peul. Par ailleurs, la forme de base de ces désinences substantivales coïncide avec les morphèmes susceptibles de se postposer aux substantifs en qualité de déterminants déictiques, ainsi qu'avec les indices pronominaux suceptibles de représenter les substantifs :

rawaː-ndu ndu, mi-soːdiː-ndu « ce chien, je l'ai acheté »
gerto-gal ŋgal, mi-soːdiː-ŋgal « cette poule, je l'ai achetée »
nag-ge ŋge, mi-soːdiː-ŋge « cette vache, je l'ai achetée »

Un certain nombre de bases substantivales du peul présentent une initiale variable. Mais cette alternance est totalement indépendante de ce qui peut précéder le substantif : elle est entièrement conditionnée par la classe à laquelle appartient le substantif. Or l'appartenance à une classe se concrétise en premier lieu par le choix de la désinence, ce qui pose immédiatement un problème du fait que tout conditionnement phonétique direct est exclu entre le choix de la désinence et la forme prise par l'initiale des substantifs.

En fonction de la désinence qui leur est ajoutée, les bases substantivales à initiale variable prennent leur initiale dans l'un des ensemble A, B et C définis par le tableau d'alternances donné ci-dessous. On doit remarquer que, parmi les consonnes soumises à alternance, l'ensemble A (initiale associée aux classificateurs *nde, ndu, ŋge, ŋgo, ko*) est constitué de non-occlusives, tandis que l'ensemble B (initiale associée aux classificateurs *ŋgal, ŋgel, ŋgol, ɗum, ki, ɗe, ɗi*) est constitué de plosives ; quant à C (initiale associée aux classificateurs *ndi, ŋga, ŋgu, ɗam, ka, kon*), il diffère de B par une prénasalisation dans le cas des voisées et se confond avec B pour les non-voisées :

A		B		C
w	~	*b*	~	*mb*
w	~	*g*	~	*ŋg* [21]
j	~	*g*	~	*ŋg*
j	~	*ɟ*	~	*ɲɟ*
r	~	*d*	~	*nd*
f	~	*p*	~	*p*
s	~	*c*	~	*c*
h	~	*k*	~	*k*

Il importe de remarquer aussi (ceci serait essentiel pour un traitement morphophonologique) que la donnée de l'initiale sous la forme B permet de prévoir les initiales A et C correspondantes, alors que la donnée de l'initiale sous la forme A ne permet pas toujours de prévoir les formes B et C (par exemple, *wam-nde* « âne » a pour pluriel *bamɗe*, tandis que *wafla:-re* « oreiller » a pour pluriel *gafla:-ɟe*).

Dans les exemples suivants, nous voyons une même base substantivale prendre son initiale dans les ensembles A, B ou C en fonction de la désinence qui lui est ajoutée :

A	B	C
rawa:-ndu	*dawa:-ɗi*	*ndawa:-kon*
« un chien »	« des chiens »	« des petits chiens »
	dawa:-ŋgel	*ndawa:-ŋga*
	« un petit chien »	« un gros chien »
wakku-de	*bakku-ɗe*	*mbakku-kon*
« une barbe »	« des barbes »	« des barbiches »
	bakku-gel	*mbakku-ga*
	« une barbiche »	« une grande barbe »

Comme on peut le constater, non seulement il est difficilement pensable qu'une désinence puisse exercer une influence phonétique sur l'initiale de la base à laquelle elle s'ajoute, mais de toutes façons les désinences associées à chacun des types d'initiale ne présentent phonétiquement aucune constante qui serait de nature à permettre de formuler une relation entre le choix de l'initiale et la forme phonétique de la désinence.

21. Les alternances *w~g~ŋg* s'observent exclusivement devant les voyelles *a, o, u* et sont ainsi en distribution complémentaire avec les alternances *j~g~ŋg*, qui n'apparaissent que devant *e* ou *i*.

La seule chose évidente (bien que passée sous silence par la quasi-totalité des descriptions du peul) est la possibilité d'analyser les initiales de type C comme résultant de l'adjonction d'un préfixe nasal aux initiales de type B ; il suffit en effet de poser que ce préfixe nasal est soumis aux deux règles de réalisation suivantes, qui rappellent par exemple ce que nous avons vu ci-dessus pour le wolof :
— immédiatement suivie d'une plosive voisée, la nasale prend le point d'articulation de cette plosive ;
— immédiatement suivie d'une plosive non voisée, la nasale est effacée.

Par contre, la relation entre les variantes A et B n'a aucune explication évidente.

La comparaison avec des langues apparentées montre que le choix entre les variantes A et B doit s'expliquer diachroniquement par la présence d'anciens préfixes aujourd'hui disparus. On peut penser en effet que toutes les langues atlantiques ont eu à l'origine des classificateurs préfixés au substantif, ces classificateurs préfixés ayant été dans certaines langues relayés par des morphèmes postposés au substantif qui ont pris à date relativement récente le statut de désinences substantivales. En sérère, langue apparentée de près au peul mais qui a un peu mieux conservé les anciens préfixes, l'interprétation phonétique des alternances est loin d'être évidente, mais on peut au moins dégager le principe selon lequel c'est le préfixe qui conditionne la forme prise par l'initiale des bases substantivales. En peul, où la seule trace claire d'un ancien système de préfixes est la nasale qui continue d'être isolable dans les initiales de type C, on peut néammoins penser qu'il en a été de même dans un état ancien du système. Selon une hypothèse proposée par Doneux, l'explication serait à chercher dans un système vocalique ancien plus différencié que ne l'est le système vocalique actuel du peul : la différence de traitement de l'initiale consonantique des bases aurait son origine dans des différences de nature au niveau d'une ancienne voyelle appartenant à un préfixe de forme (C)V.

5

OPPOSITIONS TONALES, TYPES TONALS D'UNITÉS ET ALTERNANCES TONALES

LA NOTION DE TON ET L'IDENTIFICATION DES OPPOSITIONS TONALES

Dans certaines langues, la courbe mélodique de la phrase relève entièrement de l'intonation. Il s'agit là d'une organisation de la courbe mélodique qu'il est difficile sinon impossible de réduire à des choix entre unités discrètes, avec des variations qui dépendent directement de la structure communicative du message et non pas des unités significatives minimales sélectionnées pour en assurer la formulation. L'importance de ce phénomène dans la communication orale est considérable, mais sa spécificité gêne beaucoup le linguiste, car les méthodes d'analyse qui ont fait leurs preuves dans d'autres domaines ne semblent pas convenir vraiment pour l'analyse de l'intonation.

L'intonation est vraisemblablement universelle dans son principe (ce qui n'empêche pas des variations de détail éventuellement importantes d'une langue à l'autre). Mais à l'organisation intonative de la courbe mélodique peut se superposer une organisation accentuelle ou tonale, qui à la différence de l'intonation met en jeu des propriétés prosodiques attachées aux unités significatives élémentaires.

Si on s'efforce de cerner au plus près ce qui existe dans les langues traditionnellement reconnues comme langues à accent de mot typiques (ce qui est le cas d'une large majorité des langues d'Europe), on peut dire qu'un système accentuel se caractérise par la possibilité de rendre compte de phénomènes prosodiques en postulant que les unités significatives minimales dont l'enchaînement constitue la phrase se regroupent en *mots accentuels* dont les limites peuvent se définir en termes syntaxiques (le cas banal étant celui où le mot accentuel est constitué d'une unité lexicale et des morphèmes non lexicaux qui lui sont affixés), avec dans chaque mot accentuel une syllabe et une seule (la syllabe accentuée) qui contraste avec les autres (les syllabes atones) par un degré supérieur de hauteur, de durée ou d'intensité. [1]

La question d'un élargissement éventuel de la notion d'accent sera évoquée plus tard. Telle qu'elle est traditionnellement conçue, la notion d'accent rend compte de phénomènes prosodiques qui, dans les limites de certaines unités (les mots accentuels), sont de nature *contrastive* et non pas oppositionnelle : dans les limites du mot accentuel, il est impossible d'opposer, au sens strict du terme, « accentué » à « non accentué ». La place de l'accent peut avoir une valeur différentielle, mais il est impossible en laissant le contexte inchangé de transformer une syllabe accentuée en non accentuée ou l'inverse : une telle substitution aboutirait à un mot sans aucune syllabe accentuée, ou bien à un mot avec deux syllabes également accentuées, ce qui est impossible. Au niveau de la phrase, on peut par contre jouer sur le nombre des syllabes accentuées, mais il n'y a pas pour autant opposition au sens précis de ce terme : l'effacement ou l'adjonction d'un accent implique une différence dans le découpage de la phrase et non pas une commutation entre deux unités qui occuperaient la même place dans une construction inchangée. [2]

Là où il existe, l'accent peut mettre en jeu, dans des proportions variables selon les langues, l'intensité, la durée ou la hauteur. C'est pour les langues où la hauteur mélodique contribue de façon essentielle à marquer la place d'un accent que se pose le problème de tracer la limite entre systèmes prosodiques de type accentuel et systèmes prosodiques de type tonal. D'ailleurs, dans une stricte phonologie de surface faisant usage d'une notion très large de pertinence et ne prenant pas en considération les limites d'unités, on pourrait seulement dire qu'il y a des langues où les variations de la courbe mélodique sont pertinentes pour le décodage de l'énoncé,

1. On a parfois à reconnaître plusieurs syllabes accentuées dans un seul mot, mais ce principe n'est pas pour autant remis en question, car il y a alors nécessairement une hiérarchie entre un accent principal et des accents secondaires.
2. Cf. P. Garde, *L'Accent*, PUF, Paris, 1968.

sans être en mesure de faire le tri entre des systèmes tonals et des systèmes à accent mélodique.

On proposera ici de reconnaître comme langue à tons, au moins prosivoirement, *toute langue où une commutation phonologiquement limitée à la hauteur ou à la mélodie d'une syllabe unique*[3] *est susceptible de constituer la seule trace d'une commutation entre deux unités significatives minimales dans une construction inchangée.* La question de restreindre éventuellement la notion de langue à tons pour en exclure certaines langues que cette définition permet de reconnaître comme telles sera reprise ultérieurement.

C'est une commutation révélatrice de l'existence d'un système tonal (au moins au sens large de ce terme) qu'illustre le rapprochement des deux phrases bambara suivantes,[4] où la commutation entre deux lexèmes verbaux qui ont la même forme segmentale *ci* et signifient respectivement «envoyer» et «briser» se manifeste de façon stable (c'est-à-dire indépendamment d'éventuels phénomènes intonatifs) par une différence de hauteur de la syllabe représentant l'unité qui donne lieu à commutation[5] :

a ja ci ku nuŋ «il l'a envoyé hier»

a ja ci ku nuŋ «il l'a brisé hier»

3. Cette formulation tient compte du fait que, phonétiquement, il est à peu près impossible qu'une modification affectant une syllabe au niveau prosodique ne s'accompagne d'aucune modification, si minime soit-elle, au niveau des syllabes environnantes ; il est donc impératif de s'autoriser à négliger des modifications qui peuvent être considérées comme une simple conséquence de la commutation qu'on isole, faute de quoi la définition serait tout à fait impossible à appliquer.

4. Dans les exemples bambara et malinké cités dans ce chapitre ainsi que dans les suivants, les mots présentant phonologiquement une nasalité finale sont systématiquement transcrits avec un *ŋ* final, en faisant abstraction du fait que, de façon prédictible, cette nasale finale est susceptible de s'assimiler à l'initiale du mot suivant ou de s'amalgamer avec la voyelle précédente.

5. Dans la présentation de ce couple d'exemples ainsi que du suivant, exceptionnellement les phrases sont segmentées en syllabes en faisant totalement abstraction de leur structure sémantico-grammaticale.

De même en tswana, la commutation entre l'indice d'objet allocutif singulier et l'indice d'objet de classe 15-18, qui ont également pour forme segmentale *χɷ*, autorise à reconnaître cette langue comme langue à tons :

```
---------------------------o--------o--------o-------------------
-------o--------o------------------------------------------------
------------------------------------------------o--------o-------

     kɪ      χɷ      i      tsɪ      sɪ      n      tɬɛ      « je te connais bien »

------------------o--------o--------o--------o-------------------
-------o---------------------------------------------------------
------------------------------------------------o--------o-------

     kɪ      χɷ      i      tsɪ      sɪ      n      tɬɛ      « je le connais bien
                                                               (l'endroit en question) »
```

A partir du moment où de telles oppositions existent, la transcription phonétique large (ou phonologique de surface) doit comporter, pour chaque noyau syllabique, une indication de hauteur ou de mélodie. Le nombre précis de symboles à utiliser dépend du nombre de possibilités distinctives que fait apparaître, pour la langue considérée, l'observation de commutations telles que celles présentées ci-dessus. Le premier stade de l'analyse d'un système tonal doit donc consister à dégager les unités tonologiques de surface par des procédures de commutation identiques dans leur principe à celles utilisées pour établir l'identité phonologique des segments consonantiques et vocaliques.[6] Pour le tswana il apparaît en général[7] nécessaire et suffisant de caractériser comme « haut » (ó) ou « bas » (ò) chaque noyau syllabique :

kɪ̀χɷ̀ɪ́tsɪ́ sɪ́ǹtɬɛ̀ « je te connais bien »
kɪ̀χɷ́ɪ́tsɪ́ sɪ́ǹtɬɛ̀ « je le connais bien (l'endroit en question) »

6. Il ne faut toutefois pas perdre de vue que les unités tonologiques peuvent poser des problèmes particuliers du fait que dans la chaîne parlée les tons ponctuels, même organisés en système d'opposition, sont perçus essentiellement en fonction du contraste entre les hauteurs des segments syllabiques successifs. Nous reviendrons en particulier au chapitre suivant sur le fait qu'en hauteur absolue, un ton phonologiquement bas situé au début d'un énoncé peut être plus haut qu'un ton phonologiquement haut situé plus loin dans l'énoncé ; rien de semblable n'existe au niveau des distinctions de timbre vocalique par exemple.

7. Il existe en tswana un phénomène d'abaissement non prédictible du ton haut, qui sera d'ailleurs évoqué au chapitre suivant, mais ce phénomène, qui ne concerne que quelques formes verbales (et encore, de façon facultative), peut être considéré comme marginal.

Par contre en bambara, nous verrons au chapitre suivant qu'on ne peut transcrire de façon adéquate la courbe mélodique de phrases comme celles citées ci-dessus qu'en ajoutant l'indication d'abaissements non prédictibles du ton haut (ˈó) :

à já ˈcí kúnùŋ « il l'a envoyé hier »
à já cì kúnùŋ « il l'a brisé hier »

Selon la définition qui vient d'être formulée, qui donne un sens relativement large au terme de « langue à tons », l'immense majorité des langues négro-africaines peuvent être reconnues comme langues tonales : la quasi-totalité des langues Niger-Congo, nilo-sahariennes, tchadiques et khoi-san décrites à ce jour sont des langues à ton, ainsi qu'une partie des langues couchitiques. Dans la famille Niger-Congo, des langues dépourvues de système tonal au sens de la définition ci-dessus se rencontrent seulement en deux points du domaine : cela concerne d'une part un groupe de langues atlantiques (wolof, sérère, peul), et d'autre part un groupe de langues bantoues orientales (swahili, comorien).

Ceci dit, en se documentant sur les systèmes tonals des langues africaines, il ne faut jamais perdre de vue que souvent, dans l'histoire de la description de ces langues, la reconnaissance de leur nature tonale a été relativement tardive. Par exemple, les premiers travaux sur le mandingue remontent au XIXe siècle, mais c'est seulement vers la fin des années trente qu'on trouve dans des travaux consacrés à cette langue des allusions à l'éventualité d'un système tonal. A la même époque, M. Delafosse, considéré comme le grand spécialiste de cette langue, affirmait que le mandingue ignore la notion de ton. Il faut attendre un article de Welmers publié en 1948 pour avoir enfin quelques données (encore très sommaires) sur le système tonal d'un parler mandingue, et il arrive encore qu'on publie des études portant sur des parlers mandingues qui refusent de reconnaître certains aspects du fonctionnement tonal de cette langue pourtant difficilement contestables pour un linguiste correctement formé à l'analyse des systèmes tonals. Quant au soninké, il n'y a pas plus de quinze ans que sont parus les premiers travaux reconnaissant l'existence d'un système tonal dans cette langue.

On ne s'étonnera pas dans ces conditions qu'il faille en général considérer avec infiniment de prudence la documentation disponible sur les systèmes tonals des langues négro-africaines : les indications données dans ce domaine sont très souvent incomplètes, et parfois même franchement erronées. Même dans des descriptions où le système tonal est pour l'essentiel correctement dégagé, il faut être attentif au fait que souvent, dans le détail, les transcriptions tonales sont peu fiables. En particulier, beaucoup d'erreurs proviennent d'une attention insuffisante accordée aux différences qu'il peut y avoir entre la tonalité d'un mot en isolation et la tonalité de ce même mot à l'intérieur d'énoncés.

LANGUES À DEUX HAUTEURS TONALES OPPOSABLES

Dans certaines langues tonales, à contexte identique, le nombre de possibilités de choix quant à la hauteur mélodique d'une syllabe n'excède jamais deux, et il n'y a aucune possibilité de faire commuter en contexte identique des syllabes dans les limites desquelles n'est perçue aucune variation de la mélodie avec des syllabes dans les limites desquelles est perçue une modulation. Mais le fait qu'une langue n'oppose que deux hauteurs tonales, haut (ó) et bas (ò), n'implique pas nécessairement que toutes les syllabes d'un énoncé de cette langue présentent nécessairement, en valeur absolue, deux niveaux de hauteur seulement. Au contraire, les langues à système tonal binaire vérifient particulièrement bien un principe général selon lequel, plus un système d'oppositions est réduit, plus les latitudes de variation des unités du système en fonction du contexte sont grandes. Cette question sera reprise au chapitre suivant.

C'est aussi dans ces langues qu'on trouve les faits de combinatoire tonale les plus complexes. La suite de ce chapitre a comme objectif de dégager quelques notions utiles pour analyser les phénomènes de combinatoire tonale typiques des langues dont le système d'oppositions tonales se limite à la possibilité d'opposer « haut » et « bas ». Les problèmes propres à des langues ayant des systèmes d'oppositions tonales plus différenciés seront examinés au chapitre suivant.

LA NOTION DE TYPE TONAL D'UNITÉS

Dans une langue à tons, étant donné l'ensemble des unités significatives élémentaires, ou bien un ensemble d'unités complexes délimitable en termes grammaticaux (bases, mots), une partition en *types tonals* doit être envisagée. Deux unités significatives appartiennent à un même type tonal si, quel que soit le contexte où elles se trouvent, elles présentent le même contour tonal et influencent de la même façon le contour tonal des unités voisines; deux unités significatives relèvent de types tonals différents s'il existe au moins un contexte dans lequel, ou bien elles présentent un contour différent, ou bien elles influencent de façon différente le contour des unités voisines.

Le problème fondamental d'une description tonologique est de déterminer, pour chaque type tonal existant dans la langue, une structure tonale sous-jacente qui ne se borne pas à enregistrer ce qui différencie la réalisation des différents types que connaît la langue dans un contexte plus ou moins arbitrairement choisi, mais qui permette de prédire l'ensemble des propriétés combinatoires qui caractérisent chaque type.

Il faut être attentif au fait que des lexèmes qui ont le même contour tonal dans leur forme de citation ne relèvent pas forcément du même type tonal, et n'ont donc pas nécessairement la même structure tonale sous-jacente. Par exemple en sotho, le substantif signifiant « femme » et le nom d'agent dérivé du verbe *hɷ̀sálá* « rester » ont exactement la même forme de citation, qui dans une transcription phonétique fine apparaîtrait comme *mɷ̀sâːdì* (pl. *bàsâːdì*) mais qu'on peut identifier phonologiquement comme *mɷ̀sádì* (pl. *bàsádì*), car dans cette langue il n'y a aucune possibilité d'opposer une voyelle longue à une voyelle brève, et il n'est jamais possible non plus d'opposer un ton haut à un ton descendant. Or à l'intérieur d'énoncés, ces deux substantifs ont généralement des contours tonals différents; c'est en particulier le cas lorsqu'ils précèdent immédiatement un verbe dont ils sont le sujet :

bàsá<u>dì</u> báhɷ̀dísà bàná	« les femmes élèvent les enfants »
bàsá<u>dí</u> báhɷ̀dísà bàná	« ceux qui restent élèvent les enfants »

L'explication est que ces bases substantivales ont respectivement pour structure tonale sous-jacente *-sádì* et *-sádí*, la distinction entre le type tonal ó ò et le type tonal ó ó pouvant se trouver *neutralisée* par une règle de *rétraction du ton haut* qui opère automatiquement devant pause. Selon cette règle, que nous retrouverons un peu plus loin à propos du tswana, tout ton haut compris entre un autre ton haut et une pause est automatiquement remplacé par un ton bas.

Cet exemple permet d'attirer l'attention sur le fait que, si des langues apparentées de près présentent généralement les mêmes possibilités d'oppositions tonales, par contre en ce qui concerne la variété des types tonals d'unités, des divergences éventuellement importantes ne sont pas rares, même entre langues apparentées de très près. En particulier, la lexicostatistique fait apparaître entre sotho et tswana un taux de concordances qui autorise à voir là deux variantes d'une même langue. Or en tswana, les deux phrases « les femmes élèvent les enfants » et « ceux qui restent élèvent les enfants » sont prononcées exactement de la même façon : *bàsádí báχώdísá bàná*, et en variant les contextes on verrait que *mὼsádí* « femme » et *mὼsádí* « celui qui reste » restent toujours homonymes ; plus généralement, en passant en revue les bases substantivales dissyllabiques, on aboutirait à la conclusion que le sotho les répartit en quatre types tonals (ó ó, ó ò, ò ó et ò ò) tandis que le tswana les répartit en trois types seulement (en tswana, ó ò n'est jamais pour les bases substantivales un schème lexicalement distinct de ó ó ; chaque fois qu'une base substantivale présente en tswana le contour ó ò, il s'agit d'une variante contextuelle de ó ó).

Dans l'identification des types tonals d'unités, il convient donc d'être attentif au fait que des unités qui ont une réalisation tonale identique dans certains contextes peuvent être à classer dans deux types tonals différents pour rendre compte de différences non prédictibles qui apparaissent dans d'autres contextes. Mais il arrive tout de même que des unités qui ne présentent pas toujours les mêmes contours relèvent en réalité d'un même type tonal. Ceci peut sembler à première vue paradoxal ; l'explication est que des différences de comportement tonal peuvent s'avérer prédictibles à partir de différences de structure syllabique.

Par exemple en malinké de Sagabari, les substantifs signifiant « conte » et « arbre *tali* » présentent dans certains contextes des contours différents :

tà:l̠í máŋ lá: bì:	« aucun conte n'a été dit aujourd'hui »
tàl̠ì máŋ jé bì:	« aucun arbre *tali* n'a été vu aujourd'hui »

ce qui suggérerait a priori de les ranger dans deux types tonals différents. Toutefois, en passant en revue dans ce contexte les substantifs dissyllabiques, on constaterait qu'aucun substantif dissyllabique dont la première syllabe est une syllabe légère ne peut présenter là le contour ò ó, et qu'aucun substantif dissyllabique dont la première syllabe est une syllabe lourde ne peut présenter là le contour ò ò. On a donc là un type tonal unique, avec des règles tonales ayant pour effet qu'une même structure tonale sous-jacente puisse aboutir à des réalisations différentes selon la structure syllabique précise des unités.

Cet exemple offre par ailleurs une autre illustration du fait que des différences dans l'inventaire des types tonals peuvent concerner des parlers très proches. Ainsi en malinké de Kita (parler qui ignore la distinction entre voyelles longues et voyelles brèves), les deux phrases citées ci-dessus se retrouvent sous la forme suivante :

tàlí máŋ lá bì	« aucun conte n'a été dit *t*aujourd'hui »
tàlì máŋ jé bì	« aucun arbre *tali* n'a été vu aujourd'hui »

et là, il n'est plus possible de découvrir un quelconque conditionnement au fait que la deuxième syllabe de ces deux substantifs ne porte pas le même ton : en malinké de Kita, on doit ranger ces deux substantifs dans deux types tonals différents, et leur attribuer des structures tonales sous-jacentes différentes.

LA PLUS OU MOINS GRANDE VARIÉTÉ DES TYPES TONALS D'UNITÉS

Dans une langue dont le système tonal repose sur une opposition binaire entre ton haut et ton bas et qui ignore les modulations tonales, en l'absence de toute restriction combinatoire, une séquence de n syllabes peut être associée à 2^n contours tonals différents. On peut donc a priori s'attendre à ce que les unités comportant n syllabes se répartissent en 2^n types tonals différents.

Mais le nombre de types tonals peut s'avérer supérieur au chiffre ainsi prévu. Selon les cas, on peut avoir à envisager les explications suivantes :

— à partir du moment où le contour tonal des unités présente des variations contextuelles, un type tonal ne s'identifie pas à un contour mais à la façon dont un contour peut varier, et le nombre de schémas de variation possibles pour des unités de n syllabes peut dépasser celui des combinaisons tonales possibles sur n syllabes ;

— des unités de contour tonal identique peuvent ne pas exercer la même influence sur leur environnement.

Lorsque le nombre de types tonals possibles excède ainsi le nombre de combinaisons tonales possibles en associant un ton et un seul à chaque noyau syllabique, on doit envisager, ou bien qu'une syllabe puisse d'une manière ou d'une autre être structurellement associée à plus d'un ton (solution qui permet par ailleurs de rendre compte de modulations), ou bien que la forme structurelle des unités puisse comporter, en plus des tons associés à chaque noyau syllabique, des éléments tonals *flottants* susceptibles de manifester leur présence de diverses façons, comme cela apparaîtra au fil de ce chapitre et des suivants.

Mais très souvent aussi, le nombre de types tonals possibles pour des unités comportant n syllabes est inférieur à 2^n. Par exemple, nous avons vu ci-dessus que les bases substantivales dissyllabiques du tswana se répartissent en trois types tonals seulement, au lieu des quatre théoriquement possibles : ó ò ne constitue pas dans cette langue, pour les bases substantivales, un type tonal lexicalement distinct de ó ó, mais seulement une variante contextuelle du type ó ó. Quant aux bases substantivales trisyllabiques, elles se répartissent dans cette langue en six types tonals, au lieu des huit théoriquement possibles : ò ó ò est un contour tonal possible pour les bases substantivales trisyllabiques du tswana, mais chaque fois qu'il apparaît on doit l'analyser comme une variante contextuelle du type ò ó ó; quant au contour ó ò ò, il n'est tout simplement pas attesté. Mais c'est surtout pour les lexèmes verbaux que des restrictions importantes apparaissent : quel que soit le nombre de syllabes qu'ils comportent, et indépendamment du fait qu'ils soient morphologiquement simples ou résultent de mécanismes de dérivation, les lexèmes verbaux du tswana se répartissent en deux types tonals seulement.

Il faut toutefois qu'il n'y ait là aucun malentendu : le fait que les lexèmes verbaux du tswana se répartissent en deux types tonals ne signifie pas qu'il n'y aurait que deux contours tonals possibles pour les lexèmes verbaux de cette langue : une variété beaucoup plus grande de contours apparaît du fait des interactions entre la tonalité du lexème verbal et celle des affixes auxquels ils se combine; simplement, dans un contexte donné, en aucun cas une commutation limitée au lexème verbal ne peut faire apparaître un choix entre plus de deux contours possibles. Par exemple, les lexèmes verbaux dissyllabiques segmentalement identifiables comme *~tshamɪk~* «jouer» et *~tswɛlɛl~* «progresser», qui illustrent les deux types tonals de verbes que connaît le tswana, présentent selon les contextes les possibilités suivantes :

— ou bien *~tshamɪk~* présente le contour ó ó tandis que *~tswɛlɛl~* présente le contour ò ò : *kìàtshámɪ́ká lɪ́nná* « je joue moi aussi » / *kìàtswɛ̀lɛ̀là lɪ́nná* « je progresse moi aussi » ;

— ou bien *~tshamɪk~* présente le contour ó ó tandis que *~tswɛlɛl~* présente le contour ó ò : *ɷ́àtshámɪ́ká lɪ́ɛnɛ́* « il joue lui aussi » / *ɷ́átswɛ́lɛ̀là lɪ́ɛnɛ́* « il progresse lui aussi » ;

— ou bien *~tshamɪk~* présente le contour ó ó tandis que *~tswɛlɛl~* présente le contour ò ó : *χàbátshámɪ́kɪ́ sɪ́ǹtɬɛ̀* « ils ne jouent pas bien » / *χàbátswèlélɪ́ sɪ́ǹtɬɛ̀* « ils ne progressent pas bien » ;

— ou bien *~tshamɪk~* présente le contour ò ó tandis que *~tswɛlɛl~* présente le contour ó ò : *ɷ́tshàmɪ́kɪ́lè lɪ́ɛnɛ́* « il a joué lui aussi » / *ɷ́tswélètsì lɪ́ɛnɛ́* « il a progressé lui aussi » ;

— ou bien *~tshamɪk~* et *~tswɛlɛl~* présentent tous deux le contour ó ó (ce qui ne signifie d'ailleurs pas que les formes verbales où se trouvent ces lexèmes aient nécessairement le même contour tonal, comme le montre l'exemple suivant) : *ɷ́tshámɪ́ká sɪ́ǹtɬɛ̀* « il joue bien » / *ɷ́tswɛ́lɛ́là sɪ̀ǹtɬɛ̀* « il progresse bien » ;

— ou bien *~tshamɪk~* et *~tswɛlɛl~* présentent tous deux le contour ó ò : *χàbábàtɬɪ́ kɪ́tshámɪ̀kɛ́* « ils ne veulent pas que je joue » / *χàbábàtɬɪ́ kɪ́tswɛ́lɛ̀lɛ́* « ils ne veulent pas que je progresse ».

Une situation de ce type est commune dans les langues bantoues, et même de façon plus générale dans les langues Niger-Congo. De manière générale, les verbes attestent une variété de types tonals inférieure à celle attestée par les substantifs. Par exemple en sosso, on peut, comme dans la plupart des langues bantoues, répartir les lexèmes verbaux en deux types, quel que soit le nombre de leurs syllabes ; par contre, on a dans cette langue trois types tonals de substantifs monosyllabiques, cinq types tonals de substantifs dissyllabiques, etc.

Le cas limite est celui de langues où existe un seul type tonal de lexèmes verbaux. Dans ces langues, toutes les formes verbales n'ont pas forcément le même contour tonal, mais les variations de leur contour tonal sont entièrement explicables, soit par la structure syllabique du lexème verbal, soit par l'influence des éléments non lexicaux de la forme verbale : une commutation portant sur un formant non lexical du mot verbal peut entraîner une modification de son contour tonal, par contre une commutation entre lexèmes de structure syllabique identique ne fait jamais varier le contour tonal du mot verbal.

Par exemple en gbeya, l'ensemble des tiroirs verbaux simples se limite à un tiroir à valeur d'accompli et un autre à valeur d'inaccompli. Tous les lexèmes verbaux présentent un ton bas à l'accompli et un ton haut à l'inaccompli, et dans des conditions déterminées (en particulier en présence de négation), seul le ton porté par le lexème verbal marque la distinction entre accompli et inaccompli ; par exemple avec *tɛ* « venir » :

ʔã̀-tɛ́-nã́	*ʔã̀-tɛ̀-nã̄*
« il ne vient pas »	« il n'est pas venu »

Des langues tonales où tous les lexèmes verbaux appartiennent au même type tonal ont été signalées dans différentes branches de la famille Niger-Congo : outre le gbeya (oubanguien), on peut citer le kissi (atlantique), le baoulé (kwa), l'urhobo (Bénoué-Congo).

Les langues qui ont de fortes restrictions à la variété des types tonals possibles posent tout d'abord le problème de la limite entre système de type tonal et système de type accentuel : plus la variété des types tonals est réduite, plus le fonctionnement oppositionnel du ton subit des restrictions, plus on se rapproche donc du fonctionnement purement contrastif d'un système accentuel. En liaison avec ceci, il y a un problème avec la définition des formes tonales sous-jacentes dans de telles langues : on peut en effet juger peu satisfaisant un mode de représentation des tons au niveau structurel qui permet seulement de *constater* que certaines combinaisons ne sont pas attestées, et préférer pour les langues ayant une variété réduite de types tonals un mode de représentation qui permette de *prédire* l'absence des combinaisons non attestées. Nous y reviendrons dans le dernier chapitre. Mais la définition des formes tonales sous-jacentes ne doit pas seulement prendre en considération la variété des types tonals dont elles doivent rendre compte : les formes tonales sous-jacentes d'une langue doivent surtout être conçues de façon à prédire le plus commodément possible la façon dont peut varier le contour tonal des unités relevant de chacun des types tonals attestés dans la langue considérée. C'est cette question que nous abordons maintenant.

ALTERNANCES TONALES ET STATUT DES TONS DANS LES REPRÉSENTATIONS PHONOLOGIQUES

Comme c'est, de manière générale, le cas pour les distinctions phoniques auxquelles doit être reconnu un statut différentiel, les tons peuvent se trouver impliqués dans des relations d'alternance. Ainsi en bambara, le ton haut s'oppose au ton bas dans *sò kélén̄* « un cheval » / *só kélén̄* « une maison » mais alterne avec le ton bas dans *mìsì kélén̄* « une vache » / *mìsí flà* « deux vaches » : dans le premier cas, le choix entre ton haut et ton bas dans un environnement phonique par ailleurs inchangé est la trace du choix entre les lexèmes signifiant « vache » et « maison », alors que dans le deuxième cas on a affaire au choix entre deux variantes contextuelles du lexème signifiant « vache », variantes qui diffèrent entre elles par le ton de la deuxième syllabe et dont le choix est conditionné par le ton que porte la syllabe initiale du mot suivant.

De manière analogue, en tswana, on observe une alternance entre ton haut et ton bas dans *bàná bàkítsɔ́* « les enfants de Kitso » / *bàná bám̀phɔ́* « les enfants de Mpho », où la première syllabe *bà-* / *bá-* de *bàkítsɔ́* / *bám̀phɔ́* représente deux variantes contextuelles du préfixe génitival de classe 2.

Dans la description des langues négro-africaines, l'identification du système d'oppositions tonales ne constitue généralement qu'une toute petite partie (même si elle est évidemment essentielle) de la description de la tonalité : une fois le système d'oppositions identifié, il reste le problème de rendre compte aussi simplement que possible d'alternances tonales qui, à première vue du moins, sont souvent d'une extrême complexité. En l'absence de jeux complexes d'alternances tonales, le linguiste essentiellement préoccupé par la description d'une langue pourrait estimer que la question du statut du ton dans les formes phonologiques sous-jacentes est un problème de théorie phonologique intéressant en soi mais sans grande incidence sur la pratique de la description des langues; mais, à partir du moment où on est confronté à la nécessité de rendre compte d'alternances tonales complexes, il faut être conscient du fait que toute option prise quant au statut des tons dans les représentations phonologiques a des implications directes quant à la possibilité de réduire ou non la description des alternances à un nombre limité de règles aussi simples et générales que possible.

Dans une langue tonale, la transcription phonétique large (ou phonologique de surface) doit indiquer les caractéristiques tonales de chaque noyau syllabique, ce qui se fait usuellement au moyen de diacritiques surmontant les symboles représentant les segments en fonction de noyau syllabique. La question se pose de savoir si ces diacritiques sont une simple convention de transcription tenant au fait que les symboles de l'alphabet phonétique ne prévoient pas la totalité des traits susceptibles de caractériser les segments phonématiques d'une langue, ou bien si le fait de noter les caractéristiques tonales des noyaux syllabiques au moyen de symboles autonomes signifie qu'on considère que ces caractéristiques tonales ne sont pas de simples traits des segments en fonction de noyau syllabique, mais plutôt des unités autonomes qui entretiennent seulement une relation d'association avec les segments.

En d'autres termes, doit-on ou non mettre « voyelle à ton haut / bas » sur le même plan que par exemple « voyelle antérieure / postérieure » ou « consonne voisée / non voisée » ?

Dans les premières descriptions de langues à tons inspirées de la phonologie générative, les tons étaient systématiquement traités comme faisant partie des traits distinctifs dont l'ensemble définit les segments qui se succèdent dans la chaîne parlée. D'autres phonologues, en dehors du cadre génératif, ont défendu des positions semblables. L'intérêt de l'approche générativiste de la question est que, en exploitant de façon très systématique une certaine conception théorique du ton dans un cadre qui impose de faire des hypothèses explicites sur des formes structurelles et d'écrire des algorithmes reliant ces formes structurelles aux formes du surface, on voit clairement apparaître les limites du traitement des tons comme traits distinctifs des segments phonématiques.

A l'époque actuelle, un tel traitement des tons est à peu près abandonné, au moins sous sa forme radicale. Tous les phonologues n'exploitent certes pas de façon systématique toutes les possibilités qu'ouvre la conception des tons comme entités structurellement autonomes relativement aux segments auxquels en surface elles sont associées. Mais, au moins dans leur pratique de la description des langues, tous les linguistes travaillant à l'époque actuelle sur le système tonal de langues négro-africaines admettent une certaine autonomie des tons relativement aux segments : même ceux qui continuent à utiliser des modèles proches du modèle génératif classique acceptent des aménagements (par exemple l'utilisation de tons flottants) incompatibles avec une stricte conception des tons comme traits distinctifs des segments phonématiques.

Un argument particulièrement fort en faveur du traitement des tons comme unités phonologiques autonomes relativement aux segments qui les portent phonétiquement est que, dans les langues négro-africaines, il est fréquent qu'un ton soit isolable comme constituant un morphème distinct de la voyelle qui le porte. La morphologie verbale du kposso en fournit une illustration particulièrement claire.

Les formes verbales simples du kposso se composent de deux éléments. Le deuxième est le lexème verbal, dont la forme segmentale est invariable et dont le contour tonal ne présente lui non plus aucune variation, à une exception près : les verbes à ton haut dont la consonne initiale est voisée prennent à l'impératif le ton bas-haut. Quant au préfixe qui constitue le premier élément des formes verbales simples, il représente à la fois un indice de sujet et un morphème aspecto-modal, ces deux éléments constitutifs du préfixe restant toutefois nettement dissociables ; en effet :

— la forme segmentale du préfixe varie selon le statut énonciatif du sujet[8] :

	singulier	pluriel
élocutif	*ni ~ nɪ*	*u ~ ʊ*
allocutif	*e ~ ɛ*	*i ~ ɪ*
délocutif	*o ~ ɔ*	*a*

— la tonalité du préfixe varie selon la distinction entre injonctif, inaccompli et accompli croisée avec la distinction entre positif et négatif[9] :

	positif	négatif
injonctif	ó	óò
inaccompli	ō	óō
accompli	ò	ōò

la seule complication étant qu'à l'injonctif négatif, le préfixe s'élargit nécessairement d'un morphème *sū* qui s'intercale entre lui et le

8. Les variantes indiquées dans le tableau des indices de sujet du kposso tiennent au fait qu'il s'agit d'une langue à harmonie vocalique selon le trait d'avancement.

9. Dans ce tableau, ó, ō et ò signifient respectivement noyau syllabique à ton haut, noyau syllabique à ton moyen et noyau syllabique à ton bas.

lexème verbal. Nous aurons par exemple, avec l'indice de sujet élocutif pluriel (pour les autres valeurs de l'indice de sujet il suffirait de modifier la forme segmentale du préfixe, sa tonalité restant inchangée) :

ú-dzí úmélì « mangeons du riz »	*úù-sū-dzí úmélì* « ne mangeons pas de riz »
ū-dzí úmélì « nous mangeons du riz »	*úū-dzí úmélì* « nous ne mangeons pas de riz »
ù-dzí úmélì « nous avons mangé du riz »	*ūù-dzí úmélì* « nous n'avons pas mangé de riz »

On peut donc considérer les tons comme des entités distinctes des segments, et même considérer, comme cela a d'ailleurs été déjà proposé dans l'introduction, qu'il n'y a pas d'association directe entre tons et segments : tons et segments sont associés chacun de leur côté aux positions squelettales. Par exemple en tswana, en représentant par < une position squelettale dominée par un nœud Attaque et par o une position squelettale dominée par un nœud Rime, on peut considérer *mʊ̀sádí* « femme » comme une notation abrégée pour une configuration phonologique dont le schéma suivant donne une représentation un peu plus explicite [10] :

```
    B       H       H
    |       |       |
<   o   <   o   <   o
|   |   |   |   |   |
m   ʊ   s   a   d   i
```

A partir de là, c'est tout d'abord pour chaque langue qu'il conviendrait d'examiner dans quelle mesure il est ou non avantageux, du point de vue de la cohérence et de la simplicité de la description, d'exploiter la possibilité de poser des formes structurelles où certains noyaux syllabiques ne sont pas donnés d'emblée comme associés à un ton et où certains tons ne sont pas donnés d'emblée comme associés à un noyau syllabique. Autrement dit, une fois admis que les tons ont une certaine autonomie par rapport aux segments, la question se pose de savoir s'il est avantageux de considé-

10. Pour être complet, il faudrait faire apparaître explicitement la structure en constituants des syllabes, ce qui pose des problèmes de typographie : l'introduction des symboles < et o avec la valeur qui leur est donnée ici est précisément le résultat d'un compromis entre le souci d'expliciter au maximum les représentations phonologiques et les impératifs de la typographie.

rer que les associations entre tons et segments observées en surface résultent de règles qui *créent* ces associations (ou du moins une partie d'entre elles) à partir de formes structurelles où ces associations ne sont pas données (ou ne sont données que partiellement), ou bien s'il est préférable d'avoir recours à des règles susceptibles de *modifier* des associations données dans les formes structurelles.

Les discussions récentes à propos du statut du ton dans les formes phonologiques sous-jacentes ont été largement faussées par des prises de position dogmatiques de la part de linguistes qui, ayant constaté qu'une certaine décision permet un traitement particulièrement élégant de fragments plus ou moins importants de quelques langues tonales, ont voulu à tout prix passer directement de là à une théorie universelle des représentations tonales. Sans négliger l'interaction nécessaire entre les hypothèses théoriques et la pratique de la description des langues, il me semble que, pour progresser, il est essentiel dans l'état actuel de la question de poursuivre le travail descriptif en admettant le principe général de l'autonomie des tons relativement aux segments mais en évitant de s'enfermer de façon dogmatique (et certainement prématurée) dans une théorie trop précise des représentations tonales.

Nous examinerons dans le dernier chapitre la possibilité de décrire certains systèmes tonals dans le cadre de modèles qui imposent des conditions très restrictives à la représentation des tons au niveau structurel. Au paragraphe suivant il va s'agir seulement, sans prétendre à une quelconque généralisation, d'illustrer par quelques fragments de la morphologie tonale du verbe tswana l'utilité qu'il peut y avoir à admettre l'existence de noyaux syllabiques structurellement dépourvus de tons, ainsi que de tons structurellement dépourvus d'association à un noyau syllabique.

NOYAUX SYLLABIQUES STRUCTURELLEMENT DÉPOURVUS DE TON ET TONS STRUCTURELLEMENT FLOTTANTS DANS LES FORMES VERBALES DU TSWANA

En tswana une forme verbale simple s'analyse en une base à laquelle s'ajoutent un ou plusieurs préfixes. La base elle-même a comme élément initial l'élément lexical irréductible, ou radical, et se termine par une voyelle, la finale, dont les variations contribuent à distinguer les uns des autres les différents tiroirs verbaux. Au radical peuvent s'adjoindre un ou plusieurs éléments dérivatifs (généralement désignés comme extensions dans les descriptions de langues bantoues), l'ensemble formé par le radical et les dérivatifs qui lui sont éventuellement suffixés constituant le lexème. Entre le lexème et la finale s'insère au parfait positif un morphème qu'on peut désigner comme préfinale du parfait. Par exemple, dans *χàkíàímɷ̀rékísétsà* « je ne la lui ai pas vendue (la vache) », *-rék-* représente le radical « acheter » ; l'adjonction à ce radical de l'extension causative et de l'extension applicative donne le lexème « vendre à quelqu'un », représenté par *-rék-ís-éts-* ; la base *-rék-ís-éts-à* comporte en plus une finale dont le caractère variable peut être établi en comparant par exemple avec *χàkíímɷ̀rékísétsì* « je ne la lui vends pas (la vache) » ; à cette base s'ajoutent les morphèmes *χà-* (marque de négation), *-kí-* (indice de sujet élocutif singulier), *-à-* (formatif caractéristique du parfait négatif), *-í-* (indice d'objet délocutif, classe 9) et *-mɷ̀-* (indice d'objet délocutif, classe 1).

La tonalité des formes verbales du tswana présente d'un tiroir verbal à un autre des variations à première vue déroutantes, et à l'intérieur d'un même tiroir, des variations au niveau des indices inclus dans la séquence préfixale provoquent souvent des variations de la tonalité de la base dont l'analyse est loin d'être toujours évidente. Mais il est remarquable que, si on substitue au lexème verbal d'autres lexèmes comportant un nombre égal de syllabes sans toucher aux autres formants du mot verbal, en aucun cas on n'observe plus de deux possibilités de choix pour le contour tonal du mot verbal. Ceci suggère que, indépendamment du nombre de syllabes du lexème verbal et de sa plus ou moins grande complexité morphologique, il y a structurellement une seule possibilité de choix entre ton haut et ton bas dans les limites du lexème verbal. Une façon simple de préciser cette hypothèse est de poser que la première syllabe des radicaux verbaux est structurellement associée à un ton (haut ou bas), tandis qu'aucun ton n'est structurellement associé aux autres syllabes des radicaux verbaux de plus d'une syllabe ainsi qu'aux extensions : dans les lexèmes verbaux de deux syllabes ou plus, les tons qui apparaissent en définitive associés aux syllabes autres que la première sont dans tous les cas introduits par des règles.

Examinons le cas de deux tiroirs verbaux dont la comparaison permet de dégager de façon simple les règles que l'on peut utiliser pour rendre compte de tels faits : l'infinitif présent positif disjoint et l'indicatif présent négatif conjoint[11].

Les exemples suivants illustrent tous les contours tonals possibles pour des bases verbales comportant de une à six syllabes, en l'absence d'indices d'objet, pour les formes disjointes de l'infinitif présent positif. Pour un des deux types tonals de verbes, cette forme se caractérise par un ton haut sur la première syllabe de la base et éventuellement sur les deux suivantes, tandis que pour les verbes dont la base comporte plus de trois syllabes, à partir de la quatrième syllabe de la base on n'a que des tons bas[12] :

χὼ-ɟá χώátɬhɔ́kàfàlà « manger est nécessaire »
χὼ-tsώmá χώfá báthὼ nàmà « chasser procure de la viande aux gens »
χὼ-rékísá χώthúsà ká màdí « vendre aide à se procurer de l'argent »
χὼ-símώlώlà χώdíjá nákɔ̀ « commencer fait perdre du temps »
χὼ-tɬhókómώlὼχà χàχώàsíámà « être négligent n'est pas bien »
χὼ-símώlώlɛ̀làǹà χώsìámì « commencer les uns pour les autres est bien »

Pour l'autre type tonal de verbes, cette forme se caractérise par un contour tonal entièrement bas :

χὼ-tɬà χώsìámì « venir est bien »
χὼ-ŋàlà χώmàswɛ́ « bouder est mal »
χὼ-tswɛ̀lɛ̀là χώbώtὼká « progresser est préférable »
χὼ-dùmèdìsà χώdíjá nákɔ̀ « saluer fait perdre du temps »
χὼ-dùmèdìsànà χώátɬhɔ́kàfàlà « se saluer est nécessaire »
χὼ-dùmèdìsètsànà χώsìámì « saluer les uns pour les autres est bien »

A la forme conjointe de l'indicatif présent négatif, la distinction entre deux types tonals de verbes n'est pas apparente lorsque la base verbale comporte une seule syllabe. Tous les verbes présentent alors la même tonalité, qu'ils manifestent par ailleurs un ton lexical haut (*χὼɟá* « manger ») ou un ton lexical bas (*χὼtɬà* « venir ») :

χà-bá-ɟí ká fɔ́rɔ́kɔ̀ « ils ne mangent pas à la fourchette »
χà-kí-ɟí bὼχɔ́bɛ̀ « je ne mange pas de bouillie »

11. Pour une partie des tiroirs verbaux du tswana, il y a un choix entre une forme disjointe et une forme conjointe selon que, dans les limites de l'unité phrastique dont il est le noyau, le verbe marque ou non la fin de la progression vers des éléments de plus en plus chargés d'information. Les formes disjointes sont en particulier les seules à pouvoir figurer en finale absolue.

12. Pour faciliter la compréhension de ces exemples, les formes verbales analysées sont soulignées, et les préfixes ajoutés à la base verbale sont isolés par des tirets.

χà-á-tɬí ká tìrínà « il ne vient pas en train »
χà-bá-tɬí màítsíbɷá « ils ne viennent pas le soir »

Lorsque la base comporte au moins deux syllabes, la distinction entre deux types tonals est maintenue, mais avec des contours différents de ceux observés à l'infinitif. Les verbes du premier type présentent maintenant, indépendamment de la tonalité du mot suivant, des tons hauts de la première à la dernière syllabe de la base :

χà-bá-rátí χɷbɛ́rɛ̀kà « ils n'aiment pas travailler »
χà-rí-bíní lílɷ̀ná « nous ne dansons pas avec vous »
χà-bá-tábɷ́χí χàńtsì « ils ne courent pas souvent »
χà-bá-tábɷ́χí tháta « ils ne courent pas beaucoup »
χà á tɬhókómɛ́lí dílɔ̀ « il ne prend pas soin des choses »
χà-rí-bófɷ́lɷ́lélí mɷ́thìbì dìqhòmɷ́ « nous ne détachons pas les vaches pour Mothibi »
χà-bá-símɷ́lɷ́lélání tírɔ̀ « ils ne commencent pas le travail les uns pour les autres »

Les verbes du deuxième type ont dans les mêmes conditions un ton bas sur la première syllabe de la base, toutes les syllabes suivantes étant invariablement à ton haut :

χà-kí-bàtlí χɷ̀árábà « je ne veux pas répondre »
χà-lɷ́-dìrí tháta « vous ne travaillez pas beaucoup »
χà-bá-tswèlélí síntɬɛ̀ « ils ne progressent pas bien »
χà-rí-ètélí ɷ́pɛ̀ « nous ne rendons visite à personne »
χà-kí-tɬhàlɷ́χáɲí lɷ̀límì lwábɔ̀nɛ́ « je ne comprends pas leur langue
χà-ɷ́-tɬhàlɷ́χáɲí sípɛ̀ « tu ne comprends rien »
χà-bá-dùmédísání ká màítsɛ́ɔ̀ « ils ne se saluent pas poliment »
χà-bá-dùmédísétsání χàńtsì « ils ne saluent pas souvent les uns pour les autres »

Reprenons sous forme de tableau, afin de faciliter la comparaison, la tonalité de ces deux tiroirs verbaux, en tenant compte du nombre de syllabes de la base verbale et de la répartition des verbes en deux classes tonales (verbes à ton lexical haut, dont le radical est structurellement associé à un ton haut, et verbes à ton lexical bas, dont le radical est structurellement associé à un ton bas) :

Infinitif présent positif disjoint

	ton lexical haut	ton lexical bas
1 syllabe	ò - ó	ò - ò
2 syllabes	ò - ó ó	ò - ò ò
3 syllabes	ò - ó ó ó	ò - ò ò ò
4 syllabes	ò - ó ó ó ò	ò - ò ò ò ò
5 syllabes	ò - ó ó ó ò ò	ò - ò ò ò ò ò
6 syllabes	ò - ó ó ó ò ò ò	ò - ò ò ò ò ò ò

Indicatif présent négatif conjoint

	ton lexical haut	ton lexical bas
1 syllabe	ò - ó - ó	ò - ó - ó
2 syllabes	ò - ó - ó ó	ò - ó - ò ó
3 syllabes	ò - ó - ó ó ó	ò - ó - ò ó ó
4 syllabes	ò - ó - ó ó ó ó	ò - ó - ò ó ó ó
5 syllabes	ò - ó - ó ó ó ó ó	ò - ó - ò ó ó ó ó
6 syllabes	ò - ó - ó ó ó ó ó ó	ò - ó - ò ó ó ó ó ó

Avant de retenir pour ces données l'interprétation qui va être proposée, il faudrait bien sûr la confronter à l'ensemble des propriétés tonales des tiroirs verbaux du tswana. Il est toutefois évident que les données présentées ci-dessus suggèrent qu'à un niveau structurel, il n'y a dans les limites des bases verbales que deux choix entre haut et bas, la façon la plus simple de préciser ceci étant de poser que :
— le radical verbal est lexicalement associé à un ton haut ou à un ton bas,
— la finale est associée à un ton bas à l'infinitif présent positif disjoint, tandis qu'à l'indicatif présent négatif conjoint elle est associée à un ton haut,
— les syllabes médianes des bases de plus de deux syllabes ne sont structurellement associées à aucun ton.

Selon cette hypothèse, les formes de l'indicatif présent négatif disjoint ont la structure tonale sous-jacente présentée dans le tableau ci-dessous [13] :

13. Dans ce tableau, comme dans celui donné un peu plus loin pour l'infinitif présent positif disjoint, on a laissé de côté le cas des bases monosyllabiques. Ces bases résultent de la fusion en une syllabe unique, associée en surface à un ton unique, de deux unités structurellement associées à un ton chacune. Il n'est pas difficile d'en rendre compte, mais il serait trop long de discuter ici cette question.

Structure tonale de l'indicatif présent négatif conjoint

	ton lexical haut	ton lexical bas
2 syllabes	ò - ó - ó ó	ò - ó - ò ó
3 syllabes	ò - ó - ó o ó	ò - ó - ò o ó
4 syllabes	ò - ó - ó o o ó	ò - ó - ò o o ó
5 syllabes	ò - ó - ó o o o ó	ò - ó - ò o o o ó
6 syllabes	ò - ó - ó o o o o ó	ò - ó - ò o o o o ó

et pour passer de là à la courbe tonale réalisée, il suffit de poser une règle d'*assignation tonale* régressive qui, étant donné un noyau syllabique dépourvu d'association à un ton, lui affecte une copie du ton du premier noyau syllabique associé à un ton qui lui succède [14].

Les choses sont un peu moins évidentes pour l'infinitif présent positif disjoint. Selon l'hypothèse proposée, ce tiroir a la structure tonale suivante :

Structure tonale de l'infinitif présent positif disjoint

	ton lexical haut	ton lexical bas
2 syllabes	ò - ó ò	ò - ò ò
3 syllabes	ò - ó o ò	ò - ò o ò
4 syllabes	ò - ó o o ò	ò - ò o o ò
5 syllabes	ò - ó o o o ò	ò - ò o o o ò
6 syllabes	ò - ó o o o o ò	ò - ò o o o o ò

Donc, pour prédire correctement à partir de là la tonalité réalisée, il faut poser une règle de *propagation progressive du ton haut* opérant après la règle d'assignation tonale régressive dégagée ci-dessus et ayant pour effet de modifier les séquences ó ò et ó ò ò pour leur substituer respectivement ó ó et ó ó ó. Ceci n'est toutefois pas gênant, car il existe par ailleurs dans la morphologie verbale du tswana de nombreux cas d'alternances nécessitant de poser une telle règle.

14. Si on accepte des représentations phonologiques dans lesquelles un ton peut être associé à plusieurs noyaux syllabiques successifs, on doit formuler cette règle de façon différente, en disant que, si un ou plusieurs noyaux syllabiques dépourvus d'association à un ton précèdent immédiatement un noyau syllabique associé à un ton, le ton de ce noyau syllabique étend son association aux noyaux syllabiques précédents. Mais un traitement en termes de « domaines », pouvant inclure plusieurs syllabes successives, associés à un seul ton, n'a d'intérêt que s'il permet de rendre compte de phénomènes (abaissements du registre haut par exemple) marquant la limite entre deux domaines contigus associés à des tons identiques. Or en tswana, absolument rien ne signale que, dans *χà-bá-tábʊ́χí*, *tá* et *bʊ́* appartiendraient aux domaines de deux tons hauts structurels différents.

Les variations tonales du verbe tswana permettent aussi d'illustrer l'utilité qu'il peut y avoir à postuler des tons qui, au niveau des formes structurelles sous-jacentes, ne sont associés à aucun noyau syllabique.

Au parfait positif disjoint, lorsque la base verbale est immédiatement précédée d'un indice de sujet à ton bas, le verbe tswana a une tonalité totalement identique à celle de l'infinitif présent positif disjoint [15] :

Verbes à ton lexical haut

kì-ɟílé línná « j'ai mangé moi aussi »
ʊ̀-síáɲí líwɛ̀ná « tu as couru toi aussi »
rì-tshámíkílè lírʊ̀ná « nous avons joué nous aussi »
lʊ̀-nátífálètswì lílʊ̀ná « vous vous êtes fait plaisir vous aussi »
rì-símʊ́lʊ́lɛ̀làɲì lírʊ̀ná « nous avons commencé les uns pour les autres nous aussi »

Verbes à ton lexical bas

kì-lʊ̀lè línná « j'ai lutté moi aussi »
lʊ̀-dìrìlè lílʊ̀ná « vous avez travaillé vous aussi »
rì-lèbʊ̀χìlè lírʊ̀ná « nous avons remercié nous aussi »
ʊ̀-dùmèdìsìtsè líwɛ̀ná « tu as salué toi aussi »
rì-dùmèdìsètsàɲì lírʊ̀ná « nous avons salué les uns pour les autres nous aussi »

Mais une complication apparaît avec les indices de sujet à ton haut : un ton bas apparaît alors sur la syllabe initiale des bases verbales identifiées par ailleurs comme ayant un ton lexical haut, c'est-à-dire sur la syllabe supposée être structurellement associée au ton haut qui fait partie intégrante du lexème verbal. Par contre, les syllabes suivantes ne présentent aucune modification :

ʊ́-ɟìlé líɛnɛ́ « il a mangé lui aussi »
ʊ́-sìáɲí líɛnɛ́ « il a couru lui aussi »
bá-tshàmíkílè líbɔ̀nɛ́ « ils ont joué eux aussi »
bá-nàtífálètswì líbɔ̀nɛ́ « ils se sont fait plaisir eux aussi »
bá-sìmʊ́lʊ́lɛ̀làɲì líbɔ̀nɛ́ « ils ont commencé les uns pour les autres eux aussi »

15. Dans les exemples ci-dessous, on a introduit systématiquement un rappel du sujet introduit par *lí-* « aussi » afin d'éviter que la tonalité de la forme verbale ne subisse, sous l'effet de règles de fin de phrase, des modifications dont la prise en compte compliquerait inutilement l'analyse.

Or, il ne s'agit pas là d'une propriété générale des indices de sujet à ton haut. A d'autres tiroirs verbaux (par exemple à l'indicatif présent positif conjoint) une base à ton lexical haut maintient, au contact d'un indice de sujet à ton haut, le ton haut de sa syllabe initiale :

ʊ́-búá sìtswánà « il parle tswana »
ʊ́-tshámíká nàbɔ́ « il joue avec eux »
ʊ́-símʊ́lʊ́là χʊ̀rútá bàná « il commence d'enseigner »
bá-bófʊ́lʊ́lɛ̀là m̀phɔ́ díqhòmʊ́ « ils détachent les vaches pour Mpho »
bá-símʊ́lʊ́lɛ̀lànà tìrɔ̀ « ils commencent le travail les uns pour les autres »

La structure du verbe tswana met en jeu par ailleurs de manière évidente des morphèmes qui se placent immédiatement après l'indice de sujet ; c'est le cas par exemple d'un morphème ~*à*~ caractéristique de l'indicatif présent positif conjoint :

ʊ́-à-bíná líɛ̀nɛ́ « il danse lui aussi »
ʊ́-à-tshámíká líɛ̀nɛ́ « il joue lui aussi »
ʊ́-à-líbɛ́lɛ́là líɛ̀nɛ́ « il regarde lui aussi »
bá-à-tɬhókómʊ́lʊ̀χà líbɔ̀nɛ́ « ils sont négligents eux aussi »
bá-à-símʊ́lʊ́lɛ̀lànà líbɔ̀nɛ́ « ils commencent les uns pour les autres eux aussi »

Une solution simple et cohérente au problème des formes de parfait positif disjoint consiste donc à poser qu'à ce tiroir verbal, l'indice de sujet est immédiatement suivi d'un morphème constitué par un ton flottant bas. Selon cette hypothèse, on a pour ce tiroir verbal les structures tonales sous-jacentes suivantes :

Verbe à ton lexical haut, indice de sujet à ton bas

ò - ` - ó ò
ò - ` - ó o ò
ò - ` - ó o o ò
ò - ` - ó o o o ò
ò - ` - ó o o o o ò

Verbe à ton lexical haut, indice de sujet à ton haut

ó - ` - ó ò
ó - ` - ó o ò
ó - ` - ó o o ò
ó - ` - ó o o o ò
ó - ` - ó o o o o ò

Il suffit alors de poser que ce ton flottant est impliqué dans les règles suivantes :

— un ton flottant bas succèdant immédiatement à une syllabe à ton bas est effacé ;

— si un ton flottant bas succède immédiatement à une syllabe à ton haut et précède immédiatement une syllabe à ton haut, dans un premier temps opère la règle de propagation du ton haut dégagée ci-dessus, à la suite de quoi le ton flottant bas se substitue au ton haut de la syllabe suivante.

Par exemple, *bá-sìmώlώlɛ̀làɲì* « ils ont commencé les uns pour les autres » a pour structure tonale sous-jacente ó - ` - ó o o o o ò. Dans une première étape, la règle d'assignation tonale qui affecte un ton aux syllabes qui en sont structurellement dépourvues fait passer à ó - ` - ó ò ò ò ò ò. Ensuite, la règle de propagation progressive du ton haut fait passer à ó - ` - ó ó ó ò ò ò. Enfin intervient la règle de rattachement du ton flottant bas, qui substitue ce ton flottant bas au ton haut de la syllabe suivante, ce qui donne ó - ò ó ó ò ò ò.

Dans cet exemple, le ton flottant postulé dans la forme structurelle est isolable comme un morphème. Mais on peut être aussi amené à postuler la présence d'un ton flottant qui soit seulement un des éléments constitutifs du signifiant d'un morphème. C'est le cas d'un morphème à valeur d'éventuel dont le signifiant segmental est *ka*. Précédant immédiatement une base verbale à ton lexical haut et succédant à un indice de sujet à ton haut, ce morphème porte un ton bas :

ώ-kà-bíná líɛ̀nɛ́ « il peut danser lui aussi »
ώ-kà-tshámíká líɛnɛ́ « il peut jouer lui aussi »
ώ-kà-líbɛ́lɛ́là líɛ̀nɛ́ « il peut regarder lui aussi »
bá-kà-tɬhókómώlὼχà líbɔ̀nɛ́ « ils peuvent être négligents eux aussi »
bá-kà-símώlώlɛ̀lànà líbɔ̀nɛ́ « ils peuvent commencer les uns pour les autres eux aussi »

Par contre avec un indice de sujet à ton bas, ce morphème porte un ton haut, et la syllabe initiale des bases verbales à ton lexical haut présente un ton bas :

ὼ-ká-bìná líwɛ̀ná « tu peux danser toi aussi »
kì-ká-tshàmíká línná « je peux jouer moi aussi »
ὼ-ká-lìbɛ́lɛ́là líwɛ̀ná « tu peux regarder toi aussi »
lὼ-ká-tɬhòkómώlὼχà lílὼná « vous pouvez être négligents vous aussi »
rì-ká-sìmώlώlɛ̀lànà lírὼná « nous pouvons commencer les uns pour les autres nous aussi »

Comme rien par ailleurs ne suggère que les indices de sujet à ton bas aient la propriété de faire apparaître un ton haut sur la syllabe qui leur succède, on doit considérer que la forme structurelle de ce morphème d'éventuel comporte deux éléments tonals : un ton bas (qui apparaît sur la syllabe *ka* elle-même dans la première série d'exemples, et qui, dans la deuxième série d'exemples, apparaît reporté sur la syllabe suivante) et un ton haut (porté dans la deuxième série d'exemples par la syllabe *ka*).

Même si ce n'est pas là la seule solution imaginable, un traitement relativement simple et qui n'a par ailleurs aucune implication gênante pour une description d'ensemble de la tonologie du tswana consiste à postuler pour ce morphème d'éventuel une forme structurelle *ká*\`, avec un ton flottant bas qui, lorsqu'il est entouré de part et d'autre par des syllabes hautes, est susceptible de se substituer au ton haut de la syllabe précédente ou à celui la syllabe suivante :
— si le ton flottant bas est immédiatement précédé de deux syllabes hautes, il se rattache préférentiellement à la syllabe précédente : *ώ-kà-tshámíká* « il peut jouer » a pour structure tonale sous-jacente ó - ó \` - ó o ò, qui donne dans une première étape ó - ó \` - ó ó ó, après quoi la substitution du ton flottant bas au ton haut de la syllabe précédente donne le contour tonal réalisé ó - ò - ó ó ó ;
— à défaut de pouvoir se rattacher à la syllabe précédente, le ton flottant bas se substitue au ton haut de la syllabe suivante : *ὼ-ká-tshàmíká* « tu peux jouer » a une structure tonale sous-jacente qui ne diffère de celle de *ώ-kà-tshámíká* qu'au niveau de l'indice de sujet : ò - ó \` - ó o ò, qui donne dans une première étape ò - ó \` - ó ó ó, après quoi, la substitution du ton flottant bas au ton haut de la syllabe précédente n'étant pas possible, sa substitution au ton haut de la syllabe suivante donne ò - ó - ò ó ó.

On peut trouver une confirmation de cette analyse dans le fait que ce morphème d'éventuel a une variante dissyllabique de contour tonal ó ò : *káà*, qui apparaît lorsqu'il est précédé d'un indice de sujet à ton bas et immédiatement suivi d'une base verbale monosyllabique de ton lexical haut, comme dans *ὼ-káà-ɟá* « tu peux manger ». Sans préjuger de la façon précise dont ceci devrait être pris en compte dans une présentation exhaustive et formalisée de la tonologie du tswana, au moins de manière informelle on peut dire qu'on trouve là, pourvu d'un support segmental qui lui est propre, le ton bas qui, dans les cas précédemment examinés, se trouvait associé tantôt à la syllabe *ka*, tantôt à la syllabe initiale de la base verbale.

Le recours à des tons flottants peut donc constituer une hypothèse explicative plus ou moins intéressante par la possibilité qu'elle offre de simplifier la présentation des alternances tonales. Ceci dit, il ne faut pas perdre de vue que d'autres solutions sont souvent envisageables, qui peuvent s'avérer éventuellement plus avantageuses. Toutefois, lorsqu'un ton flottant dont on a postulé l'existence sur la base d'observations phonologiques apparaît isolable comme un morphème, il est difficile d'imaginer une solution purement phonologique qui ne soit pas une simple variante notationnelle de l'hypothèse d'éléments tonals figurant de façon totalement indépendante dans les structures sous-jacentes.

ALTERNANCES EXPLICABLES EN TERMES DE PROPAGATION TONALE : L'EXEMPLE DE LA PROPAGATION PROGRESSIVE DU TON HAUT EN TSWANA

Outre le processus de propagation régressive du ton (haut ou bas) de la finale verbale aux syllabes du lexème verbal supposées structurellement dépourvues de ton, le tswana présente de nombreuses alternances tonales que l'on peut expliquer par un processus de *propagation progressive du ton haut* au détriment du ton bas : sous certaines conditions (qu'il faudra bien sûr préciser), un ton haut peut se substituer à un ton bas succédant à un ton haut. Il y a d'ailleurs été fait allusion lors de l'analyse des faits examinés au paragraphe précédent.

Dans les deux phrases suivantes, le ton bas initial de *bàtswáná* « des Tswanas » ne subit aucun changement, alors que dans le même contexte, le ton bas initial de *bàfɔ̀rá* « des Français » laisse la place à un ton haut :

kí bàtswánà	*kí báfɔ̀rá*
« ce sont des Tswanas »	« ce sont des Français »

Ici, la propagation du ton haut est conditionnée par le fait que *bàfɔ̀rá* a deux syllabes basses successives (ce qui permet la substitution d'un ton haut au ton bas de la première syllabe) tandis que la syllabe basse initiale de *bàtswáná* est suivie d'une syllabe haute (ce qui empêche la substitution d'un ton haut au ton bas initial).

En tswana, selon la nature grammaticale de la limite entre la syllabe à ton haut et les syllabes à ton bas qui lui succèdent, la propagation progressive du ton haut est limitée, ou bien à une syllabe (ce qui est banal), ou bien à deux syllabes (ce qui l'est beaucoup moins) ; on trouve aussi de façon exceptionnelle des processus de propagation progressive du ton haut affectant trois syllabes successives, mais le tswana ignore totalement des processus de propagation progressive du ton haut qui affecteraient, quel que soit leur nombre, toutes les syllabes situées entre le point de départ de la propagation et une certaine limite grammaticale.

Les exemples suivants illustrent un cas où la propagation d'un ton haut ne peut pas aller au-delà de la syllabe basse qui lui succède immédiatement :

bàŋwàkètsí	→	*kí báŋwàkètsí*
« des Ngwaketses »		« ce sont des Ngwaketses »
bàqhàlàχàdì	→	*kí báqhàlàχàdì*
« des Kgalagadis »		« ce sont des Kgalagadis »

Mais dans d'autres contextes, la propagation d'un ton haut peut affecter deux syllabes basses successives. C'est en particulier le cas lorsqu'un nom est précédé du morphème *lí~* « avec », considéré ici comme un préfixe (et non pas comme une préposition) pour rendre compte justement des propriétés tonales de sa limite avec l'unité à laquelle il est antéposé ; immédiatement précédés de ce morphème, les mots utilisés dans les exemples précédents ont leur tonalité modifiée de la façon suivante :

bàtswáná	→	*líbàtswáná*
« des Tswanas »		« avec des Tswanas »
bàfɷ̀rá	→	*líbáfɷ̀rá.*
« des Français »		« avec des Français »
bàŋwàkètsí	→	*líbáŋwákètsí*
« des Ngwaketses »		« avec des Ngwaketses »
bàqhàlàχàdì	→	*líbáqhálàχàdì*
« des Kgalagadis »		« avec des Kgalagadis »

L'hypothèse qui semble la meilleure pour expliquer les différences observées dans la portée de la propagation du ton haut en tswana est que :

— à la frontière entre deux mots adjacents, lorsqu'un mot dont la syllabe finale est haute précède un mot commençant par au moins deux syllabes basses, un ton haut est toujours substitué au ton bas de la syllabe initiale, mais la propagation du ton haut n'atteint jamais la syllabe suivante :

... ó ≠ ò ò ... → ... ó ≠ ó ò ...[16]

— à la frontière entre deux morphèmes adjacents appartenant au même mot, la propagation progressive du ton haut peut affecter deux syllabes basses successives.

16. Le symbole ≠ indique ici une limite entre deux mots adjacents, tandis que le symbole # indique une pause.

L'intérêt de cette analyse est que les limites ainsi reconnues comme limites de mots se caractérisent par ailleurs par un abaissement du registre haut qui ne se produit pas aux limites reconnues comme limites entre deux formants d'un même mot.

On peut par exemple comparer *lí~* « avec (comitatif), et, aussi », analysé ici comme un préfixe, et *ká* « avec (instrumental), par » analysé ici comme une préposition, c'est-à-dire comme un mot à part. La combinaison de ces morphèmes avec des mots commençant respectivement par deux syllabes basses successives (*lʊ̀bɔ̀nɛ̀* « lampe ») et par deux syllabes hautes successives (*lwáχáχʊ̀* « le tien, la tienne (classe 11) ») donne les résultats suivants :

(1) *lí~* + *lʊ̀bɔ̀nɛ̀* → *lílʊ́bɔ́nɛ̀* (le ton haut se propage à deux syllabes)
ká + *lʊ̀bɔ̀nɛ̀* → *ká lʊ́bɔ̀nɛ̀* (le ton haut se propage à une seule syllabe)

(2) *lí~* + *lwáχáχʊ̀* → *lílwáχáχʊ̀* sans aucun abaissement : *lílwáχáχʊ̀*
ká + *lwáχáχʊ̀* → *ká lwáχáχʊ̀* avec un abaissement à la jonction entre le morphème à ton haut *ká* et l'unité nominale *lwáχáχʊ̀* : *ká 'lwáχáχʊ̀*[17]

En liaison avec ceci, il est intéressant d'examiner le cas des indices de sujet antéposés à une unité nominale. En effet, il s'avère que la limite entre l'indice de sujet et le nom qui suit n'est pas de même nature selon que l'indice de sujet est lui-même immédiatement précédé du morphème négatif *χà~* ou pas :

— en l'absence du morphème négatif *χà~*, l'indice de sujet se comporte comme préfixé au nom suivant, c'est-à-dire que le ton d'un indice de sujet à ton haut peut alors se propager à plus d'une syllabe et qu'aucun abaissement ne peut apparaître à la jonction de l'indice de sujet et du nom, comme le montrent les exemples suivants, où les noms succédant à l'indice de sujet sont *mʊ̀lìlɔ̀* « feu, chaleur » et *(lì)síχɔ́* « chance » :

mètsí ámʊ́lílɔ̀ thátà « l'eau est très chaude » (le ton haut de l'indice de sujet *á~* se propage à deux syllabes basses successives)

mʊ̀thìbì ʊ́síχɔ́ thátà « Mothibi a beaucoup de chance » (il n'y a aucun abaissement à la jonction de *ʊ́~* et de *~síχɔ́*)

17. Le symbole « ' » note en cas de besoin l'abaissement du registre haut. Nous reviendrons au chapitre suivant sur la reconnaissance d'éventuels abaissements non prédictibles du registre haut et sur leur analyse. Les abaissements indiqués ici, ayant une valeur strictement démarcative, n'ont pas à figurer explicitement dans une transcription du tswana qui note les limites de mots définies précisément comme limites susceptibles de se concrétiser par un abaissement du registre haut.

— précédé du morphème négatif *χà~*, l'indice de sujet forme avec lui un mot distinct du nom qui suit, ce qui signifie que les propriétés phonologiques de la limite entre l'indice de sujet et le nom sont alors différentes de ce qu'elles sont en l'absence du morphème de négation : lorsque *χà~* est présent, le ton haut de l'indice de sujet ne se propage jamais à plus d'une syllabe, et un downstep peut apparaître à la jonction de l'indice de sujet et du nom, comme le montrent les exemples suivants :

mètsí χàá mʊ́lìlɔ̀ tháta̋ « l'eau n'est pas très chaude » (le ton haut de l'indice de sujet se propage à une seule syllabe)

mʊ̀thìbì χàá síχɔ́ thátà « Mothibi n'a pas beaucoup de chance » (un abaissement se produit à la jonction de *~á* et de *síχɔ́* : *χàá 'síχɔ́*).

Examinons maintenant à titre illustratif quelques exemples permettant de dégager le fonctionnement de la propagation du ton haut à l'intérieur du mot verbal.

Dans les phrases suivantes, nous partons de formes verbales avec un contour entièrement bas, et en modifiant l'indice de sujet nous constatons qu'une commutation entre un morphème monosyllabique à ton bas et un morphème monosyllabique à ton haut se traduit en réalisation, en règle générale, par l'apparition d'une séquence de trois syllabes hautes[18] :

rìàlwà lírʊ̀ná « nous luttons nous aussi »	*báálwá líbɔ̀nɛ́* « ils luttent eux aussi »
rìàlìmà lírʊ̀na « nous cultivons nous aussi »	*báálímà líbɔ̀nɛ́* « ils cultivent eux aussi »
rìàtɬhàlʊ̀χàɲà lírʊ̀ná « nous comprenons nous aussi »	*báátɬhálʊ̀χàɲà líbɔ̀nɛ́* « ils comprennent eux aussi »
rìχʊ̀bàtɬà χʊ̀ŋwì líχʊ́ŋwì « nous te cherchons partout »	*báχʊ́bátɬà χʊ̀ŋwì líχʊ́ŋwì* « ils te cherchent partout »

De manière analogue, à partir de formes verbales de contour tonal entièrement bas et incluant un indice d'objet, une commutation grammaticalement limitée à l'indice d'objet peut déboucher sur une modification du contour tonal qui s'étend aux syllabes suivantes :

rìχʊ̀bàtɬà χʊ̀ŋwì líχʊ́ŋwì « nous te cherchons partout »	*rìlʊ́bátɬá χʊ́ŋwì líχʊ́ŋwì* « nous vous cherchons partout »

18. Dans les exemples qui suivent, le soulignement indique une séquence de syllabes hautes résultant de la propagation d'un unique ton haut structurel.

kìχɷ̀tɬhàlɷ̀χàɲà sìǹtɬɛ̀
« je te comprends bien »

kìlɷ́tɬhálɷ́χàɲà sìǹtɬɛ̀
« je vous comprends bien »

kìàmɷ̀dùmèdìsètsà
« je salue à sa place »

kìàbádúmédìsètsà
« je salue à leur place »

La comparaison de certains de ces exemples montre de façon nette :

— que la propagation progressive du ton haut à l'intérieur du mot verbal est limitée en général à deux syllabes basses successives précédées d'une syllabe haute ;

— qu'un ton haut qui s'est propagé jusqu'à la syllabe finale d'un mot en vertu des lois de propagation opérant dans les limites du mot peut poursuivre sa propagation à la syllabe initiale du mot suivant, exactement comme pourrait le faire un ton haut structurellement associé à la syllabe finale du mot :

rìχɷ̀bàtɬà χɷ̀ŋwì líχɷ́ŋwì « nous te cherchons partout »
báχɷ́bátɬà χɷ̀ŋwì líχɷ́ŋwì « ils te cherchent partout »
rìlɷ́bátɬá χɷ́ŋwì líχɷ́ŋwì « nous vous cherchons partout »

En les comparant à la première phrase, on peut voir que la deuxième aussi bien que la troisième phrase comportent un seul élément haut dans leur structure tonale. Lorsque l'unique ton haut structurel est localisé sur la première syllabe d'une forme verbale quadrisyllabique (comme dans *báχɷ́bátɬà χɷ̀ŋwì líχɷ́ŋwì*), il se propage à la deuxième et à la troisième syllabes, et sa propagation s'arrête là. Lorsque l'unique ton haut structurel est localisé sur la deuxième syllabe (comme dans *rìlɷ́bátɬá χɷ́ŋwì líχɷ́ŋwì*), il se propage jusqu'à la dernière syllabe du mot verbal et peut ainsi, selon le contexte, poursuivre sa propagation en vertu de la règle de propagation qui opère à la jonction de deux mots, et qu'il convient donc de poser comme postérieure à la règle rendant compte de la propagation dans les limites du mot.

Une propagation progressive du ton haut affectant trois syllabes basses successives dans les limites d'un mot s'observe seulement si la deuxième syllabe basse impliquée dans le processus représente un indice d'objet, comme dans l'exemple suivant :

rìàχɷ̀tɬhàlɷ̀χàɲà lírɷ̀ná
« nous te comprenons nous aussi »

bááχɷ́tɬhálɷ̀χàɲà líbɔ̀nɛ́
« ils te comprennent eux aussi »

Après avoir examiné la portée que peut avoir en tswana la propagation progressive du ton haut au détriment du ton bas à l'intérieur du mot verbal, voyons ce qui peut bloquer cette propagation.

La propagation d'un ton haut à une syllabe non finale qui autrement serait affectée par ce processus est bloquée par un ton haut associé à la syllabe suivante[19]. Par exemple, un indice d'objet à ton bas ne peut subir la propagation d'un ton haut que si aucun ton haut n'est associé à la syllabe suivante, comme le montrent les couples de phrases suivants :

ǹχɷbàtɬà χɷ̀ŋwì líχɷ́ŋwì « nous te cherchons partout »	*báχɷbátɬà χɷ̀ŋwì líχɷ́ŋwì* « ils te cherchent partout »
ǹχɷbɔ́ná χɷ́ŋwì líχɷ́ŋwı « nous te voyons partout »	*báχɷbɔ́ná χɷ́ŋwì líχɷ́ŋwì* « ils te voient partout »

ou encore :

ǹàχɷ̀tɬhàlɷχàɲà lírɷ̀ná « nous te comprenons nous aussi »	*báázχɷ́tɬhálɷχàɲà líbɔ̀nɛ́* « ils te comprennent eux aussi »
ǹàχɷ̀thúsá lírɷ̀ná « nous t'aidons nous aussi »	*báázχɷ̀thúsá líbɔ̀nɛ́* « ils t'aident eux aussi »

Si la propagation progressive du ton haut à une syllabe qui n'est pas la dernière syllabe du mot est bloquée par la présence d'un ton haut associé à la syllabe suivante, par contre la propagation du ton haut à la syllabe finale du mot verbal est indépendante de ce qui peut suivre, et aucune trace ne subsiste du ton bas originellement associé à la syllabe finale, qui pour les règles tonales opérant à la jonction de deux mots se comporte comme le ferait une syllabe structurellement associée à un ton haut (cf. *ǹlɷ́bátɬá χɷ́ŋwì líχɷ́ŋwì*).

Pour terminer cette présentation, on peut souligner que la propagation progressive du ton haut peut provoquer des neutralisations, c'est-à-dire que ce processus peut aboutir à ce que des formes verbales de structure tonale différente présentent un même contour tonal réalisé. Par exemple, *kìkwálá ~ kìkwálà*[20] « j'écris (forme conjointe) » et *kìbàlà* « je lis (forme conjointe) » ont des mélodies tonales différentes, tandis que, du fait de la propagation du ton haut de l'indice de sujet, *ɷ́kwálá ~ ɷ́kwálà* « il écrit (forme conjointe) »

19. On peut rappeler que la règle qui copie régressivement le ton de la finale verbale sur les syllabes du lexème supposées structurellement dépourvues de ton ignore en tswana une telle restriction, puisqu'une base de structure tonale ó o … o ó prend le contour ó ó … ó ó. Ceci, joint aux différences quant au nombre de syllabes susceptibles d'être atteintes par le processus, est d'ailleurs un argument pour distinguer en tswana entre des règles de propagation qui assignent un ton à des syllabes qui en sont dépourvues et d'autres qui substituent un ton à un ton de valeur opposée.
20. Cette forme verbale présente une variation, qu'il serait trop long d'expliquer en détail ici, conditionnée par la nature à la fois grammaticale et tonale du mot suivant.

et *ɷ́bálá ~ ɷ́bálà* « il lit (forme conjointe) » présentent quel que soit le contexte le même contour tonal :

kìkwálá lɷ́kwálɔ̀ « j'écris une lettre »	*kìbàlà lɷ́kwálɔ̀* « je lis une lettre »
kìkwálà fɛ́là « j'écris seulement »	*kìbàlà fɛ́là* « je lis seulement »
ɷ́kwálá lɷ̀kwálɔ̀ « il écrit une lettre »	*ɷ́bálá lɷ̀kwálɔ̀* « il lit une lettre »
ɷ́kwálà fɛ́là « il écrit seulement »	*ɷ́bálà fɛ́là* « il lit seulement »

L'insertion d'un indice d'objet à ton haut donne le même résultat :

kìlɷ́kwálà fɛ́là « je l'écris seulement (la lettre) »	*kìlɷ́bálà fɛ́là* « je la lis seulement (la lettre) »

REMARQUES GÉNÉRALES SUR LES PROCESSUS DE PROPAGATION TONALE

Dans une langue à opposition tonale binaire, quatre types de propagation tonale sont a priori concevables :
— propagation progressive du ton haut,
— propagation progressive du ton bas,
— propagation régressive du ton haut,
— propagation régressive du ton bas.

Le type manifestement le plus commun dans les langues négro-africaines est la propagation progressive du ton haut, dont le tswana nous a fourni une illustration.

La propagation progressive du ton bas peut être illustrée par le suffixe d'accompli du gbeya. En gbeya, le lexème verbal à l'accompli porte toujours un ton bas, et il doit dans certaines conditions être suivi d'un suffixe dont le ton varie de la façon suivante :
— devant pause, ce suffixe a un ton haut : *ʔã̀-jɔ̀-wá* « il est tombé » ;
— devant un mot dont la syllabe initiale est à ton bas, il a encore un ton haut : *ʔã̀-jɔ̃̀ŋ-ã́ zàwà* « il a mangé des arachides » ;
— devant un mot dont la syllabe initiale est à ton bas, il prend par contre un ton bas : *ʔã̀-jɔ̃̀ŋ-ã̀ fón* « il a mangé du mil ».

Une interprétation possible est donc que ce suffixe a un ton structurel haut, et que, à condition d'être immédiatement suivi d'une syllabe à ton haut, il subit une règle qui propage progressivement le ton bas du lexème verbal.

C'est aussi en termes de propagation progressive du ton bas qu'on peut expliquer qu'en malinké de Kita, les substantifs trisyllabiques qui apparaissent généralement avec l'un des deux contours ò ò ó ou ò ó ó, lorsqu'ils constituent le premier élément de certains syntagmes, prennent un contour ò ò ò si et seulement si le deuxième constituant du syntagme commence par un ton haut :

sàmàdá hùlà « deux chaussures » *sàmàdà nání* « quatre chaussures »
ɟàkúmá hùlà « deux chats » *ɟàkùmà nání* « quatre chats »

Or dans d'autres contextes, la réalisation ò ò ó ou ò ó ó de tels lexèmes reste possible quelle que soit la tonalité de l'unité suivante. Donc, quel que soit le traitement précis qu'on décide de retenir, on doit expliquer cette alternance par la propagation d'un ton bas structurellement localisé à l'initiale de ces lexèmes, propagation qui obéit à un double conditionnement syntaxique (le substantif doit constituer le premier terme de certains types de syntagmes) et phonologique (le deuxième terme du syntagme doit commencer par un ton haut).

Des processus de propagation tonale régressive, bien que moins communs, sont eux aussi attestés. Nous avons vu qu'en tswana, dans les bases verbales de trois syllabes ou plus, le ton de la finale se propage régressivement aux syllabes médianes de la base verbale (supposées structurellement dépourvues de ton). Le dioula d'Odienné fournit un autre exemple de propagation tonale régressive. Dans cette langue, les unités monosyllabiques qui manifestent dans la plupart des contextes un ton bas prennent un ton haut à la double condition d'être suivies d'une syllabe à ton haut et de ne pas être précédées d'une syllabe à ton haut. Par exemple, le verbe signifiant « sortir » apparaît comme *bɔ̀* dans les contextes suivants :

ó — # : *wó bɔ̀* « fais sortir celui-ci »
ò — # : *wó mà bɔ̀* « celui-ci n'est pas sorti »
— # : *bɔ̀* « sors »
ó — ò : *wó bɔ̀ sà* « fais sortir celui-ci, enfin ! »
ò — ò : *ì mà bɔ̀ sà* « tu n'es finalement pas sorti »
— ò : *bɔ̀ dɛ̀* « sors donc ! »
ó — ó : *wó bɔ̀ kɛ́ɛ̀* « fais donc sortir celui-ci ! »

et il n'apparaît comme *bɔ́* que dans les contextes suivants :

— ó : *bɔ́ já* « sors d'ici ! »
ò — ó : *ì mà bɔ́ ré* « tu n'es effectivement pas sorti »

On peut résumer ceci en disant que ce lexème verbal présente un ton bas, sauf s'il subit une règle de propagation progressive du ton haut qui s'applique à condition qu'il n'y ait pas un autre ton haut immédiatement avant la syllabe susceptible de subir le processus (cf. *wó bɔ̀ kɛ́ɛ̀*). On remarque par ailleurs que ce processus est strictement limité à une syllabe : le morphème négatif qui apparaît généralement comme *mà* subit la propagation régressive du ton haut dans *ì má ná* « tu n'es pas venu », car dans ce cas il précède immédiatement une syllabe structurellement haute, par contre il ne la subit pas dans *ì mà bɔ́ ré*, car dans ce cas la syllabe qui suit immédiatement n'est pas structurellement haute (elle a elle-même acquis un ton haut par la règle de propagation).

De manière générale, la description d'un processus de propagation demande de préciser la portée maximale de la propagation, ainsi que d'éventuelles conditions de blocage. Il y a des différences d'une langue à l'autre, mais des tendances se dégagent. En ce qui concerne le blocage des processus de propagation, il est particulièrement banal (et ceci a été amplement illustré) qu'une syllabe susceptible de subir un processus de propagation progressive échappe à ce processus si elle est immédiatement suivie d'une syllabe associée à un ton identique au ton qui se propage, et que, de façon symétrique, une syllabe susceptible de subir un processsus de propagation régressive échappe à ce processus si elle est immédiatement précédée d'une syllabe associée à un ton identique au ton qui se propage.

En ce qui concerne la portée maximum de la propagation, c'est-à-dire le nombre maximum de syllabes atteintes en l'absence de tout blocage, le plus souvent on rencontre, ou bien des propagations limitées à une syllabe en contact immédiat avec celle d'où part la propagation, ou bien des propagations affectant un nombre non limité de syllabes, la borne de la propagation étant alors à définir en termes grammaticaux. Le cas du tswana montre toutefois que ce ne sont pas les seules possibilités.

Il est intéressant à ce propos de confronter le tswana au sotho, langue apparentée de très près au tswana mais qui présente des phénomènes de propagation du ton haut beaucoup plus conformes à ce que l'on observe généralement. Là où le tswana présente une propagation du ton haut limitée à une syllabe, le sotho ne présente généralement aucune propagation du ton haut, tandis que là où le tswana présente une propagation du ton haut limitée à deux syllabes, le sotho présente généralement une propagation limitée à une syllabe.

Par exemple, nous avons vu ci-dessus qu'en tswana, lorsqu'un indice de sujet est immédiatement antéposé à une unité nominale, en l'absence du morphème négatif *χà~*, le ton haut de l'indice de sujet peut se propager à deux syllabes basses successives (ce qui justifie de considérer que l'indice de sujet est alors préfixé à l'unité nominale), tandis qu'en présence du morphème négatif *χà~*, le ton haut de l'indice de sujet ne peut se propager qu'à une syllabe (ce qui justifie de considérer que l'indice de sujet se combine alors au morphème de négation pour former un mot distinct de l'unité nominale qu'il précède). Or en sotho, dans le premier cas on observe une propagation limitée à une syllabe, et dans le deuxième cas il ne se produit pas de propagation du tout, comme le montrent les exemples suivants, où des indices de sujet sont directement antéposés aux nominaux *mɷ̀làtɷ́, dìtshìlà* et *màŋàtà* [21] :

màʃòdù ámɷ́làtɷ́ « les voleurs sont coupables »	*màʃòdù hàá mɷ̀làtɷ́* « les voleurs ne sont pas coupables »
dìphàɬɔ́ dídítshìlà « les vêtements sont sales »	*dìphàɬɔ́ hàdí dìtshìlà* « les vêtements ne sont pas sales »
màfɷ̀rá ámáŋàtà « les Français sont nombreux »	*màfɷ̀rá hàá màŋàtà* « les Français ne sont pas nombreux »

Par ailleurs, dans ce chapitre, on s'est attaché à dégager la notion de propagation tonale en se limitant à présenter des cas où ce processus est responsable d'alternances entre tons ponctuels de valeur opposée. Nous verrons au chapitre suivant que la propagation tonale peut aussi expliquer l'apparition de tons modulés ou d'abaissements non prédictibles du registre haut.

Enfin, il ne faut pas perdre de vue qu'une fois reconnu dans une langue un processus de propagation tonale, on peut a priori envisager de le formaliser de plusieurs façons, qu'il convient d'évaluer du double point de vue de la cohérence théorique avec le traitement des autres processus tonals de la langue en question et de la plus ou moins grande simplicité du système de règles qui découle du choix de tel ou tel traitement. En particulier :

— selon qu'on s'autorise ou non à poser qu'un ton unique peut se trouver simultanément associé au noyau de plusieurs syllabes successives, on devra rendre compte de la propagation, ou bien par des règles qui étendent le domaine d'association d'un ton à des syllabes

21. Au morphème de négation *χà~* du tswana correspond en sotho *hà~*.

adjacentes à celle à laquelle il est initialement associé, ou bien par des règles qui associent aux syllabes qui subissent la propagation une copie du ton qui se propage ;
— pour rendre compte d'un processus de propagation tonale on peut a priori envisager d'utiliser, ou bien des règles qui assignent des tons à des syllabes qui en sont initialement dépourvues, ou bien des règles qui substituent le ton qui se propage à un ton de valeur opposée initialement associé aux syllabes qui subissent la propagation.

Dans l'esquisse présentée ci dessus des phénomènes de propagation tonale du tswana, je me suis situé dans le cadre de règles de copie tonale et non dans le cadre de règles qui étendent le domaine d'un ton. Outre une réticence générale à accepter des représentations phonologiques où une même unité est associée à des positions squelettales *non contiguës* (ce qui est le cas lorsqu'on pose un ton unique simultanément associé aux noyaux de plusieurs syllabes successives), il me semble que, pour le tswana précisément, accepter qu'un ton unique puisse s'associer aux noyaux de plusieurs syllabes successives n'est qu'une source de complications inutiles. Par contre, pour rendre compte de différences importantes entre la propagation tonale régressive qui s'observe en tswana à l'intérieur des bases verbales et les divers phénomènes de propagation tonale progressive que connaît cette langue, il me semble intéressant d'exploiter la possibilité de considérer que dans un cas il y a assignation de tons à des syllabes qui en sont initialement dépourvues, alors que, dans l'autre, il y a substitution de tons hauts à des tons bas. Mais ce n'est pas la seule solution envisageable, et il y aurait là matière à discussion. L'important est de ne pas adopter sur ces questions une attitude dogmatique, et d'essayer d'évaluer aussi objectivement que possible, en prenant en considération la totalité des processus dont doit rendre compte la description tonologique d'une langue, les avantages et les inconvénients des choix théoriques que l'on doit faire lorsqu'on a à rendre compte de processus de propagation tonale.

LA TRANSLATION TONALE : ANTICIPATION TONALE ET REPORT TONAL

Le terme de *translation tonale* désigne ici le fait qu'un élément tonal apparaisse associé à une unité significative autre que celle à laquelle il appartient structurellement. Selon qu'un ton faisant structurellement partie d'une unité se déplace sur l'unité précédente ou sur l'unité suivante, on pourra parler d'*anticipation* ou de *report*.

La comparaison de la tonalité de l'infinitif des langues bantoues offre un exemple classique de tels phénomènes.[22] On peut reconnaître dans une bonne partie du domaine bantou des formes d'infinitif analysables comme « préfixe + radical (+ extensions) + finale », tous les morphèmes constitutifs de ces formes d'infinitif étant structurellement à ton bas ou dépourvus de ton,[23] à la seule exception du radical, qui donne lieu à un choix entre ton haut et ton bas.

Les formes de surface de certaines langues représentent directement cette structure : la première syllabe de la base de l'infinitif est à ton haut ou à ton bas, toutes les autres syllabes étant basses. Par exemple en lingala :

kò-pím-à	« refuser »	*kò-pìm-à*	« mesurer »
kò-bámbòl-à	« gifler »	*kò-bàmbòl-à*	« allumer »

Dans d'autres langues des processus tonals se produisent, sans qu'il y ait toutefois translation tonale. Ainsi, en tswana, le ton haut de la syllabe radicale se propage aux syllabes suivantes, mais la syllabe radicale continue à porter son ton structurel :

χϖ̀-fítɬh-á	« cacher »	*χϖ̀-fìtɬh-à*	« arriver »
χϖ̀-bák-á	« cuire au four »	*χϖ̀-bàk-à*	« causer, provoquer »

Par contre en tonga, toutes les syllabes de la base verbale sont invariablement à ton bas. Mais le préfixe peut porter soit un ton haut, soit un ton bas, et il est évident que ce ton appartient structurellement au radical verbal ; il y a donc anticipation tonale :

íkú-bàl-à	« briller »	*ìkù-bàl-à*	« lire »
íkú-lùk-à	« vomir »	*ìkù-lùk-à*	« tisser »

Enfin en holoholo, préfixe et radical sont invariablement réalisés à ton bas, et c'est sur la finale qu'apparaît le choix entre ton haut

22. Cf. notamment M. Van Spaandonck, *L'Analyse morphotonologique dans les langues bantoues*, Paris, SELAF, 1971.

23. Dans certaines langues bantoues au moins, il semble possible de considérer que, de manière générale, le ton bas de surface représente une absence de ton structurel. Et même dans des langues où il n'est pas possible de poser ceci comme principe général, on a souvent avantage à considérer que certains morphèmes, notamment les extensions verbales, sont structurellement dépourvus de ton ; c'est d'ailleurs ce traitement qui a été adopté ci-dessus pour le tswana.

et ton bas qui structurellement appartient au radical; il y a donc report tonal :

kù-kùm-á	« atteindre »	*kù-kùm-à*	« tonner »
kù-lìŋg-á	« consulter le sort »	*kù-lìŋg-à*	« mesurer »

D'un point de vue diachronique, la translation tonale résulte vraisemblablement de l'instauration successive de deux processus de propagation. Par exemple, l'état représenté par le tswana s'explique par une propagation progressive du ton haut du radical verbal. Si, à partir de là, se développait une propagation progressive du ton bas, on aurait un report tonal semblable à celui du holoholo. De façon symétrique, une propagation régressive du ton haut peut aboutir à ce que le préfixe soit systématiquement réalisé avec un ton identique à celui du radical verbal; s'il se développe ensuite une propagation régressive du ton bas, on peut aboutir à une anticipation tonale du type illustré par le tonga.

S'il s'agit maintenant de rendre compte de faits de translation tonale dans une description synchronique, on peut envisager de combiner des règles de propagation du ton haut et des règles de propagation du ton bas se succédant dans un ordre reflétant ce qu'a pu être la chronologie des évolutions qui ont conduit à cette situation. Mais d'autres traitements peuvent être envisagés, en fonction de décisions prises quant aux représentations tonales sous-jacentes. Nous verrons au dernier chapitre qu'il est possible dans certaines langues de poser qu'un seul des deux termes d'une opposition tonale binaire figure explicitement dans les formes tonales sous-jacentes. Or une telle décision modifie radicalement les données strictement « techniques » du problème consistant à écrire les règles rendant compte d'un phénomène de translation, car elle autorise à utiliser des règles de déplacement de l'élément tonal marqué analogues aux règles qui, dans la description de langues à accent, rendent compte de mouvements d'accent.

Limitons-nous ici à évoquer, en restant dans l'hypothèse de formes tonales sous-jacentes où chaque syllabe est associée à un ton, le cas d'une langue où la courbe tonale réalisée présenterait un décalage systématique des inflexions de la courbe tonale (c'est-à-dire des changements de registre entre deux syllabes successives) d'un cran vers la droite. Dans une telle langue, on aurait par exemple :

séquence tonale sous-jacente : ò | ó ó | ò ò | ó | ò ò ò
séquence tonale réalisée : ò ò | ó ó | ò ò | ó | ò ò

Et une façon particulièrement simple de rendre compte de ceci serait de poser deux règles successives traitant simultanément de la propagation du ton haut et de celle du ton bas :

— une règle de copie tonale qui, chaque fois que deux syllabes successives sont associées à deux tons opposés, fait apparaître à la jonction des deux syllabes un ton flottant identique au ton associé à la première syllabe ; dans l'exemple ci-dessus, l'application de cette règle donnerait ò ` ó ó ´ ò ò ` ó ´ ò ò ò ;

— une règle d'association des tons flottants qui, chaque fois qu'une syllabe est immédiatement précédée d'un ton flottant, substitue le ton flottant au ton initialement associé à cette syllabe.

LA POLARITÉ TONALE

Le terme de *polarité tonale* est parfois utilisé pour caractériser le comportement tonal de morphèmes monosyllabiques qui, ou bien sont nécessairement suivis d'une autre unité et présentent toujours un ton opposé à celui de la syllabe initiale de l'unité qui leur succède, ou bien sont nécessairement précédés d'une autre unité et présentent toujours un ton opposé à celui de la syllabe finale de l'unité qui les précède.

Ainsi en kagoro, il existe plusieurs morphèmes monosyllabiques qui ne peuvent figurer ni à l'initiale absolue, ni à la finale absolue de l'énoncé, et qui présentent toujours un ton opposé à celui de la syllabe initiale de l'unité suivante. Par exemple, le prédicatif signifiant « se trouver quelque part » est réalisé *mí* ou *mì* selon que la syllabe initiale du mot suivant est à ton bas ou à ton haut, indépendamment du ton de la syllabe finale du mot précédent :

fà:tú mí jàŋ « Fatou est ici »
à mí jàŋ « elle est ici »
kɔ́ŋgɔ̀ mí fà:tú ná « Fatou a faim »
déŋ lú:lú mí fà:tú búlú « Fatou a cinq enfants »

fà:tú mì sú: 'kɔ́nɔ́ « Fatou est dans la maison »
à mì sú: 'kɔ́nɔ́ « elle est dans la maison »
déŋ jèlí mì sé:kù búlú « combien Sékou a-t-il d'enfants ? »

et le connectif génitival est *jé* ou *jè*, avec la même distribution des deux variantes :

í jé mìsî	« ta vache »	*í jè wɔ́rì*	« ton argent »
à jé mìsî	« sa vache »	*à jè wɔ́rì*	« son argent »

L'article du gbeya, représenté par *í* ou *ì* postposé au nom, fournit un exemple un peu plus complexe, mais où la notion de polarité tonale reste utile. La distribution des deux variantes de ce morphème monosyllabique est illustrée par les exemples suivants :

ʔȁkàjà jéré ì	*ʔȁkàjá dùwà í*
« il a pris le panier »	« il a pris la chèvre »
jéré ì ték nȕ	*dùwà ì jɔ̃́ŋ fón*
« le panier tombe par terre »	« la chèvre mange le mil »
jéré í jɔ̀wá	*dùwà í jɔ̃̀ŋȁ fón*
« le panier est perdu »	« la chèvre a mangé le mil »

Le ton de l'article du gbeya obéit donc à une règle de contraste, plus complexe toutefois que celle illustrée ci-dessus par les exemples kagoro, car elle fait intervenir à la fois le ton précédent et le ton suivant; en effet, le ton de ce morphème est :

- haut dans les contextes ò — #, ò — ò et ó — ò,
- bas dans les contextes ó — #, ó — ó et ò — ó.

Le fait que devant pause on ait toujours un ton opposé à celui de la syllabe précédente suggère de poser que, dans un premier temps, l'article reçoit un ton opposé à celui de la syllabe finale du nominal auquel il est postposé (par exemple : *dùwà í, jéré ì*), et que, dans un deuxième temps, ce ton peut se trouver modifié par des règles de propagation qui substituent un ton bas au ton haut en contexte ò — ó (*dùwà í jɔ̃́ŋ fón → dùwà ì jɔ̃́ŋ fón*) et qui substituent un ton haut au ton bas en contexte ó — ò (*jéré ì jɔ̀wá → jéré í jɔ̀wá*).

Le problème est que la notion de polarité tonale ne fait que résumer un certain type de distribution de morphèmes monosyllabiques qui ont un allomorphe à ton haut et un allomorphe à ton bas, sans en proposer une quelconque interprétation. La difficulté à poursuivre l'analyse découle de la symétrie (trop) parfaite dans la distribution des deux variantes de tels morphèmes. En effet, lorsque par exemple un morphème monosyllabique présente un ton haut dans le contexte ó — ò seulement et un ton bas dans les contextes ó — ó, ò — ó et ò — ò, il est pratiquement évident qu'on a affaire à un morphème à ton structurel bas (ou structurellement dépourvu de ton) qui subit dans le contexte ó — ò une propagation progressive du ton haut. Mais, lorsqu'un morphème monosyllabique qui n'est jamais immédiatement précédé ou suivi d'une pause présente par exemple un ton haut dans les contextes ó — ò et ò — ò et un ton bas dans les contextes ò — ó et ó — ó, il n'y a aucune solution évidente au choix d'un ton structurel et des règles rendant compte de la variation.

Techniquement parlant, on peut toujours, faute de mieux, poser que les morphèmes à polarité tonale sont structurellement dépourvus de ton et signaler par un démarcatif spécial la limite entre un tel morphème et la syllabe qui en détermine le ton, mais cette solution laisse entier le problème du statut théorique de la règle qu'on pose ainsi. Un tel fonctionnement contredit en effet la nature oppositionnelle du ton et s'inscrit plutôt dans le cadre d'un fonctionnement de type accentuel, puisque, dans une langue à accent typique où la réalisation de l'accent met principalement en jeu la hauteur mélodique, la réalisation basse des syllabes non accentuées contraste systématiquement avec la réalisation haute de la syllabe accentuée. La notion de polarité tonale peut donc être utile à un niveau strictement descriptif, mais elle n'a, par elle-même, aucune valeur explicative.

Par ailleurs, il faut veiller à ne pas abuser de la notion de polarité tonale, comme l'ont fait notamment pas mal d'études consacrées à l'analyse de la tonalité du bambara ou du malinké. Cette notion doit être réservée au cas de syllabes dont le ton contraste systématiquement avec celui d'une des deux syllabes qui lui sont adjacentes, *le ton de l'autre syllabe adjacente pouvant varier sans que cela ait de conséquence*. Lorsque, par contre, le ton d'une syllabe contraste avec celui d'une des deux syllabes qui lui sont adjacentes sans que le ton de l'autre syllabe adjacente soit susceptible de varier, il n'y a pas lieu d'introduire la notion de polarité tonale. Dans un tel cas en effet, une explication en termes de propagation est toujours possible, et on peut certainement la juger préférable dans la mesure où le statut théorique de la notion de propagation en tonologie est infiniment moins problématique que celui de la notion de polarité tonale.

Ainsi, dans les exemples bambara *mìsì kéléŋ* « une vache » / *mìsí flà* « deux vaches », on voit le ton de la deuxième syllabe du lexème signifiant « vache » contraster avec le ton initial de l'unité suivante. Mais la syllabe dont le ton alterne ainsi est la deuxième syllabe d'un lexème dont la première syllabe est toujours à ton bas, ce qui permet d'expliquer cette alternance par la propagation d'un ton bas structurellement localisé à l'initiale du lexème : il suffit de poser que la propagation du ton bas initial ne peut atteindre la deuxième syllabe du lexème qu'à condition que ce lexème ne précède pas immédiatement une unité ayant elle-même un ton initial bas. [24]

24. Dans le dernier chapitre, nous verrons comment on peut préciser l'interprétation de tels faits dans le cadre d'une hypothèse selon laquelle seul le ton bas figure explicitement dans les formes phonologiques sous-jacentes du bambara.

6

SYSTÈMES TONALS

TONS PHONOLOGIQUES ET NIVEAUX DE RÉALISATION DES TONS DANS LES LANGUES À DEUX HAUTEURS TONALES OPPOSABLES

Un système tonal limité à une opposition entre haut et bas autorise des variations importantes dans le niveau de réalisation précis du ton haut et du ton bas. En effet, dans un tel système :
— pour reconnaître comme haut un ton qui succède à un ton bas, il suffit qu'il soit réalisé à un registre moins bas,
— pour reconnaître comme bas un ton qui succède à un ton bas, il suffit qu'il soit réalisé à un registre au moins aussi bas,
— pour reconnaître comme bas un ton qui succède à un ton haut, il suffit qu'il soit réalisé à un registre moins haut,
— pour reconnaître comme haut un ton qui succède à un ton haut, il suffit qu'il soit réalisé à un registre au moins aussi haut.

Ceci laisse ouvert un large éventail de variations possibles dans la réalisation précise d'une opposition tonale binaire, et les langues exploitent diversement ces possibilités dans les règles phonétiques qui fixent la hauteur précise à laquelle est réalisé un ton compte tenu du contexte dans lequel il figure.

On observe par exemple dans certaines langues que, sans que son identification comme ton bas soit remise en cause, le premier d'une séquence de tons bas succédant à un ton haut est réalisé à un niveau intermédiaire entre celui du ton haut qui le précède et celui des tons hauts suivants :

```
-----o------------------------
--------------o---------------
-----------------------o------

   ó      ò      ò
```

Parfois aussi (mais pas forcément dans les mêmes langues), on observe de manière symétrique que, sans que son identification comme ton haut soit remise en cause, le premier d'une séquence de tons hauts succédant à un ton bas est réalisé à un niveau intermédiaire entre celui du ton bas qui le précède et celui des tons hauts suivants :

```
-----------------------o------
--------------o---------------
-----o------------------------

   ò      ó      ó
```

On peut voir dans de telles réalisations l'amorce d'un phénomène de propagation : en effet, si le réhaussement du premier d'une séquence de tons bas succédant à un haut s'accentue, on peut aboutir à la confusion avec un ton haut, et de façon symétrique, si l'abaissement du premier d'une séquence de tons hauts succédant à un bas s'accentue, on peut aboutir à la confusion avec un ton bas.

Il y a aussi des langues à opposition tonale binaire où le ton haut est systématiquement réhaussé lorsqu'il précède immédiatement un ton bas; dans une telle langue, des séquences ò ó, ó ò, ò ó ó, ò ó ò, ó ò ó, ò ó ó ò et ó ó ò ó reçoivent les réalisations suivantes (qui à première vue peuvent faire penser à un système à trois hauteurs distinctives) :

```
--------------------   -----o---------------   ----------------------------   -------------o-----------
-------------o------   ---------------------   -------------o-------o------   -------------------------
-----o--------------   ---------------o-----   -----o----------------------   -----o---------------o---

   ò      ó               ó      ò                ò      ó      ó                 ò      ó      ò
```

```
-----o-------------------   -----------------------o-------------   -------------o---------------------
---------------------o---   -------------o-----------------------   ----o--------------------------o---
-------------o-----------   -----o-------------------------o-----   ------------------------o----------

   ó      ò      ó              ò      ó      ó      ò                 ó      ó      ò      ó
```

Mais le type le plus répandu de réalisation d'une opposition tonale binaire est celui qui obéit à un principe connu sous le nom de *downdrift*, qui va être exposé dans le paragraphe suivant.

LE DOWNDRIFT

Dans beaucoup de langues à opposition tonale binaire où deux tons de valeur identique se succédant immédiatement ne présentent pas de différence sensible dans leur niveau de réalisation, on observe par contre que, lorsque deux tons de valeur opposée se succèdent immédiatement, l'intervalle qui sépare haut de bas dans une séquence ó ò est à peu près le double de celui qui sépare bas de haut dans une séquence ò ó. On désigne généralement ce phénomène du terme de downdrift.

Nous aurons ainsi par exemple en hausa :

```
---o----------------------------------------------------------
---------------o----------------------------------------------
---------o-------------------------o---------o----------------
---------------------------o----------------------------------
---------------------------------------------------------o----
```

já:tàfí kànó: ɟíjà « il est allé à Kano hier »

```
---o----------------------------------------------------------------------------------------
---------------------------------------------------------o-------o--------------------------
---------------------o-------o-------o----------------------------------o-------------------
----------------------------------------------------------------------o-------o-------------
-------------------------------------------------------------------------------------------o--
```

ʔáwdù dà ʔàlí: súnà: tàfíjà: « Audu et Ali sont allés en voyage »

ou encore en bambara :

```
-o-------------------------------------------------------------------------------
-----------------o---------------------------------------------------------------
-------o---------------------------------o-------o-------------------------------
-------------------------------o-------------------------------------------------
----------------------------------------------------------------------------o----
```

í tùŋ má dlɔ̀ cámáŋ mìŋ « tu n'avais pas bu beaucoup de bière »

Un système à deux hauteurs tonales opposables peut ainsi se concrétiser par des réalisations où le nombre de hauteurs tonales perçues comme différentes n'est pas limité a priori. En outre, dans un tel système, un ton haut est réalisé approximativement au même niveau qu'un ton bas qui le précède et dont il est séparé par une séquence ó ò :

```
--------------o------------------------
-----o-------------------------o-----
-----------------------o-------------
```

ò ó ò ó

Comparons par exemple la réalisation du mot bambara *cámáŋ* « beaucoup » dans la phrase citée ci-dessus, où ce mot figure à la suite d'une séquence ó ò ó ò, et la réalisation du même mot dans une phrase où aucun ton bas ne le sépare du début de la phrase :

```
--o---o----o------o------o-------------
---------------------------------------
-----------------------------------o---
```

í jé ɲí cámáŋ mìŋ « tu as bu beaucoup d'eau »

Le nombre de niveaux différents perceptibles dans la réalisation des énoncés de telles langues n'est toutefois pas véritablement illimité, car la hauteur de la voix du locuteur ne peut pas baisser indéfiniment. Deux phénomènes interviennent :

— d'abord, l'intervalle qui sépare les niveaux de réalisation peut varier, et il semble y avoir un mécanisme d'ajustement selon lequel cet intervalle est d'autant plus réduit que le locuteur prévoit d'avoir à réaliser un nombre plus élevé d'abaissements successifs ;

— ensuite et surtout, dès qu'une pause s'introduit dans le courant de l'énoncé, les tons suivants sont automatiquement réalisés comme ils le seraient au début d'un énoncé, c'est-à-dire qu'un ton haut succédant immédiatement à une pause est réalisé à la hauteur maximum de la voix, tandis que dans les mêmes conditions un ton bas est réalisé au niveau immédiatement inférieur.

L'introduction de pauses aux articulations syntaxiques d'un énoncé relativement long permet ainsi de maintenir dans des limites raisonnables la baisse de la hauteur de la voix découlant du principe du downdrift. On constate même dans de telles langues que les articulations syntaxiques importantes, en particulier les limites entre propositions, s'accompagnent régulièrement d'un retour à la hauteur maximum de la voix, même si aucune pause sensible ne les marque ; ainsi, le phénomène de downdrift acquiert une pertinence démarcative dans la mesure où l'annulation de l'effet de downdrift signale certaines limites. La phrase hausa suivante illustre ce phénomène :

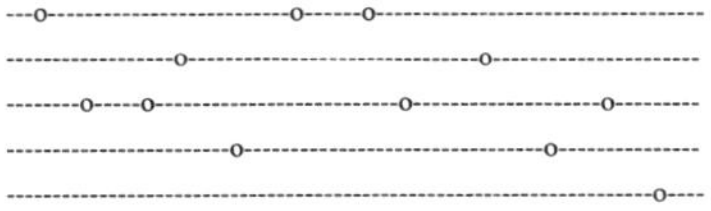

jánàː tàfíjàː sáj jágàmú dà jáːròː « alors qu'il voyageait, il rencontra un garçon »

PERTURBATIONS DES RÉALISATIONS TONALES DUES À LA PAUSE DANS LES LANGUES À OPPOSITION TONALE BINAIRE

Les séquences de tons bas manifestent généralement une tendance à s'infléchir vers le bas ; cet infléchissement peut être à peine perceptible, mais il n'est pas rare qu'il tende à s'accentuer lorsqu'une séquence de tons bas termine un énoncé.

En fin d'énoncé, la tendance à un infléchissement vers le bas peut affecter aussi, de façon plus ou moins sensible, les séquences de tons hauts. A la limite, on peut avoir des langues où ce phénomène a abouti à ce que le dernier ton haut d'une séquence de tons hauts en position finale ait subi un abaissement tel qu'il cesse de pouvoir être distingué d'un ton bas, ce qui veut dire qu'il faut poser une règle qui substitue un ton bas au dernier d'une séquence de tons hauts précédant immédiatement une pause :

ó → ò / ó — #

Une telle règle opère notamment en tswana, et elle a pour conséquence que devant pause, il se produit des phénomènes de neutralisation de la distinction entre haut et bas. Par exemple, *jáχáχʊ̀* « le tien » et *jáχáχwɛ́* « le sien » (classe 9) présentent à l'intérieur d'énoncés des contours tonals différents, mais les contours tonals de ces deux unités se confondent en fin d'énoncé :

tsálà jáχáχʊ̀ ʊ́tsílè « ton ami est venu »	*tsálà jáχáχwɛ́ ʊ́tsílè* « son ami est venu »
kìbɔ́ɲí tsálà jáχáχʊ̀ kwá χàbʊ́rʊ́nì « j'ai vu ton ami à Gaborone »	*kìbɔ́ɲí tsálà jáχáχwɛ́ kwá χàbʊ́rʊ́nì* « j'ai vu son ami à Gaborone »
kìbɔ́ɲí tsálà jáχáχʊ̀ « j'ai vu ton ami »	*kìbɔ́ɲí tsálà jáχáχwɛ̀* « j'ai vu son ami »

Le résultat de cette règle doit être noté dans une transcription du tswana, car les deux unités qui sont en jeu (le ton haut et le ton bas) sont par ailleurs opposables dans cette langue. Mais il existe aussi en tswana, à l'approche d'une pause, une règle dont on peut faire abstraction dans une transcription large, car la réalisation qu'elle fait apparaître n'a jamais de statut dans le système d'oppositions de cette langue. Selon cette règle, l'avant-dernière syllabe avant une pause présente automatiquement un allongement, et si son ton est phonologiquement haut, il se réalise comme une modulation descendante (alors qu'en tswana, en dehors de ce contexte précis, on ne rencontre jamais, ni voyelle longue, ni modulation tonale). Lorsque la syllabe antépénultième est elle-même à ton haut, le niveau de départ du ton descendant que porte la syllabe pénultième est sensiblement inférieur au niveau du ton haut précédent. Une séquence finale phonologiquement identifiable comme ó ó ò (qu'elle provienne ou non d'une séquence sous-jacente ó ó ó) a ainsi en tswana la réalisation suivante :

```
-----o---------------------------
          \
------------------------o--------

   ó     ó     ò          #
```

Un autre phénomène qui s'observe dans une partie des langues à opposition tonale binaire avec downdrift est que, souvent, l'intervalle qui sépare le niveau de réalisation d'un ton bas et le niveau de réalisation d'un ton haut (ou d'une séquence de tons hauts) lui succédant immédiatement est particulièrement faible en fin d'énoncé. Il peut alors s'avérer difficile d'identifier correctement un ou plusieurs tons hauts compris entre un ton bas et une pause. C'est le cas en soninké, ainsi qu'en mandingue. Dans certains parlers mandingues, par exemple en malinké de Kita, cet affaissement des séquences de tons hauts comprises entre un ton bas et une pause a abouti à une confusion totale avec des tons bas. Dans la description de ces parlers, il faut poser une règle qui, en fin d'énoncé, fait apparaître des séquences de tons bas là où, en l'absence de pause, on aurait une séquence de tons hauts précédée d'un ton bas. Dans l'exemple suivant, ce phénomène affecte le fragment de phrase *tágádá ségú* « est partie à Ségou » :

áwà tágádá ségú kúnùŋ	*áwà tàgàdà sègù*
« Awa est partie à Ségou hier »	« Awa est partie à Ségou »

Ce phénomène n'est toutefois pas général : en tswana, nous avons vu ci-dessus qu'un ton haut compris entre ton bas et pause est automatiquement remplacé par un ton bas ; par contre dans cette langue, aucune abaissement particulier n'affecte les tons hauts situés entre ton bas et pause, et il n'y a jamais de problème à percevoir la distinction entre des séquences … ò ó # et … ò ò #.

Les séquences tonales précédant une pause subissent donc fréquemment des processus particuliers. Des processus affectant de manière symétrique les séquences tonales succédant à une pause, bien que moins communs, sont eux aussi attestés. Par exemple en baoulé de Toumodi, un ton haut en contexte # — ò est bien réalisé au niveau maximum de la voix, mais par contre une séquence de plusieurs tons hauts en début d'énoncé n'atteint un niveau proche du niveau maximum de la voix qu'à la troisième syllabe. Une telle séquence est réalisée avec un contour globalement ascendant, le niveau de départ étant proche du niveau de réalisation d'un ton bas :

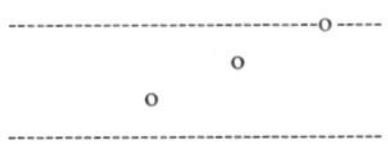

\# ó ó ó

LANGUES DONT LE SYSTÈME TONAL REPOSE SUR UNE OPPOSITION ENTRE TROIS HAUTEURS TONALES DISTINCTIVES OU PLUS

Dans un certain nombre de langues tonales, on peut dégager en contexte identique des commutations entre trois hauteurs tonales constituant la seule trace d'un choix entre trois unités significatives dans une construction inchangée. Par exemple en kposso, les rapprochements suivants justifient de reconnaître une opposition entre ton haut (ó), ton moyen (ō) et ton bas (ò) :

ɷ̀-lá	« nous avons dansé »	*ɷ̀-lá*	« nous avons dansé »
ɷ̄-lá	« nous dansons »	*ɷ̀-lā*	« nous sommes trempés »
ɷ́-lá	« dansons ! »	*ɷ̀-là*	« nous avons tissé »

Toutefois, avant de poser une opposition entre ton haut, ton moyen et ton bas pour rendre compte d'une possibilité de commutation entre trois hauteurs tonales, il faut bien s'assurer que cette commutation ne présente pas des particularités susceptibles d'orienter vers une autre interprétation. Par exemple en bambara, des exemples comme le suivant pourraient, à première vue, faire penser à un système où un ton moyen s'opposerait à un ton haut et à un ton bas :

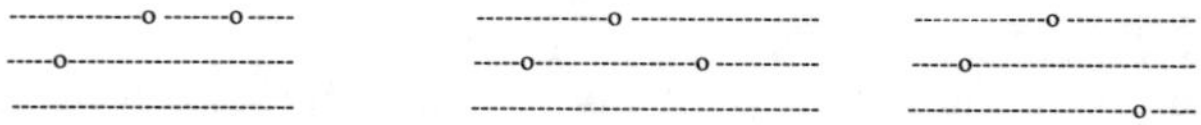

a ja ci «il vous a envoyés» — *a ja ci* «il l'a envoyé» — *a ja ci* «il l'a brisé»

Mais un examen plus attentif montre que, si la distinction entre trois niveaux de hauteur est là indiscutablement pertinente, il n'est pas pour autant justifié de parler d'opposition au sens précis de ce terme. En effet, cette distinction n'est pas corrélée à un choix entre trois unités significatives qui commuteraient entre elles en contexte identique : au niveau des unités significatives on a là le croisement de deux commutations («vous» / «lui» et «envoyer» / «briser»), ce qui suggère qu'on a plutôt affaire au résultat de phénomènes combinatoires. Ceci est confirmé par le fait qu'en débit ralenti, ces trois énoncés présentent les réalisations suivantes, caractéristiques d'un système à opposition tonale binaire avec downdrift :

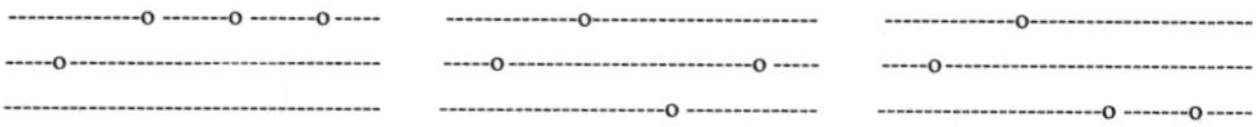

à jé á cí «il vous a envoyés» — *à jé à cí* «il l'a envoyé» — *à jé à cì* «il l'a brisé»

Nous reviendrons dans un paragraphe ultérieur sur la possibilité d'expliquer des différences pertinentes entre plus de deux registres sans sortir du cadre d'une opposition tonale binaire, en introduisant la notion d'abaissement non prédictible du ton haut.

Les langues dont le système tonal repose sur une opposition entre trois registres (haut, moyen et bas) sont relativement nombreuses. Les langues qui opposent plus de trois registres sont beaucoup plus rares. Des systèmes possédant jusqu'à cinq registres opposables ont été signalés, notamment dans les parlers dan, mais cinq semble être un maximum. On remarque que les langues ayant plus de trois hauteurs tonales distinctives sont localisées dans des zones bien précises, et que dans les zones en question le phénomène affecte des langues qui n'ont pas une parenté proche. Par exemple dans le sud-ouest de la Côte d'Ivoire, des systèmes à plus de trois hauteurs tonales distinctives sont attestés aussi bien dans des langues krou que dans des langues mandé-sud.

Les langues ayant trois registres opposables ou plus posent des problèmes intéressants du point de vue d'une théorie des représentations phonologiques, dans la mesure où en particulier de tels systèmes ne sont pas compatibles de façon immédiate avec une conception binariste des oppositions phonologiques. Ils posent aussi, dans une perspective diachronique, la question de la complexification des systèmes de tons, qui sera brièvement évoquée dans un paragraphe ultérieur. Pour le descripteur, de tels systèmes peuvent poser un problème à un niveau purement perceptif : la transcription correcte d'un nombre relativement important de registres opposables entre eux et des nombreuses modulations qui peuvent résulter de la combinaison de ces registres n'est pas toujours évidente. Mais, une fois ces difficultés surmontées, il y a généralement peu de problèmes à un niveau strictement descriptif. Les hauteurs tonales distinctives ont dans de tels systèmes des réalisations beaucoup plus stables que dans les systèmes à opposition tonale binaire : la nécessité de maintenir un nombre élevé de distinctions limite les latitudes de réalisation. Et généralement, les langues qui opposent plus de deux registres tonals ont une combinatoire tonale relativement simple ; dans ces langues, le contour tonal des unités lexicales ne présente jamais des variations contextuelles d'une ampleur comparable à ce qu'on peut trouver dans les langues à opposition tonale binaire.

En ce qui concerne la transcription, il n'existe pas de normalisation de la notation des hauteurs tonales pour les langues où le nombre de hauteurs tonales opposables dépasse trois. Il n'existe pas non plus de normalisation de la terminologie : dans la description de langues à quatre registres opposables, certains auteurs parlent de haut / moyen-haut / moyen-bas / bas, d'autres parlent de très-haut / haut / moyen / bas, sans qu'il y ait de raison particulière à ce choix terminologique.

LANGUES À DEUX HAUTEURS TONALES OPPOSABLES ET À ABAISSEMENT NON PRÉDICTIBLE DU REGISTRE HAUT (DOWNSTEP)

La notion d'abaissement non prédictible du registre haut dans une langue à opposition tonale binaire s'applique typiquement à des langues où on peut avoir à distinguer, en un point donné de la chaîne parlée, plus de deux hauteurs tonales non prédictibles par le contexte, mais où cette possibilité est limitée de la façon suivante :

— dans les séquences tonales ascendantes, il n'y a jamais lieu de distinguer, entre le niveau bas de départ et le niveau haut d'arrivée, un niveau « moyen » qui ne serait pas prédictible par le contexte phonique ;

— dans les séquences tonales descendantes, on peut avoir par contre un nombre non limité de changements successifs de registre dont aucun n'est prédictible par le contexte phonique.

On a par exemple, en malinké de Kita, des phrases comme la suivante :

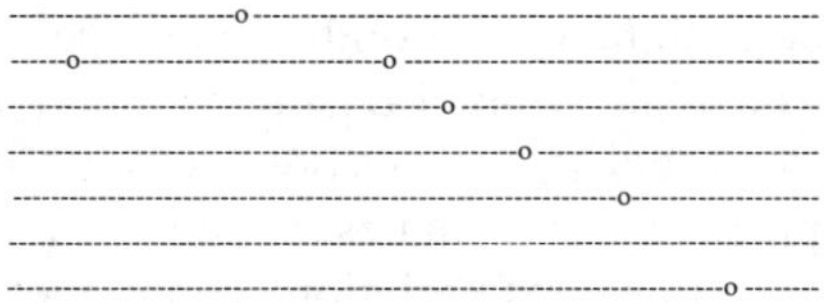

a d a d ade le ma bi

« c'est à lui qu'il l'a donné aujourd'hui »

Après le ton haut de la deuxième syllabe, on a une séquence tonale descendante avec cinq passages d'un registre à un registre strictement inférieur, et aucun de ces changements de registre ne peut être prédit par le contexte phonique. Tout d'abord, il serait facile de vérifier que la nature des consonnes et des voyelles qui figurent dans cette phrase n'intervient en rien dans la détermination de sa courbe mélodique. Ensuite, des exemples comme les suivants, qui présentent de longues séquences de tons hauts ou de tons bas sans variation sensible du niveau de réalisation des syllabes successives, montrent qu'il n'y a, en malinké de Kita, ni affaissement automatique des séquences de tons identiques, ni changements de registre se produisant automatiquement aux limites de mots (comme c'est le cas notamment en tswana) :

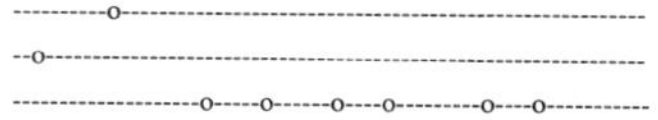

a di musu gede hudu
« il a épousé une autre femme »

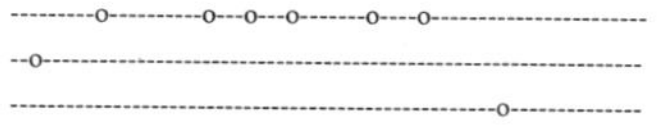

a di hulake gede ho
« il a salué un autre Peul »

Nous verrons plus loin comment expliquer, dans une perspective morphophonologique, ces passages successifs d'un registre à un registre inférieur. Certains au moins ont de manière évidente leur origine dans des processus de contraction syllabique, puisqu'en débit ralenti la phrase prise comme exemple devient :

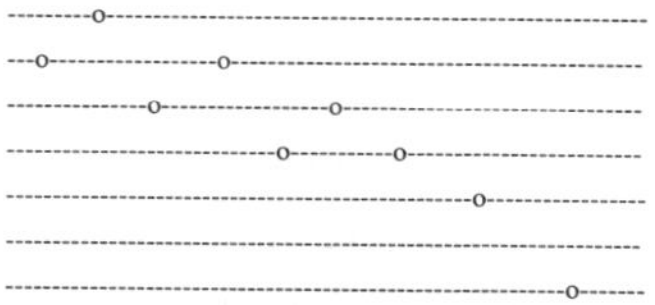

a di a di ade le ma bi
/ lui / *acc. pos.* / cela / donner / lui / *foc.* / à / aujourd'hui / [1]

Mais dans l'immédiat, il s'agit seulement de souligner qu'il est impossible de prédire les changements de registre d'après l'environnement phonique ou de les interpréter comme un phénomène démarcatif, d'où la nécessité de leur donner un statut dans le système et de les enregistrer dans la transcription. Il faut tenir compte du fait que ce phénomène n'a aucun équivalent dans les séquences tonales ascendantes du malinké, où on n'observe jamais de niveau intermédiaire entre le niveau bas de départ et le niveau haut d'arrivée. Le point crucial pour l'analyse est que, dans une séquence de trois syllabes où la deuxième est réalisée à un niveau inférieur à la première, l'amplitude de l'intervalle entre les deux premières syllabes, qui n'est pas constante, conditionne les possibilités de réalisation tonale de la troisième syllabe :

1. *acc. pos.* = morphème à valeur d'accompli positif, *foc.* = marque de focalisation.

— si cet intervalle est d'amplitude relativement faible, la troisième syllabe peut seulement être au même niveau que la deuxième ou à un niveau inférieur;
— si cet intervalle est d'amplitude relativement forte, la troisième syllabe peut être au même niveau que la deuxième ou à un niveau supérieur.

Autrement dit, les configurations suivantes sont possibles dans la courbe tonale d'une phrase malinké :

```
--o---------------   ---o--------------   ----o-------------   ----o-------------   --o---------------
------o----o------   -------o----------   ---------o--------   ------------------   --------------o---
------------------   ------------o-----   ------------------   ---------o---o----   ---------o--------
------------------   ------------------   --------------o---   ------------------   ------------------
```

les configurations suivantes étant par contre impossibles :

```
--o-------o-------   ----o-------------   ----o-------------
------o-----------   ------------------   ------------------
------------------   -------o----------   ---------o--------
------------------   -------------o----   ------------------
------------------   ------------------   --------------o---
```

Sans préjuger des explications qui pourront ultérieurement être envisagées, dans un premier temps on ne peut résumer de façon simple et adéquate ces observations qu'en reconnaissant trois unités tonologiques de surface, le ton haut (ó), le ton bas (ò) et le ton haut-abaissé ('ó), la distinction entre ton haut et ton haut-abaissé n'étant possible, ni après pause, ni après ton bas. Ces trois unités se réalisent de la façon suivante dans le cadre d'un énoncé ou fragment d'énoncé non interrompu par une pause :
— la première syllabe de l'énoncé est au niveau maximum de la voix si elle porte un ton haut, à un niveau légèrement plus bas si elle est à ton bas;
— une syllabe qui succède immédiatement à une syllabe à ton haut ou haut-abaissé est réalisée au même niveau si elle est à ton haut, à un niveau légèrement plus bas si elle porte un ton haut-abaissé, à un niveau beaucoup plus bas si elle est à ton bas;
— une syllabe qui succède immédiatement à une syllabe à ton bas est réalisée au même niveau si elle est à ton bas, à un niveau un peu plus haut si elle est à ton haut.

Ces définitions permettent d'identifier de la façon suivante les configurations autorisées par le système du malinké :

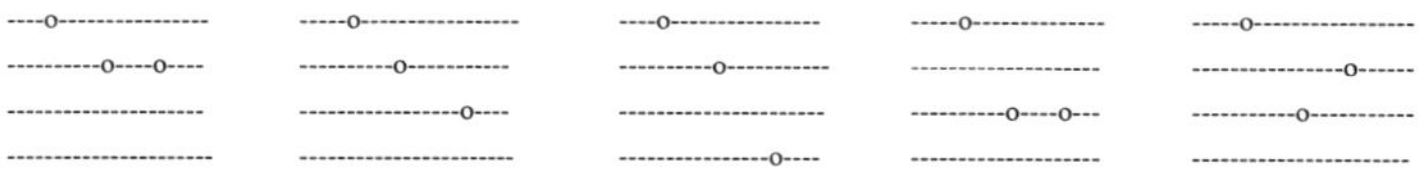

ó 'ó ó   ó 'ó 'ó   ó 'ó ò   ó ò ò   ó ò ó

Illustrons ceci en reprenant la phrase prise en exemple au début de ce paragraphe et en présentant de façon analogue quelques autres phrases malinké :

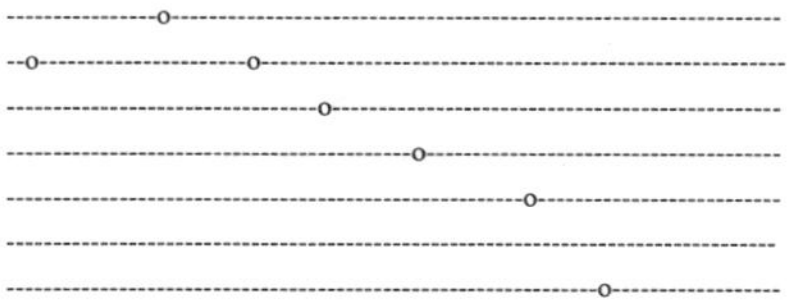

à d á 'd á'dé 'lé 'má bì
« c'est à lui qu'il l'a donné aujourd'hui »

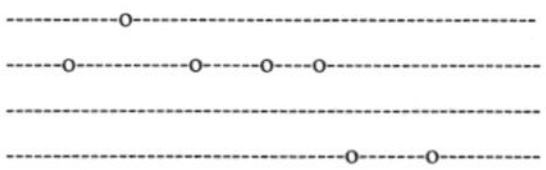

mùsú 'jé tóbílì là
« la femme est en train de faire la cuisine »

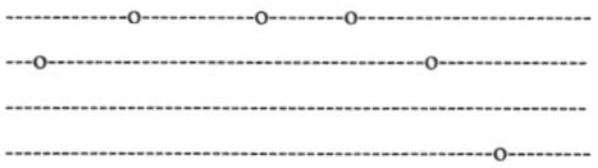

à máŋ mé sú 'ló là
« il n'a pas mis longtemps à construire la maison »

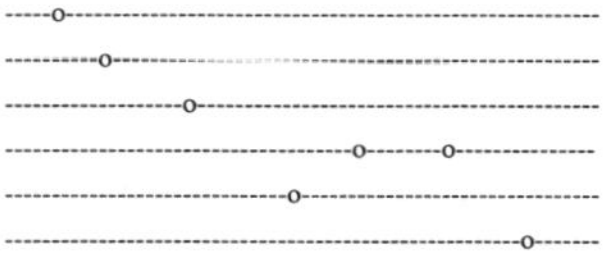

bá'sí 'níŋ tà lúŋ ó lùŋ
« prends ce médicament chaque jour »

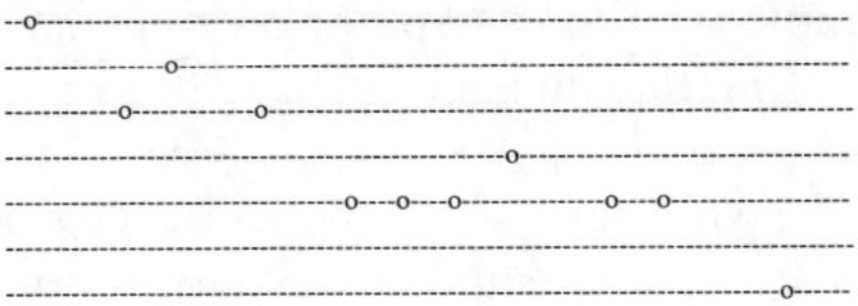

í mùsú 'jé tùbàbùkáŋ 'mélá wà
« est-ce que ta femme comprend le français ? »

Les systèmes tonals binaires avec abaissement non prédictible du registre haut sont particulièrement fréquents en domaine négro-africain, et c'est seulement à date relativement récente que leur spécificité a été établie de façon correcte. Pendant très longtemps, un facteur important de blocage de l'étude des systèmes tonals des langues négro-africaines a été précisément l'absence d'outils théoriques permettant de décrire de tels systèmes de façon adéquate. Ou bien les abaissements du registre haut étaient négligés, ce qui donnait une vision tronquée du fonctionnement tonal des langues en question, ou bien on cherchait à les décrire en introduisant un ton « moyen » mis sur le même plan que bas et haut ; or il est impossible de représenter de façon adéquate des courbes tonales comme celle de la phrase malinké *à d á 'd á'dé 'lé 'má bì* en faisant l'hypothèse d'une opposition entre ton haut, ton moyen et ton bas, car cette hypothèse ne permet pas de rendre compte de plus de deux changements de registre non prédictibles dans le courant d'une courbe mélodique globalement descendante.

PRINCIPES D'EXPLICATION DE L'ABAISSEMENT NON PRÉDICTIBLE DU REGISTRE HAUT

De manière très générale, on peut considérer que l'abaissement non prédictible du registre haut (ou *downstep*) résulte de processus de complexification opérant dans le cadre de systèmes qui sont fondamentalement des systèmes tonals binaires dont les réalisations s'organisent selon le principe du downdrift. Très souvent en effet, les données synchroniques des langues où doit être reconnu un downstep suffisent à établir que l'abaissement du ton haut dans une séquence ó 'ó constitue la trace d'un élément tonal bas sous-jacent qui se trouve d'une manière ou d'une autre privé du support segmental auquel il pourrait se trouver associé.

Dans les cas les plus simples, le downstep apparaît en liaison avec des alternances tonales n'impliquant aucun processus segmental et qui justifient de poser :

— ou bien qu'une séquence ó ó 'ó représente une séquence sous-jacente ó ò ó ; on peut alors dire que la deuxième syllabe a pris le niveau de réalisation de la première sans que cesse pour autant l'effet de downdrift du ton bas qui aurait pu lui être associé :

```
-----o------------------------      -----o -------o -------------
-------------------------o-----     -------------------------o-----
--------------o --------------      ------------------------------

  ó     ò     ó          →            ó      ó      'ó
```

— ou bien qu'une séquence ó 'ó ó représente une séquence sous-jacente ó ò ó ; on peut alors dire que la deuxième syllabe a pris le niveau de réalisation de la troisième sans que cesse pour autant l'effet de downdrift du ton bas qui aurait pu lui être associé :

```
-----o------------------------      -----o------------------------
-------------------------o-----     --------------o -------o-----
--------------o --------------      ------------------------------

  ó     ò     ó          →            ó      'ó      ó
```

On peut voir là le résultat d'une règle de propagation progressive (1er cas) ou régressive (2e cas) du ton haut qui a la particularité de laisser flottant le ton bas de la syllabe subissant la propagation d'un ton haut :

ó ò ó → <u>ó ó</u> ` ó → ó ó 'ó

ó ò ó → ó ` <u>ó ó</u> → ó 'ó ó

Le premier cas de figure (séquence sous-jacente ó ò ó réalisée ó ó 'ó) peut être illustré par le lamba. Dans cette langue, la combinaison de *ìkpá* « il a saisi » et *kànʈə́* « lampe » donne *ìkpá kán'ʈə́* « il a saisi la lampe ». La première syllabe de *kànʈə́* a perdu son ton bas au profit d'une copie du ton haut de la syllabe précédente, mais le ton bas n'est pas totalement perdu, car la deuxième syllabe de ce mot continue d'être réalisée exactement comme elle le serait si elle était précédée d'une séquence tonale ó ò :

ìkpá kànʈə́ → ìkpá kán`ʈə́ → ìkpá kán'ʈə́

Le deuxième cas de figure est illustré de façon particulièrement claire par le comportement tonal de deux morphèmes verbaux à ton bas du tswana. En effet, lorsque ces morphèmes sont situés dans le contexte ó — ó, il y a variation libre entre une réalisation ó ò ó qui représente directement la séquence tonale structurelle et une réalisation ó 'ó ó où le ton bas de ces morphèmes laisse comme seule trace un abaissement du registre haut :

básàbéréki̇̀ « sans qu'ils travaillent » est en variation libre avec
bá'sábéréki̇̀
ká ώsàtłá « puisque tu n'es pas venu » est en variation libre avec
ká ώ'sátłá
fá lώkàbɛ́rɛ́ká « si vous pouviez travailler » est en variation libre avec
fá lώ'kábɛ́rɛ́ká
fá rɪ́kàbábɔ́ná « si nous pouvions les voir » est en variation libre avec
fa rɪ́'kábábɔ́ná

Une autre illustration simple peut être trouvée en igbo. Dans cette langue, en variant le contour tonal du sujet de la forme verbale signifiant « a mangé », on peut la voir apparaître comme *èrɪ́é* ou *'érɪ́é* selon que le sujet se termine par une syllabe à ton bas ou par une syllabe à ton haut :

ézè èrɪ́é àgwà « Eze a mangé des haricots »
ùwà èrɪ́é àgwà « Uwa a mangé des haricots »
ɪ́kfié 'érɪ́é àgwà « Ike a mangé des haricots »
(*ɪ́kfié èrɪ́é → ɪ́kfié` érɪ́é → ɪ́kfié 'érɪ́é*)
ὼbá 'érɪ́é àgwà « Oba a mangé des haricots »
(*ὼbá èrɪ́é → ὼbá` érɪ́é → ὼbá 'érɪ́é*)

ABAISSEMENTS DU REGISTRE HAUT À EXPLIQUER EN LIAISON AVEC DES PROCESSUS DE RÉDUCTION SYLLABIQUE

Considérons les quatre phrases bambara suivantes :

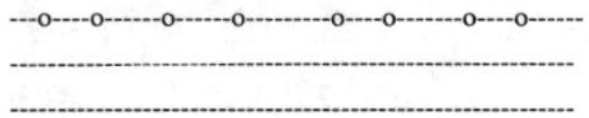

(a) *ádámá jé músá wélé*
« Adama a appelé Moussa »

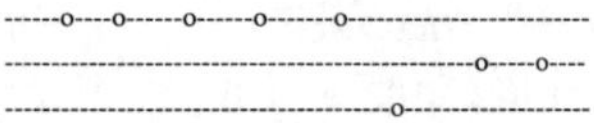

(b) *ádámá jé sékù wélé*
« Adama a appelé Sékou »

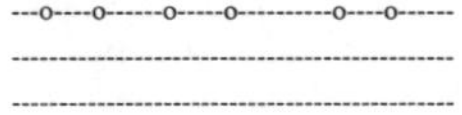

(c) *ádámá jí wélé*
« Adama t'a appelé »

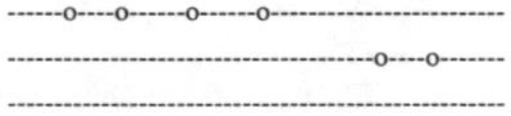

(d) *ádámá já 'wélé*
« Adama l'a appelé »

En (a) ainsi qu'en (c), *wélé* « appeler » est réalisé au niveau maximum de la voix. Sa réalisation en (b) présente un changement de niveau explicable par le downdrift. Par contre en (d), il y a entre la syllabe *ja* et la syllabe *we* la même différence de niveau que celle qu'on trouve normalement entre deux tons hauts séparés l'un de l'autre par un ou plusieurs ton bas, mais la phrase réalisée ne comporte aucune syllabe à ton bas qui permettrait de prédire l'abaissement. Or, le principe explicatif dégagé au paragraphe précédent ne s'applique pas ici de manière immédiate, puisque rien par ailleurs n'autorise à postuler pour *wélé* un schème sous-jacent ò ó.

Il est tout de même possible de trouver une explication simple et naturelle en observant que la phrase (d) ci-dessus résulte d'une contraction ; en débit lent, on peut en effet avoir la variante suivante :

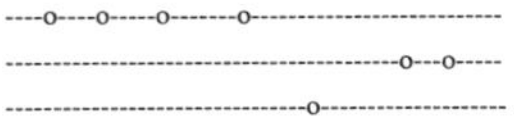

(d') *ádámá jé à wélé*
« Adama l'a appelé »

Le niveau de réalisation de *wélé* est identique dans les deux variantes, et dans les deux cas c'est le ton bas de *à* « lui, elle » qui en est responsable. Mais c'est seulement en débit lent que le niveau de réalisation de *wélé* est *phonétiquement* prévisible, du fait de la syllabe à ton bas qui précède. En débit normal, ce n'est pas dans la phrase réalisée mais seulement dans sa structure sous-jacente qu'on peut trouver le ton bas responsable de l'abaissement qui affecte les tons hauts de *wélé*.

Tout se passe donc comme si une règle de contraction réduisait la séquence dissyllabique *jé* + *à* à une syllabe unique à ton haut sans que le ton bas de la deuxième syllabe soit totalement effacé : ce ton bas, devenu flottant, se manifeste indirectement par une modification du ton haut suivant phonétiquement identique à celle que provoquerait un ton bas associé à une position squelettale :

ádámá jé à wélé → *ádámá já` wélé* → *ádámá já 'wélé*

Il y a en bambara quelques unités monosyllabiques dépourvues de consonne initiale qui, lorsqu'elles ne succèdent pas immédiatement à une pause, peuvent fusionner en une syllabe unique avec la syllabe finale de l'unité qui les précède. Dans certaines variétés de bambara, le résultat de cette contraction est une syllabe à voyelle longue. Dans d'autres variétés (et c'est cette éventualité qui est envisagée ici), aucune longueur n'apparaît, et il convient donc de poser une règle effaçant à la fois le premier des deux segments vocaliques en contact et la position squelettale à laquelle il était associé. Mais cet effacement ne s'étend pas au plan tonal, comme nous l'a montré l'exemple précédent.

Plus généralement en bambara, lorsque deux syllabes successives fusionnent, la syllabe unique résultant de la fusion présente dans tous les cas le ton que porterait en l'absence de fusion la première des deux syllabes. Le ton qu'aurait pu porter la deuxième syllabe impliquée dans ce processus disparaît sans laisser de trace dans les six cas où il aurait été identique au ton porté par une syllabe adjacente à la syllabe en question[2] :

ó‿ó ó → ó ó *músá jé í wélé → músá jí wélé*
«Moussa t'a appelé»

ó‿ò ò → ó ò *músá jé à fò → músá já fò*
«Moussa l'a salué»

ò‿ó ó → ò ó *kà í dá → kì dá*
«se coucher»

ò‿ò ó → ò ó *kà à fɔ́ → kà fɔ́*
«le dire»

ò‿ò ò → ò ò *kà à fò → kà fò*
«le saluer»

Le ton qu'aurait porté en l'absence de fusion la deuxième syllabe impliquée dans le processus ne laisse de trace de sa présence que dans les deux cas où, en l'absence de fusion, il aurait contrasté avec celui des deux syllabes adjacentes. Cette trace est une modulation de bas à haut dans un cas, un abaissement du ton haut suivant dans l'autre :

ò‿ó ò → ǒ ò *kà í ɲɔ̀ → kǐ ɲɔ̀*
«s'arrêter»

ó‿ò ó → ó ' ó *músá jé à fɔ́ → músá já 'fɔ́*
«Moussa l'a dit»

2. La ligature signifie ici la possibilité de fusion de deux syllabes.

ABAISSEMENTS DU REGISTRE HAUT ANALYSABLES COMME LA TRACE DE TONS BAS STRUCTURELLEMENT FLOTTANTS

Nous avons vu au chapitre précédent qu'il pouvait être utile, pour expliquer certaines alternances tonales, d'admettre dans les formes structurelles la présence de tons flottants, susceptibles ultérieurement de se rattacher par règle à un noyau syllabique (en se substituant éventuellement au ton initialement associé à ce noyau syllabique). Mais l'hypothèse de tons bas structurellement flottants peut aussi s'avérer utile pour rendre compte de certains abaissements du registre haut, et du point de vue diachronique un rapprochement est possible avec des faits du type examiné au paragraphe précédent : les tons flottants postulés dans une analyse morphophonologique pour rendre compte de certains abaissements peuvent constituer historiquement le vestige d'anciennes syllabes à ton bas dont la substance segmentale a disparu.

Le bambara, qui présente des abaissements du registre haut explicables par des processus de réduction syllabique, illustre aussi un cas typique d'alternance qui demande de postuler que certaines unités comportent dans leur forme structurelle même des tons bas flottants dont le comportement est identique à celui de tons associés à un noyau syllabique rendus accidentellement flottants par un processus de réduction syllabique.

Comparons les quatre phrases suivantes :

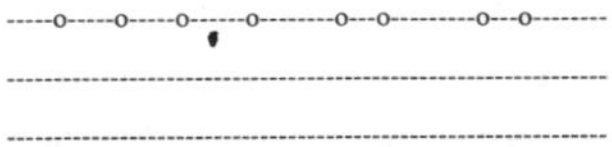

(a) *ádámá jé músá wélé*
« Adama a appelé Moussa »

(b) *ádámá jé sékù wélé*
« Adama a appelé Sékou »

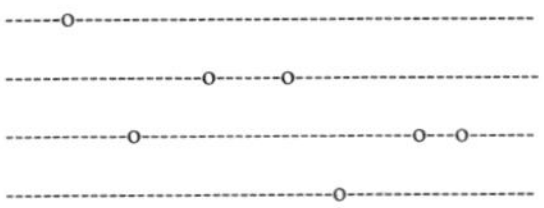

(c) *áwà jé sékù wélé*
« Awa a appelé Sékou »

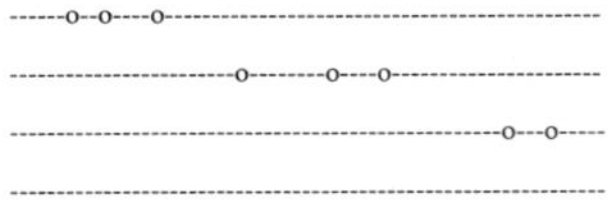

(d) *fúlákɛ́ ꜜjé déníŋ ꜜwélé*
« Le Peul a appelé la fillette »

Les phrases (a), (b) et (c) illustrent l'action du downdrift lorsque des formes de schème tonal haut-bas sont substituées à des formes de schème haut. Dans la phrase (d), *jé* et *wélé* subissent les mêmes abaissements qu'en (c). Or en (d) l'abaissement n'est pas explicable par le downdrift, et la phrase (a) rappelle qu'en bambara, aucun abaissement automatique ne se produit dans le cours d'une véritable séquence de tons hauts. La différence avec le cas examiné au paragraphe précédent est qu'ici, aucun ralentissement du débit ne peut faire apparaître une réalisation de la phrase (d) qui permettrait d'expliquer l'abaissement par un processus de réduction syllabique impliquant une syllabe à ton bas. Il suffit toutefois de poser que le schème tonal structurel des formes signifiant « le Peul » et « la fillette » se termine par un ton flottant bas pour rendre compte des réalisations observées en utilisant les règles dégagées au paragraphe précédent. De la même façon qu'un ton bas devenu flottant dans le cadre d'un processus de contraction, le ton flottant bas de *fúlákɛ́`* « le Peul » ou *déníŋ`* « la fillette » disparaît sans laisser de trace au contact d'un autre ton bas, tandis qu'en contexte ó — ó, il se manifeste en abaissant le ton haut qui lui succède :

fúlákɛ́ nàná « le Peul est venu »
déníŋ kàsìrá « la fillette a pleuré »
fúlákɛ́ 'tá-rá « le Peul est parti »
déníŋ 'jɛ́lɛ́-lá « la fillette a ri »

Cette analyse est confirmée par le fait que, devant pause (en particulier lorsqu'on les cite en isolation), de telles formes présentent sur leur syllabe finale une modulation descendante : *fúlákɛ̂* « le Peul », *déníŋ̂* « la fillette ». Aucune modulation n'apparaissant lorsqu'on cite en isolation un nom propre de schème tonal haut comme *ádámá*, cette modulation finale ne peut pas s'expliquer par l'intonation : elle doit constituer la trace d'un élément tonal propre à ces mots. Une modulation descendante représentant une séquence haut-bas associée à un noyau syllabique unique, on doit voir là le résultat du rattachement du ton flottant bas dont nous avons par ailleurs postulé la présence pour expliquer certains abaissements.

En bambara, un ton flottant bas succédant à une syllabe à ton haut est donc soumis aux règles suivantes :
— immédiatement suivi de syllabe à ton bas, il s'efface sans laisser de trace ;
— immédiatement suivi de syllabe à ton haut, il laisse comme trace de sa présence un abaissement du ton haut suivant ;
— immédiatement suivi de pause, il se rattache à la syllabe précédente, qui de ce fait est réalisée avec une modulation descendante.

Parmi les formes bambara dans lesquelles des observations de ce type conduisent à reconnaître un flottant bas final, il y en a pour lesquelles il n'y a pas lieu de poursuivre l'analyse. On peut citer *bí̀* « dizaine », qui présente invariablement les réalisations imputables à la présence d'un ton flottant bas (on a par exemple *bí 'nání* « quatre dizaines », c'est-à-dire « quarante », avec un abaissement du registre haut de *nání* « quatre » qui distingue d'ailleurs ce syntagme de *bí nání* « quatre buts », où ne se produit aucun abaissement), et il n'y a pas lieu de régler la question autrement qu'en enregistrant simplement un ton final bas flottant dans la forme structurelle de ce morphème. Mais pour la très grande majorité des formes bambara qui comportent à leur finale un ton bas flottant, ce ton flottant s'avère isolable comme constituant à lui seul un morphème. Ceci est important à souligner dans la mesure où, lorsqu'on postule des tons flottants, on ne doit jamais oublier qu'en général, il s'agit seulement là a priori d'une possibilité d'explication de certaines alternances, et que d'autres explications permettant d'éviter de poser des tons flottants seraient peut-être envisageables ; par contre lorsque les tons flottants ainsi postulés s'avèrent en outre isolables en qualité de morphèmes, il devient beaucoup plus difficile d'imaginer une interprétation qui soit autre chose qu'une simple variante notationnelle de la solution consistant à postuler des éléments tonals flottants dans les formes structurelles.

Émis isolément, tous les substantifs du bambara de deux syllabes ou plus se terminent par la modulation descendante que nous venons d'analyser comme résultant du rattachement d'un ton bas flottant :

mùsô « la femme » < *mùsó̀*
básâ « le lézard » < *básá̀*
ɟàkúmâ « le chat » < *ɟàkúmá̀*
tùbàbû « le Blanc » < *tùbàbú̀*
báràmâ « la marmite » < *báràmá̀*
súrúkû « l'hyène » < *súrúkú̀*

Quant aux substantifs monosyllabiques, ils présentent tous en isolation, ou bien une modulation descendante, ou bien une double modulation montante-descendante, ce qui autorise les décompositions suivantes :

sǒ̂ « le cheval » < *sǒ̀*
sô « la maison » < *só̀*

Rien de semblable n'apparaissant lorsqu'on cite en isolation des noms propres de personnes ou des lexèmes verbaux, on peut penser que le ton bas flottant présent à la finale des substantifs ne fait pas partie du lexème substantival mais constitue plutôt un morphème caractéristique des substantifs en tant que classe grammaticale. Ceci est confirmé par le fait que, à l'intérieur des phrases, l'abaissement des tons hauts qui constitue la trace de la présence d'un ton bas flottant ne s'observe pas de manière constante à la jonction entre les substantifs et les mots qui leur succèdent :

(a) La présence de certains déterminants auprès du substantif impose la présence du ton flottant bas ; c'est par exemple le cas de *bɛ́* « tous » ou du déictique *nìŋ* :

fúlákɛ́ 'bɛ́ sé-rá bì < *fúlákɛ́` bɛ́ sé-rá bì*
« Tous les Peuls sont arrivés aujourd'hui »

nìŋ fúlákɛ́ 'sé-rá bì < *nìŋ fúlákɛ́` sé-rá bì*
« Ce Peul est arrivé aujourd'hui »

(b) La présence de certains déterminants exclut au contraire la présence du ton flottant bas ; c'est par exemple le cas de *wɛ́rɛ́* « autre » :

fúlákɛ́ wɛ́rɛ́ sé-rá bì « Un autre Peul est arrivé aujourd'hui »

(c) Lorsque certains déterminants se postposent au substantif (c'est le cas des qualificatifs) le ton bas postposé au substantif se déplace après le déterminant :

fúlákɛ́ ɲɛ́ kéléŋ 'sé-rá bì < *fúlákɛ́ ɲɛ́ kéléŋ` sé-rá bì*
« Le Peul borgne est arrivé aujourd'hui »

(d) Et surtout, dans certains contextes au moins la présence du ton flottant bas est opposable à son absence. L'absence du ton flottant bas est alors liée à un degré moindre de détermination. C'est notamment le cas en contexte interrogatif, en contexte négatif ainsi qu'en présence de numéraux :

fúlákɛ́ 'bɛ́ jàŋ wâ < *fúlákɛ́` bɛ́ jàŋ wâ* « Le Peul est-il ici ? »
≠ *fúlákɛ́ bɛ́ jàŋ wâ* « Y a-t-il un Peul ici ? »

fúlákɛ́ 'má nà < *fúlákɛ́` má nà* « Le Peul n'est pas venu »
≠ *fúlákɛ́ má nà* « Aucun Peul n'est venu »

fúlákɛ́ nání 'tá-rá < *fúlákɛ́ nání` tá-rá* « Les quatre Peuls sont venus »
≠ *fúlákɛ́ nání tá-rá* « Quatre Peuls sont venus »

Ce ton flottant bas postposé aux substantifs représente donc un morphème qui fonctionne dans le système de détermination nominale du bambara de façon analogue aux morphèmes couramment désignés comme « articles définis » dans la description des langues d'Europe. Son emploi ne coïncide pas de façon exacte avec celui de l'article du français, mais les significations impliquées sont du même type, et les différences d'emploi n'excèdent pas ce que l'on observe en comparant par exemple les articles de deux langues comme le français et l'anglais. On peut donc en bambara reconnaître un article qui a une manifestation purement tonale, et qui peut s'analyser comme un ton flottant bas postposé aux substantifs ou aux syntagmes nominaux.

Le lamba est une des nombreuses langues où il convient de reconnaître à la finale de certaines unités des tons flottants bas dont les manifestations sont identiques à ce qui vient d'être décrit pour le bambara. En lamba, les bases de l'inaccompli des verbes signifiant respectivement « tuer » et « balayer », lorsqu'elles apparaissent en fin de phrase, sont réalisées *~kɷ̂* et *~hásô̩*. La base de l'inaccompli du verbe signifiant « vendre » présente à sa finale, dans les mêmes conditions, un ton ponctuel haut : *ʋítɷ́*. Or en ajoutant un substantif en fonction d'objet, nous obtenons par exemple :

ìʋítɷ́ + límɷ́ → ìʋítɷ́ límɷ́ « elle vend des oranges »
ìkɷ̂ + jù → ìkɷ́ jù « il tue le crocodile »
ìhásɷ̂ + tírɷ́ → ìhásɷ́ 'tírɷ́ « elle balaie la pièce »

On peut donc poser que la tonalité sous-jacente de la base de l'inaccompli de « vendre » est ó ó, tandis que les bases de l'inaccompli de « tuer » et « balayer » ont respectivement pour tonalité sous-jacente ó ` et ó ó `, avec un ton flottant bas final qui se manifeste de la même façon que celui du bambara : devant pause, il se rattache à la syllabe à ton haut qui le précède (ce qui donne une modulation descendante), devant ton haut il laisse comme trace l'abaissement du registre haut, et devant ton bas il est simplement effacé.

TYPES CONSONANTIQUES ET TONS

Certains types consonantiques exercent intrinsèquement une action sur la hauteur de la voix. Dans les langues à tons il est fréquent que l'influence que les consonnes exercent ainsi sur la fréquence fondamentale des noyaux syllabiques, bien que détectable par les instruments de mesure, reste dans des limites qui ne lui permettent pas d'être perçue. Ainsi, des expériences sur le yoruba [3] ont montré

3. Voir J.M. Hombert, « Consonant types, vowel height and tone in Yoruba », *Studies in African Linguistics*, 8 (2), 1977, p. 173-190.

qu'une même voyelle à ton haut, moyen ou bas a les réalisations mélodiques suivantes selon qu'elle succède à *k* (schéma de gauche) ou à *g* (schéma de droite) :

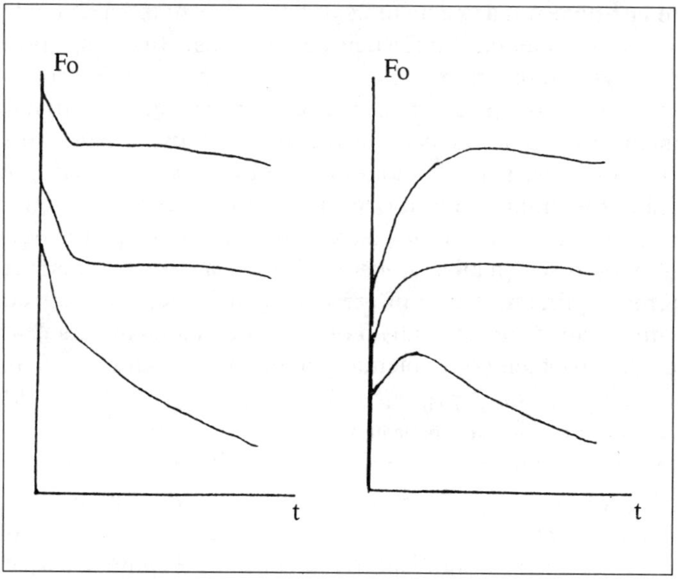

On voit que la fréquence fondamentale de la voyelle, fortement influencée au départ par la nature de la consonne (puisqu'une voyelle à ton haut succédant à *g* démarre à un niveau inférieur à celui d'une voyelle à ton bas succédant à *k*), varie ensuite pour atteindre très vite, indépendamment de la consonne précédente, le niveau caractéristique de chaque ton. Cette variation est suffisamment rapide pour que l'oreille ne perçoive aucune modulation, et, en définitive, la perception de la hauteur mélodique dans une telle langue est indépendante de l'influence des types consonantiques sur la hauteur de la voix.

Mais il peut arriver aussi que l'influence des types consonantiques sur la hauteur de la voix s'amplifie au point de dépasser le seuil de perception, chaque ton prenant alors selon le contexte consonantique deux réalisations perçues comme différentes.

En ce qui concerne l'influence éventuelle des consonnes sur le ton de la voyelle qui les précède, seules les laryngales *h* et *ʔ* exercent de manière évidente une telle influence (abaissement dans le cas de *h*, élévation dans le cas de *ʔ*) : pour plusieurs langues d'Asie orientale, il semble admis que des tons montants ont leur origine dans un **ʔ* post-vocalique, tandis que des tons descendants ont leur origine dans un **h* post-vocalique.

En ce qui concerne l'influence des consonnes sur le ton de la voyelle suivante, le cas le plus net et le mieux connu est celui des obstruantes de type banal, c'est-à-dire pour lesquelles l'activité du larynx se limite à produire la distinction entre voisées et non voisées. Comme l'illustre l'exemple yoruba ci-dessus, les obstruantes voisées exercent un effet d'abaissement, tandis que les obstruantes non voisées exercent un effet d'élévation. Les consonnes murmurées (souvent désignées comme « aspirées voisées ») exercent un effet d'abaissement particulièrement marqué sur la réalisation mélodique de la voyelle suivante ; c'est très net notamment en shona. Quant aux non-obstruantes, elles n'exercent intrinsèquement aucune influence sur le ton des voyelles qui leur succèdent. Il faut d'ailleurs souligner que la différence de comportement qu'on observe de ce point de vue entre les plosives *b, d* et les ingressives *ɓ, ɗ* est un argument essentiel pour inclure les ingressives dans l'ensemble des non-obstruantes.

Tout en respectant ces quelques principes, les langues où l'influence des types consonantiques sur les tons est manifeste disposent d'une certaine latitude quant aux règles précises selon lesquelles s'exerce cette influence.

Le cas le plus évident phonétiquement (car on peut y voir la simple amplification de l'effet intrinsèque des types consonantiques tel qu'il apparaît sur les schémas présentés ci-dessus) peut être illustré par le gbeya, langue à opposition tonale binaire dans laquelle le ton haut et le ton bas ont en syllabe initiale les réalisations contextuelles suivantes :

— après une obstruante voisée, le ton haut est représenté par une modulation montante (c'est-à-dire que l'effet d'abaissement à la jonction du segment consonantique et du segment vocalique dure suffisamment pour que le niveau de départ de ce qui est phonologiquement un ton haut soit perçu comme moins haut que son niveau d'arrivée) ;

— après une obstruante non voisée, le ton bas est représenté par une modulation descendante (c'est-à-dire que l'effet d'élévation à la jonction du segment consonantique et du segment vocalique dure suffisamment pour que le niveau de départ de ce qui est phonologiquement un ton bas soit perçu comme moins bas que son niveau d'arrivée).

Dans d'autres cas, l'influence des consonnes en position d'attaque syllabique se manifeste par une modification de la hauteur à laquelle sont réalisés des tons qui restent perçus comme ponctuels. Par exemple en gouro, on peut percevoir (au moins) trois hauteurs distinctes, mais selon la consonne en position d'attaque syllabique, le ton donne toujours lieu à un choix binaire : après une obstruante non voisée ou une non-obstruante on ne peut avoir qu'un registre haut ou un registre moyen, tandis qu'après une obstruante voisée on ne peut avoir qu'un registre moyen ou un registre bas. Autrement dit en gouro, un registre moyen s'oppose selon les cas, ou bien à un registre supérieur, ou bien à un registre inférieur, mais jamais aux deux à la fois. Donc en termes d'oppositions, le gouro oppose seulement un ton haut à un ton bas, et, phonologiquement, les réalisations moyennes du gouro doivent être considérées comme représentant un ton haut si elles succèdent à une obstruante voisée, un ton bas si elles succèdent à une obstruante non voisée ou à une non-obstruante.

Mais l'influence des types consonantiques se manifeste surtout dans le conditionnement de processus de propagation tonale.[4]

Les obstruantes voisées bloquent souvent la propagation du ton haut, comme dans l'exemple zoulou suivant :

àɓájí'bónì « ils ne le voient pas » (objet de classe 9)
àɓázì bónì « ils ne les voient pas » (objet de classe 10)

Ces deux formes ont la même structure tonale, mais, dans la première, l'initiale *j* de l'indice d'objet *-jì-*, qui est une non-obstruante, a autorisé la propagation du ton haut de la syllabe précédente ; le ton bas de cet indice d'objet est ainsi devenu flottant, pour laisser finalement comme trace un abaissement du registre haut. Par contre dans *àɓázì bónì*, l'initiale *z* de l'indice d'objet *-zì-*, qui est une obstruante voisée, a bloqué la propagation progressive du ton haut.

De manière symétrique, Schuh cite des cas où les obstruantes non voisées bloquent une propagation du ton bas qu'autorisent les autres types consonantiques.

4. Voir R.G. Schuh, « Tone rules », *Tone, a Linguistic Survey*, edited by V.A. Fromkin, Academic Press, Inc., Londres & New-York, 1978, p. 221-256.

Les langues du groupe gbe (ewe, etc.) fournissent un matériau particulièrement riche pour l'étude de l'influence des types consonantiques sur les tons. En particulier, les langues de ce groupe opposent généralement un ton haut et un ton qu'on peut désigner comme non haut, qui se réalise phonétiquement comme moyen ou bas selon des règles dont le conditionnement fait largement intervenir la nature des consonnes en position d'attaque syllabique.

TONS PONCTUELS ET TONS MODULÉS

On signale, en Asie du sud-est, des langues dont les oppositions tonales mettent en jeu uniquement des différences de contour mélodique dans les limites de la syllabe. Ces langues opposent des syllabes à ton uni, montant, descendant, etc., sans prendre en considération la hauteur à laquelle se réalisent ces mélodies.

Aucun système de ce type n'a été signalé en domaine négro-africain. Dans toutes les langues négro-africaines dont le système tonal est connu, on relève une opposition de hauteur relative entre au moins deux tons ponctuels (c'est-à-dire pour lesquels l'oreille humaine ne perçoit aucune variation de hauteur dans les limites de la syllabe). Et d'éventuels ton modulés peuvent toujours s'analyser comme représentant deux tons ponctuels successifs (éventuellement trois, pour les tons doublement modulés) associés à une seule syllabe. Ainsi, dans une langue ayant trois hauteurs tonales distinctives, on peut avoir à distinguer jusqu'à six modulations simples : ton descendant de haut à bas (ô), de haut à moyen (ó¯), de moyen à bas (ṑ), ton montant de bas à haut (ǒ), de bas à moyen (ò¯), de moyen a haut (ṓ); par contre dans une langue à deux hauteurs tonales, seules deux modulations simples sont possibles : ton descendant (ô) et ton montant (ǒ).

Il importe toutefois de souligner qu'une telle analyse est incompatible avec une phonologie strictement linéaire où les tons sont inclus parmi les traits distinctifs qui définissent chaque segment phonématique : dans une phonologie linéaire parfaitement orthodoxe, il est tout simplement impossible de décomposer en deux unités *successives* une modulation tonale associée à une voyelle brève – et pour être tout à fait cohérent, il faudrait s'interdire des conventions de transcription qui suggèrent de considérer les tons modulés comme des unités tonologiques complexes résultant de la concaténation d'unités tonologiques élémentaires. Mais de toute évidence, cette position est difficilement tenable. Outre les données phonétiques, toutes les observations que l'on peut faire sur les propriétés combinatoires des tons modulés vont dans le sens d'une décomposition. Du point de vue combinatoire, un ton modulé descendant dans une langue à deux registres opposables tend à se comporter comme un ton haut relativement à ce qui le précède, et comme un ton bas relativement à ce qui lui succède, et c'est l'inverse pour un ton modulé montant.

Si on admet l'autonomie des unités tonologiques relativement aux segments phonématiques, il n'y a par contre aucun problème à poser comme principe général que les seules unités tonologiques élémentaires sont les tons ponctuels, et que les tons modulés sont des unités complexes analysables comme séquences de tons élémentaires associés à une syllabe unique. Simplement, l'existence de modulations tonales dans une langue doit conduire à poser le problème de la nature exacte de l'unité porteuse de ton.

Dans les langues qui ignorent toute modulation tonale, on peut se contenter de poser que l'unité porteuse de ton est le noyau syllabique, ce qui veut dire que dans une forme phonologique de surface bien formée, tout noyau syllabique doit être associé à un ton et à un seul. Dans les langues admettant des modulations tonales, il peut arriver qu'on doive se contenter de poser qu'un noyau syllabique accepte d'être associé à deux ou même trois tons successifs. Mais souvent, il existe une relation entre la possibilité d'occurrence de tons modulés et la structure des rimes syllabiques qui demande d'approfondir l'analyse.

Cette question ayant déjà été examinée dans le chapitre « Structures syllabiques », on se contentera ici de résumer l'essentiel. Dans les langues qui ont des rimes lourdes de structure segmentale variée (voyelle longue, voyelle suivie de semi-voyelle, semi-voyelle suivie de voyelle, voyelle suivie de consonne), il arrive que les syllabes à rime lourde admettent, *quel que soit le contenu segmental précis de la rime*, des modulations tonales, tandis que les syllabes à rime légère n'admettent jamais de modulation. Ceci suggère d'abandonner pour de telles langues la décomposition des rimes syllabiques en noyau et coda, et de considérer comme unités porteuses de ton les positions squelettales dominées par un nœud Rime (ou mores), indépendamment de la nature des segments qui peuvent leur être associés : en posant que chaque position squelettale dominée par un nœud Rime doit être associée à un ton et un seul, on rend compte du fait que les tons modulés sont impossibles dans les syllabes légères et sont par contre possibles dans les syllabes lourdes quel que soit leur contenu segmental.

Mais la définition précise de l'unité porteuse de ton n'est pas le seul problème que soulève l'existence de modulations tonales. Dans une langue qui admet des modulations tonales, c'est-à-dire qui admet d'une manière ou d'une autre qu'une syllabe puisse se trouver associée à plus d'un ton simple, il n'est pas exclu d'avoir à poser des formes structurelles où certaines syllabes sont données d'emblée comme associées à plus d'un ton simple. Mais très souvent, l'analyse morphophonologique permet de traiter les tons modulés comme le résultat de processus opérant à partir de formes structurelles où les syllabes associées à des tons complexes sont, sinon tout à fait inexistantes, en tout cas bien moins nombreuses que dans les formes de surface qui les représentent.

Dans les paragraphes suivants, nous allons examiner quelques problèmes d'analyse concernant les tons modulés.

VRAIES ET FAUSSES MODULATIONS TONALES

Dans certaines langues, il peut arriver qu'aucune consonne en fonction d'attaque ne sépare deux voyelles qui constituent les noyaux de deux syllabes successives ; si en outre ces deux voyelles sont identiques et se trouvent associées à des tons de valeur opposée, il est possible en débit rapide de percevoir quelque chose qui ressemble à une voyelle longue porteuse de modulation tonale. Ainsi en tswana, une forme verbale quadrisyllabique comme *χàálìmí* « ils ne cultivent pas (les garçons) », si elle est prononcée rapidement, peut donner l'impression d'une forme trisyllabique avec une première syllabe à ton modulé. Mais le simple fait qu'on puisse avoir en tswana des formes telles que *χàáàáàáχɛ́là* « ils ne les leur ont pas construites (les garçons, les maisons, pour les Européens) »[5] montre

5. La structure morphologique de ce mot peut être rendue apparente en le comparant par exemple avec *χàkíàíàɔ́pɛ́lɛ́là* « je ne la leur ai pas chantée (la chanson, aux Européens) » ; on peut voir ainsi que le premier *a* fait partie du préfixe négatif *χà-*, le deuxième *a* représente l'indice de sujet, le troisième représente un formatif caractéristique du parfait négatif, le quatrième représente l'indice d'objet de classe 6, ainsi que le cinquième, tandis que le sixième constitue la première syllabe de la base verbale.

qu'il convient de raisonner en termes de syllabes successives à attaque vide, et non pas en termes de voyelles longues associées à des modulations tonales. D'ailleurs, si la confusion est possible en débit rapide, en débit ralenti, par contre, une séquence immédiate de deux noyaux syllabiques segmentalement identiques et associés à des tons de valeur opposée est perçue comme différente d'une voyelle longue à ton modulé : plus le débit se ralentit, plus les locuteurs ont tendance à concrétiser la limite entre les deux syllabes, par exemple en introduisant une occlusion glottale. Ceci ne se produit jamais avec de véritables voyelles longues ; le linguiste peut éventuellement décomposer des voyelles longues dans une analyse morphologique, mais au niveau phonétique aucun ralentissement du débit ne peut conduire les locuteurs de la langue à couper en deux une véritable voyelle longue.

Il n'est pas rare que de fausses modulations tonales, à reconnaître en réalité comme séquences de tons ponctuels associées à deux noyaux syllabiques successifs, apparaissent comme conséquence de processus d'affixation. L'analyse correcte peut ne pas être évidente lorsque, comme c'est parfois le cas, l'affixe en question a pour signifiant segmental une voyelle structurellement non spécifiée, systématiquement représentée par une copie de la voyelle à laquelle elle succède.

Par exemple en yoruba, les formes verbales suivantes se terminent par un indice d'objet délocutif singulier qui segmentalement est constitué d'une copie de la voyelle du lexème verbal, et qui tonalement porte un ton haut après un lexème à ton moyen ou à ton bas, et un ton moyen après un lexème à ton haut (ce qui a pour effet que le ton de cet indice d'objet contraste toujours avec celui du lexème verbal) :

kpè-é « appelle-le »
ó-kpā-á « il l'a tué »
mō-rí-ī « je l'ai vu »

EXPLICATIONS PHONOLOGIQUES ET EXPLICATIONS MORPHOLOGIQUES DANS L'ANALYSE DES TONS MODULÉS

Le zarma illustre le cas de voyelles à ton modulé qui demandent une analyse morphologique. Par exemple, *háŋsǒ:* « le chien » est une forme dissyllabique résultant de l'adjonction de l'article *ó* à un lexème qui apparaît par ailleurs comme *háŋsì* : l'article s'amalgame à la syllabe finale (légère) du substantif pour constituer une unique syllabe lourde dont les deux mores restent associées respectivement au ton bas qui appartient structurellement à la deuxième syllabe du lexème et au ton haut de l'article ; au niveau segmental, en liaison avec le fait que la séquence vocalique *io* ne saurait en zarma constituer la rime d'une syllabe lourde, le *i* final du lexème perd son association à une position squelettale, et le *o* étend son association à la position ainsi libérée :

```
     H      B      H           H       B  H
    / \     |      |          / \      |  |
<  o   o <  o  +   o   →   <  o   o <  o  o
|  |   | |  |      |       |  |   | |   \_|
h  a   ŋ s  i      o       h  a   ŋ s  i  o
```

Du point de vue diachronique, il y a probablement une relation entre des modulations tonales se prêtant à une telle analyse et des fausses modulations du type illustré au paragraphe précédent par le yoruba. En effet, à partir d'une situation du type illustré ci-dessus par le yoruba, les structures syllabiques de la langue peuvent évoluer de façon à ce que la séquence dissyllabique CV.V laisse la place à une syllabe CV: à ton modulé dont la deuxième more reste isolable comme un morphème. Si l'évolution, tout en maintenant le contour tonal de départ, va jusqu'à substituer à la séquence originelle CV.V une syllabe unique non analysable en deux mores successives, on aura une modulation qu'il faudra envisager d'expliquer comme le résultat du rattachement d'un ton flottant représentant à lui seul un morphème. C'est ainsi qu'en bambara, langue où il n'y a pas lieu de distinguer entre syllabes à une more et syllabes à deux mores, nous avons déjà rencontré (en liaison avec l'analyse du downstep) des modulations finales explicables par le rattachement d'un ton flottant qui a grammaticalement le statut d'article. Or la comparaison dialectale suggère de voir là le résultat d'une évolution par laquelle un morphème dont la forme originelle était probablement *ò[6] a perdu en bambara sa substance segmentale, qui est par contre maintenue dans plusieurs groupes de parlers madingues péri-

6. Jusqu'à preuve du contraire, il convient de considérer comme une coïncidence accidentelle l'identité de forme segmentale entre l'article mandingue et l'article zarma. Plus généralement, en dépit d'un certain nombre de concordances, il n'y a pas lieu de penser que les parlers songhay (dont fait partie le zarma) et les langues mandé (dont fait partie le mandingue) aient une parenté proche.

phériques géographiquement éloignés les uns des autres [7]. Par exemple en bambara, la forme substantivale définie « l'âne » se réalise devant pause *fàlî*, qui se décompose comme *fàlí* + ton flottant bas ; or en mandinka, cette forme apparaît comme *fàlô:*, qui se décompose comme *fàlí* + *ò*.

Les modulations tonales ont donc souvent, en liaison avec de tels processus diachroniques, une explication morphologique. Mais il peut arriver aussi que des modulations soient à expliquer phonologiquement. En particulier, la propagation progressive du ton haut dans une séquence ó ò peut aboutir au remplacement pur et simple du ton bas par un ton haut, mais il est possible aussi que la copie du ton haut sur la deuxième syllabe (ou si on préfère, l'extension de l'association du ton haut à la deuxième syllabe) laisse intacte l'association de cette deuxième syllabe à un ton bas, ce qui aboutit à une modulation descendante : ó ò → ó ô.

De manière symétrique, dans une séquence ò ó, la propagation progressive du ton bas peut aboutir, si l'association de la deuxième syllabe à un ton haut est maintenue, à une modulation montante : ò ó → ò ǒ.

Le yoruba, langue à trois registres tonals opposables, illustre ces deux processus. Dans les unités de cette langue, on ne rencontre jamais phonétiquement de séquence ó ò ou ò ó, et la combinatoire des unités montre que lorsque de telles séquences se forment, elles subissent automatiquement les règles formulées ci-dessus. On peut illustrer ceci par la combinaison de lexèmes verbaux monosyllabiques à ton haut, moyen ou bas avec des préfixes de ton varié ; les cas où l'une des règles ci-dessus opère sont soulignés :

mō-ɟó	*mō-lɔ̄*	*mō-mɔ̃̀*
« j'ai dansé »	« je suis parti »	« je sais »
ó-ɟó	*ó-lɔ̄*	*ó-mɔ̃̂*
« il a dansé »	« il est parti »	« il sait »
ŋ̄-kò-ɟǒ	*ŋ̄-kò-lɔ̄*	*ŋ̄-kò-mɔ̃̀*
« je n'ai pas dansé »	« je ne suis pas parti »	« je ne sais pas »

7. Dans la perspective d'hypothèses historiques, cette remarque est importante, car lorsqu'on observe dans un domaine dialectal une concordance entre parlers périphériques éloignés les uns des autres, l'hypothèse de la rétention d'un élément archaïque est plus probable que l'hypothèse d'une innovation qui aurait connu plusieurs foyers de développement indépendants les uns des autres.

En yoruba, les règles de propagation tonale responsables de l'apparition de modulations fonctionnent sans aucune restriction. Dans d'autres langues, l'application de règles semblables est soumise à des conditions sur la nature de la consonne en fonction d'attaque dans la deuxième syllabe. Et à côté de langues où de telles règles opèrent avec un conditionnement purement phonologique, il y en a où leur mise en œuvre dépend de la nature grammaticale de la limite entre les deux syllabes.

Ainsi en mina, la plupart des lexèmes substantivaux élémentaires sont de forme V_1CV_2, avec la voyelle V_1 associée à un ton bas. La voyelle V_2 peut présenter un ton bas, modulé montant ou haut, avec la distribution suivante :

— si la consonne C est une obstruante non voisée ou une non-obstruante, on peut avoir seulement un ton ponctuel bas (*èkɔ̀* « cou », *àsì* « marché », *àlɔ̀* « main », *èmɔ̃̀* « machine ») ou un ton ponctuel haut (*èkɔ́* « sable », *àsí* « main », *àlɔ́* « joue », *èmɔ̃́* « chemin ») ;

— si la consonne C est une obstruante voisée, on peut avoir seulement un ton ponctuel bas (*ègà* « fer », *àzĩ̀* « œuf ») ou un ton modulé montant (*ègǎ* « chef », *àzĩ̌* «arachide)».

Il y a donc *dans les limites de ce type d'unité* distribution complémentaire entre le ton haut et le ton modulé montant, ce qui permet de considérer que les syllabes réalisées avec une modulation montante ont structurellement un ton haut. Mais par ailleurs, les lexèmes verbaux du mina, qui sont généralement de forme CV, présentent des tons simples (haut ou bas) indépendamment de la nature de leur consonne initiale, et d'un point de vue général, une séquence ò ó avec une obstruante voisée en position médiane est parfaitement possible en mina. On a donc ici à poser une règle qui tienne compte, non seulement de la consonne en position d'attaque dans la syllabe à ton modulé, mais aussi du fait qu'elle est précédée d'une syllabe à ton bas faisant partie du même lexème substantival : dans un lexème substantival de structure ò ó, à condition que la deuxième syllabe commence par une obstruante voisée, le ton bas se propage à la deuxième syllabe et se combine au ton haut structurel de cette syllabe pour donner un ton modulé montant.

Il arrive aussi que la nature des consonnes en fonction d'attaque syllabique n'intervienne pas seulement pour autoriser ou bloquer un processus de propagation débouchant sur la création de modulations tonales : nous avons déjà vu avec le gbeya un cas de langue où à elle seule, la consonne en position d'attaque syllabique peut déterminer une réalisation montante du ton haut ou une réalisation descendante du ton bas; des faits analogues sont signalés dans des parlers du groupe gbe.

Pour terminer ce paragraphe consacré à l'analyse des modulations tonales, il faut rappeler que des modulations non pertinentes peuvent apparaître automatiquement, non seulement du fait de l'influence exercée par les consonnes (gbeya) ou par le ton de la syllabe précédente (yoruba), mais aussi du fait de processus conditionnés par la présence d'une pause : ce cas de figure a déjà été illustré par le tswana.

ABAISSEMENT DE L'ÉLÉMENT INITIAL HAUT D'UN TON COMPLEXE HAUT-BAS SOUS L'INFLUENCE D'UN TON BAS FLOTTANT

Dans une langue à deux registres opposables, nous avons vu que des phénomènes morphologiques peuvent introduire une distinction pertinente entre ton haut et ton haut abaissé. La modulation descendante n'étant rien d'autre qu'une séquence haut-bas associée à une syllabe unique, on peut s'attendre à avoir de manière analogue des phénomènes d'abaissement du niveau de départ des modulations descendantes phonétiquement non prédictibles mais morphologiquement explicables.

C'est ce qu'on peut observer en zarma en comparant *hámnôː* « ce cheveu » et *háŋ'sôː* « ce chien », formes dans lesquelles les lexèmes substantivaux *hámní* « cheveu » et *háŋsì* « chien » sont combinés au déterminant déictique *ôː*. Le zarma n'admettant pas les rimes syllabiques composées de trois mores, l'adjonction de ce déterminant implique une réduction syllabique. Comme l'unité porteuse de ton est en zarma la more, lorsque les trois mores sous-jacentes sont structurellement associées à une séquence bas-haut-bas, il n'est pas possible que les trois tons restent associés. C'est ce qui explique que le premier ton bas reste flottant et laisse finalement une trace sous forme d'abaissement du niveau de départ de la modulation descendante :

```
    H       B    H  B          H       B  H  B
   / \      |    |  |         / \         |  |
<  o  o  <  o  + o  o  →  <  o  o  <      o  o
|  |  |  |  |     \ /     |  |  |  |       \ /
h  a  ŋ  s  i      o      h  a  ŋ  s        o
```

RÉHAUSSEMENT DU PREMIER ÉLÉMENT D'UN TON COMPLEXE HAUT-BAS

Nous savons que, dans certaines langues, le ton haut est automatiquement réhaussé lorsqu'il est immédiatement suivi d'un ton bas. Un tel processus ayant pour cadre une séquence haut-bas constituant un ton complexe peut expliquer notamment l'apparition d'un registre « supra-haut » en attié, langue qui est fondamentalement une langue à trois registres opposables (bas, moyen et haut). En effet, dans les limites des unités significatives élémentaires, on ne relève en attié aucun ton complexe reconnaissable phonétiquement comme haut-bas ou haut-moyen. Mais cette langue a deux tons modulés dont le registre de départ est « supra-haut » et dont le niveau d'arrivée est moyen dans un cas, bas dans l'autre, et par ailleurs, une réalisation ponctuelle à un registre supra-haut n'apparaît que dans des contextes où on peut l'expliquer par la perte du deuxième élément d'un de ces deux tons complexes.

Il convient donc en attié d'identifier phonologiquement la modulation de supra-haut à moyen comme un ton complexe haut-moyen, et la modulation de supra-haut à bas comme un ton complexe haut-bas, en posant une règle qui convertit en supra-haut tout ton haut immédiatement suivi d'un ton moyen ou d'un ton bas associé à la même syllabe. Le seul point délicat est de faire en sorte que la règle qui crée le registre supra-haut opère avant les règles qui font apparaître des tons modulés du fait de certaines rencontres de morphèmes, car dans un tel cas la modulation de haut à bas est phonétiquement possible.

RÉDUCTION DES TONS COMPLEXES ET PROPAGATION TONALE

Le fait qu'une même unité présente selon les contextes un ton ponctuel ou un ton modulé est parfois à expliquer comme la réduction d'un ton complexe du fait de règles de propagation tonale. C'est notamment le cas en dialonké de Faléya. Dans ce parler, qui distingue des syllabes à rime légère et des syllabes à rime lourde, seules les syllabes à rime lourde peuvent présenter une modulation tonale, et la seule modulation attestée est la modulation montante.

Les deux couples de phrases suivants illustrent une alternance entre modulation montante et ton bas :

ǒŋ sùbɛ́ː sàráqì	*òŋ ɟɛ́qɛ́ː sàráqì*
« nous avons acheté de la viande »	« nous avons acheté du poisson »
à bǔːqì	*à bùːqíndè*
« il est resté longtemps »	« il est resté vraiment longtemps »

Une explication possible est que les syllabes soulignées sont structurellement associées à une séquence bas-haut et que les deux mores qui constituent une syllabe lourde peuvent être le lieu d'un processus de propagation progressive du ton bas qui se produit à condition que la more susceptible de subir la propagation du ton bas ne soit pas immédiatement suivie d'une autre more à ton bas :

```
    B  H          B
    |  |         / \
<   o  o  →  <   o  o
|    \ /     |    \ /
b     u      b     u
```

(à condition qu'il n'y ait pas, immédiatement après, une more associée à un ton bas)

Examinons maintenant ce qui se passe lorsqu'une unité à ton haut et une unité à ton bas fusionnent en une syllabe unique, qu'on pourrait donc a priori s'attendre à voir porter une modulation descendante. Par exemple, *í* « toi » et *à* « lui » se succédant immédiatement peuvent fusionner en une syllabe qui est segmentalement *ɛː*, et qui tonalement présente les réalisations suivantes :

í à sàráqì → ɛ́ː sàráqì « tu l'as acheté »
í à gáríŋqì → ɛ́ː ꜜgáríŋqì « tu l'as frappé »

Ici encore, on peut reconnaître un processus de propagation tonale progressive ayant pour cadre les deux mores qui constituent une syllabe lourde, avec toutefois une petite différence par rapport au cas précédent : le ton haut associé à la première more étend son association à la deuxième indépendamment du contexte, et le ton bas devient flottant :

```
H  B         H    B
|  |        / \
o  o   →   o   o
|  |        \ /
i  a         ε
```

Ensuite le ton bas devenu flottant, s'il précède immédiatement une more associée à un ton haut, laissera une trace sous forme d'abaissement du registre haut (*ɛ́ː ꜜgáríŋqì*), et sinon il disparaîtra sans laisser de trace (*ɛ́ː sàráqì*).

Enfin, le couple de phrases suivant montre ce qui se passe en dialonké lorsqu'une syllabe susceptible de présenter une modulation montante succède à un ton haut :

à bǔːqì « il est resté longtemps »
í ꜜbúːqì « tu es resté longtemps »

Dans la deuxième phrase nous observons une réalisation ponctuelle qui encore une fois s'explique par une propagation tonale ayant pour cadre les deux mores constitutives d'une rime syllabique lourde, mais il s'agit maintenant d'une propagation régressive du ton haut : lorsqu'une syllabe lourde associée à une séquence tonale bas-haut est à la fois immédiatement précédée d'une more à ton haut et immédiatement suivie d'une more à ton bas, le ton haut associé à la deuxième more de cette syllabe lourde étend son association à la première, dont le ton bas devient flottant :

```
H       B  H       B           H B        H         B
|       |  |       |           |         / \        |
o   <   o  o   <   o     →     o    <   o   o   <   o
|   |    \ /   |   |           |    |    \ /    |   |
i   b     u    q   i           i    b     u     q   i
```

à la suite de quoi, conformément à la règle générale, le ton bas devenu flottant laissera une trace sous forme d'abaissement du registre haut.

Des alternances entre tons modulés et tons ponctuels avec une distribution des variantes identique ou semblable à celle observée en dialonké se rencontrent aussi dans des langues où il n'y a pas lieu de distinguer entre syllabes à une more et syllabes à deux mores. C'est notamment le cas de beaucoup de parlers mandingues. Dans de tels cas, le traitement esquissé ci-dessus pour le dialonké ne peut, bien sûr, pas être repris tel quel, mais le recours à des tons flottants permet des solutions qui n'en sont pas très éloignées.

En particulier, si une alternance entre modulation montante et tons ponctuels analogue à celle du dialonké s'observe dans une langue qui ne distingue pas entre syllabes à une more et syllabes à deux mores, on a a priori le choix entre au moins deux traitements possibles :

— ou bien on pose une forme structurelle ò ´ en faisant en sorte que les règles de réalisation, d'abord effacent le ton flottant dans les contextes où s'observe une réalisation ponctuelle basse, ensuite rattachent le ton haut tout en rendant le ton bas flottant dans les contextes où s'observe une réalisation ponctuelle au niveau haut-abaissé, enfin rattachent le ton haut sans toucher au ton bas dans les contextes où s'observe une modulation montante;

— ou bien on pose une forme structurelle ` ó en faisant en sorte que les règles de réalisation, d'abord substituent le ton flottant bas au ton haut dans les contextes où s'observe une réalisation ponctuelle basse, ensuite rattachent le ton bas sans toucher au ton haut dans les contextes où s'observe une modulation montante.

Dans la première édition de cet *Aperçu*, c'est la solution d'une forme structurelle ò ´ que j'avais préconisée pour les parlers mandingues où une telle alternance se produit. L'hypothèse selon laquelle le ton bas est dans ces parlers le terme marqué de l'opposition tonale remet ceci en question, et il me semble maintenant préférable d'opter pour une variante de l'autre solution; ce point sera repris au chapitre suivant.

LA COMPLEXIFICATION DES SYSTÈMES TONALS PAR ACQUISITION DE DISTINCTIONS SUPPLÉMENTAIRES DE HAUTEUR

En dehors du cas très spécial de l'apparition de distinctions tonales dans des pidgins se constituant à partir d'une langue non tonale dans un environnement où toutes les autres langues en contact sont des langues à ton, il semble difficile de tirer de l'observation des langues africaines des indications sur les processus pouvant mener à l'émergence d'oppositions tonales dans une langue qui en est au départ dépourvue. Ceci ne tient pas seulement à la difficulté à reconstituer l'histoire de langues dont les états anciens ne sont pratiquement pas attestés et qui souvent restent encore très mal connues dans leur état actuel. Il faut tenir compte aussi du fait qu'en domaine négro-africain, les langues qui n'ont pas de système tonal (en donnant à ce terme un sens relativement large) sont véritablement exceptionnelles, ce qui laisse penser que, là où des langues tonales coexistent avec des langues dépourvues de système tonal, on a affaire à la perte relativement récente de systèmes tonals plutôt qu'au maintien d'un état ancien où aucun système tonal n'avait encore émergé.

Par contre, il arrive que la comparaison entre langues apparentées suggère des hypothèses sur la façon dont un système tonal déjà constitué peut acquérir des distinctions supplémentaires de hauteur.

Des études portant sur les langues d'Asie orientale ont montré qu'une différence de hauteur ou de mélodie conditionnée au départ par l'influence de deux séries différentes de consonnes peut acquérir un statut oppositionnel du fait de la confusion entre ces deux séries de consonnes. L'influence des types consonantiques sur les réalisations tonales est sensible dans bon nombre de langues négro-africaines, ce qui suggère la possibilité de telles évolutions. Mais les groupes de langues où sont attestés des systèmes particulièrement riches en distinctions de hauteur ou de mélodie sont parmi les moins bien connus du point de vue historique, et c'est peut-être la raison pour laquelle il est difficile d'aller au-delà de cette affirmation de principe. On peut surtout trouver dans les langues négro-africaines des témoignages de la façon dont un ton moyen peut se constituer par la phonologisation de réalisations du ton haut ou du ton bas initialement conditionnées par la place du ton en question dans une certaine configuration tonale.

Par exemple, les langues sara ont synchroniquement trois registres opposables, mais le classement des lexèmes en types tonals révèle une forte prédominance statistique de certains types, et la nature des schèmes statistiquement prédominants suggère une explication historique. Ainsi en bédjonde, parmi les neuf types tonals de dissyllabes qu'on peut imaginer en combinant de toutes les façons possibles haut, moyen et bas, quatre seulement sont attestés par un nombre appréciable de lexèmes :
— deux types isotones : ò ò et ō ō ;
— un type ascendant : ò ō ;
— un type descendant : ó ō.

Si on n'avait pas là une simple prédominance statistique et que ces quatre types soient véritablement les seuls possibles, on pourrait faire l'hypothèse d'un système tonal binaire, ō ō, ò ō et ó ō représentant respectivement ó ó, ò ó et ó ò. Autrement dit, on aurait deux unités tonologiques seulement, haut et bas, soumises aux règles suivantes, dont il est par ailleurs intéressant de noter qu'il n'est pas rare qu'on soit amené à les poser dans la description synchronique de langues tonales :
— haut est représenté par moyen chaque fois qu'il n'est pas immédiatement suivi d'un bas appartenant à la même unité ;

— bas est représenté par moyen à condition d'être immédiatement précédé d'un haut appartenant à la même unité.

Du fait que d'autres types tonals existent (même s'ils sont statistiquement rares), il est difficile de retenir cette interprétation dans une description synchronique du bédjonde (encore qu'elle permettrait de simplifier certaines règles tonales dont la formulation dans le cadre de l'hypothèse d'un système à trois tons est fort peu satisfaisante), mais on peut au moins la retenir comme hypothèse de reconstruction : des faits analogues s'observent en effet dans les autres langues sara, ce qui suggère que les types tonals rares actuellement attestés dans ces langues constituent des innovations ; l'ancêtre des langues sara avait vraisemblablement un système tonal binaire, et ces langues ont dû phonologiser des réalisations initialement conditionnées par les tons voisins (en particulier, une réalisation réhaussée du ton haut immédiatement suivi d'un ton bas).

Une hypothèse concernant l'émergence de systèmes à trois registres opposables dans les langues mandé sud-ouest a été proposée par D. Dwyer, qui propose d'expliquer le ton moyen en partant d'une situation où le ton bas précédant immédiatement un ton haut est automatiquement réhaussé, des évolutions ultérieures conduisant à phonologiser ce qui est au départ la variante réhaussée du ton bas.[8] Dans une étude encore inédite, ce même auteur s'est intéressé à l'origine du système à trois registres opposables d'une autre langue mandé, le bobo, et il propose cette fois une hypothèse dont il est intéressant de noter qu'elle est analogue à celle évoquée ci-dessus à propos des langues sara : le ton haut d'un ancien système tonal binaire aurait abouti en bobo au ton haut ou au ton moyen selon qu'il était ou non suivi à l'origine d'un ton bas.

Mais il y a encore d'autres scénarios possibles. En particulier, la réduction de modulations tonales à des réalisations ponctuelles peut déboucher sur une augmentation du nombre de registres opposables. Le baoulé en apporte la preuve. Cette langue pourrait être considérée sans problème comme langue à opposition tonale binaire avec comme seule complexification la possibilité d'associer des séquences bas-haut ou haut-bas à une syllabe unique, si ce n'était l'existence d'un petit nombre de lexèmes monosyllabiques à ton moyen : *blā* « femme », *trō* « sauce » ; en effet, il est impossible de

8. Voir D.J. Dwyer, *The Comparative Tonology of Southwestern Mande Nominals*, Ph.D., Michigan State University, 1973.

dégager, au niveau de la structure syllabique ou de la nature de la consonne initiale, une quelconque complémentarité de distribution entre le ton moyen et une autre réalisation tonale (ponctuelle ou modulée). On peut toutefois remarquer que les monosyllabes à ton moyen du baoulé ont une forme segmentale C_1C_2V, ce qui est un indice qu'ils puissent provenir de la contraction d'unités dissyllabiques. Or l'étude de leurs propriétés combinatoires révèle que, par rapport à ce qui les précède, ils ont les mêmes propriétés que des monosyllabes à ton bas, tandis que par rapport à ce qui leur succède, ils ont les mêmes propriétés que des monosyllabes à ton haut-bas. Ceci autorise à exclure le ton moyen des unités tonologiques de base de cette langue, en considérant qu'il représente une séquence bas-haut-bas associée à une syllabe unique. Mais une simplification des règles de combinatoire tonale suffirait à faire passer à une situation où il n'y aurait aucune raison de ne pas mettre le ton moyen du baoulé sur le même plan que le ton haut et le ton bas.

Du point de vue historique, la comparaison avec l'agni (langue très proche du baoulé) confirme que le ton moyen de ces monosyllabes est effectivement issu d'une séquence bas-haut-bas. En effet, aux termes baoulé *blā* « femme », *trō* « sauce » correspondent respectivement en agni *bàlâ* et *tòlô*.

LA COMPLEXIFICATION DES SYSTÈMES TONALS PAR ACCROISSEMENT DE LA VARIÉTÉ DES TYPES TONALS D'UNITÉS

La complexité d'un système tonal ne se mesure pas seulement au nombre de hauteurs tonales opposables, mais aussi au rapport entre le nombre de types tonals d'unités et le nombre de syllabes des unités. Donc, outre l'apparition de distinctions supplémentaires de hauteur, la notion de complexification d'un système tonal englobe l'accroissement de la variété des types tonals d'unités.

Les évolutions des structures syllabiques semblent constituer une cause majeure de ce type de changement. En particulier, dans une langue qui distingue plusieurs types de rimes syllabiques, les séquences tonales possibles pour une unité comportant un nombre donné de syllabes peuvent être en partie au moins conditionnées par sa structure syllabique. A partir de là, si des types de rimes syllabiques au départ distincts arrivent à se confondre, ou si la structure syllabique subit des processus de réduction, des différences de schème tonal initialement prédictibles peuvent cesser de l'être, ce qui signifie un accroissement de la variété des types tonals d'unité.

Par exemple en malinké de Kita, les lexèmes substantivaux dissyllabiques présentant à l'indéfini un contour global bas ou bas-haut se répartissent en deux types phonologiquement distincts, et les lexèmes substantivaux trisyllabiques présentant à l'indéfini un contour global bas-haut se répartissent en trois types phonologiquement distincts. Ces types peuvent se définir de la façon suivante :
(1) contour ò ó avec une variante ò ò dans certains contextes à l'indéfini, contour ò ô au défini : *màlû* « la honte » (forme indéfinie : *màlú ~ màlù*) ;
(2) contour ò ó à l'indéfini y compris dans les contextes où le type précédent présente le contour ò ò, contour ò ô au défini : *màlû* « le riz » (forme indéfinie : *màlú*) ;
(3) contour ò ò ó à l'indéfini, contour ò ò ô au défini : *sàmàdâ* « la chaussure » (forme indéfinie : *sàmàdá*) ;
(4) contour ò ò ó à l'indéfini, contour ò ó ò au défini : *tùbábù* « l'Européen » (forme indéfinie : *tùbàbú*) ;
(5) contour ò ó ó à l'indéfini, contour ò ó ò au défini : *ɟàŋgúmà* « le chat » (forme indéfinie : *ɟàŋgúmá*).

En malinké de Kita, le fait de savoir qu'un dissyllabe $C_1V_1C_2V_2$ a une première syllabe basse ne permet pas de deviner s'il appartient au type (1) ou au type (2), et le fait de savoir qu'un dissyllabe $C_1V_1C_2V_2C_3V_3$ a à l'indéfini un schème tonal ascendant ne permet pas de deviner s'il appartient au type (3), au type (4) ou au type (5). Par contre dans les parlers mandingues situés à l'ouest de Kita, les mêmes types tonals s'avèrent conditionnés par la structure syllabique du lexème. Ce qui est en cause, c'est que ces parlers maintiennent une distinction entre voyelle brève et voyelle longue qui n'existe plus dans le parler de Kita. Dans les parlers où cette distinction existe, on peut en effet réunir les syllabes à voyelle longue avec les syllabes terminées par une nasale en une seule grande catégorie de syllabes lourdes et dégager ainsi le conditionnement suivant :
— le type (1) est propre aux dissyllabes dont la première syllabe est une syllabe légère ;
— le type (2) est propre aux dissyllabes dont la première syllabe est une syllabe lourde ; en particulier, dans ces parlers, l'appartenance du substantif signifiant « riz » à ce type s'explique par la longueur de la première voyelle : *mà:lû* ;

— le type (3) est propre aux trisyllabes dont les deux premières syllabes sont des syllabes légères;
— le type (4) est propre aux trisyllabes dont la première syllabe est une syllabe légère et la deuxième syllabe une syllabe lourde, ce qui est dans ces parlers le cas de *tùbá:bù* « l'Européen » ;
— le type (5) est propre aux trisyllabes dont la première syllabe est une syllabe lourde.

Dans ces parlers, on peut donc considérer que, phonologiquement, ces cinq types n'en font qu'un, caractérisé par la présence d'un ton bas associé à la première more, et que les différences tiennent à un processus de propagation du ton bas conditionné par la structure syllabique. La perte de la distinction entre voyelle longue et voyelle brève en malinké de Kita a eu pour conséquence que des différences initialement prédictibles ont cessé de l'être. En malinké de Kita, il serait incorrect de poser une même structure tonale sous-jacente pour toutes ces unités.[9]

Un processus diachronique analogue, à ceci près qu'il concerne la propagation d'un ton haut, a été proposé par A. E. Meeussen pour expliquer la tonalité de l'ensemble que constituent le radical verbal et la finale de l'infinitif dans certaines langues bantoues. Les schèmes proto-bantous *-cv́c-v̀ et *-cv́v̀c-v̀ ont respectivement abouti, en shambala, à -cv́c-v́ pour le premier et à -cv́v́c-v̀ puis à -cv́c-v̀ pour le second, de sorte que la différence tonale existant en synchronie dans cette langue est un réflexe indirect de la longueur vocalique présente dans la forme originelle des radicaux verbaux.[10] La même évolution est attestée en herero[11] ainsi qu'en kgalagadi.[12]

9. Il est éventuellement possible de considérer que tous les lexèmes de contour ascendant se caractérisent également, en malinké de Kita, par un unique ton bas initial, mais alors il faut jouer sur l'association des tons aux positions squelettales pour rendre compte de distinctions non prédictibles dans ce parler, par exemple en distinguant ` *malu* « honte (avec un ton bas structurellement flottant) de *màlu* « riz » (avec un ton bas structurellement associé à la première syllabe). On trouvera une analyse détaillée du système tonal du malinké de Kita dans D. Creissels & C. Grégoire, « La notion de ton marqué dans l'analyse d'une opposition tonale binaire : le cas du mandingue », à paraître dans le *Journal of African Languages and Linguistics*, 14, 1993.

10. Voir A. E. Meeussen, « Tonunterschiede als Reflexe von Quantitätunterschieden im Shambala », *Afrikanistische Studien : Diedrich Westermann zum 80. Geburtstag gewidmet*, éd. J. Lucas, Akademie Verlag, Deutsche Akademie des Wissenschaften, Institut für Orientforschung, Veröffentlichtung Nr 26, Berlin, 1955, p. 154-156.

11. Voir Claire Grégoire, « Les voyelles finales alternantes dans la conjugaison affirmative des langues bantoues centrales », *Journal of African Languages and Linguistics*, 1, Leiden, 1979, p. 141-172.

12. Voir Patrick Dickens, *Qhalaxarzi Phonology*, thèse de doctorat, Université de Witwatersrand, Johannesburg, 1986.

L'évolution du lexique peut aussi être une source d'accroissement de la diversité des types tonals d'unités. A tout moment, de nouvelles unités lexicales élémentaires apparaissent dans une langue du fait du figement de composés dont les éléments cessent d'être identifiables, et ce qui est au départ la juxtaposition des contours tonals des deux formants d'un composé peut ainsi devenir le contour d'une unité élémentaire. Il est intéressant à ce propos de rappeler qu'en règle générale, les lexèmes verbaux attestent dans les langues négro-africaines une variété de types tonals inférieure à celle qu'attestent les lexèmes substantivaux : il est manifeste que, d'un point de vue très général, la création de lexèmes à partir du figement de composés est beaucoup moins productive en ce qui concerne les verbes qu'en ce qui concerne les substantifs.

En liaison avec ceci il est intéressant de signaler que, lorsqu'on a comme souci de décrire de façon aussi complète que possible une langue tonale, on se heurte souvent à l'impossibilité d'étendre aux lexèmes substantivaux relativement longs (quatre syllabes ou plus) les contraintes sur les séquences tonales qu'on a pu dégager pour des lexèmes plus courts. Or on sait par expérience qu'au-delà de trois syllabes, on a affaire majoritairement à des composés figés à date relativement récente, et à propos desquels il reste d'ailleurs souvent possible de faire des hypothèses étymologiques.

L'emprunt est aussi une cause possible de l'accroissement de la variété des types tonals d'une langue, non seulement lorsqu'une langue tonale emprunte des termes à une autre langue tonale ne présentant pas les mêmes contours tonals possibles, mais aussi lorsque la langue d'où proviennent les termes empruntés est une langue non tonale. L'explication de ce fait à première vue paradoxal est que, pour reproduire aussi fidèlement que possible les réalisations prosodiques d'une autre langue (quelle que soit la nature de son système prosodique), les locuteurs d'une langue à tons peuvent spontanément avoir recours à des séquences tonales jusque-là non attestées. Le tswana en donne la preuve. Dans cette langue, quelques termes empruntés à date très récente à l'anglais présentent un comportement tonal ne correspondant à celui d'aucun type tonal bien établi dans la langue. Par exemple, *dìkìríì*, de l'anglais *degree* « degré », présente invariablement un ton bas final ; or en principe, pour les bases substantivales du tswana, le contour ò ò ó ò existe seulement en qualité de variante contextuelle du type ò ò ó ó.

Sans aller jusqu'à créer des types tonals nouveaux, l'emprunt aboutit fréquemment à renforcer des types tonals rares. Par exemple en sosso, il existe un certain nombre de lexèmes substantivaux dissyllabiques de type ó ò dont il n'y a aucune raison de penser qu'ils aient été empruntés à date récente, et dont plusieurs ont d'ailleurs des correspondants dans les autres langues mandé (on peut citer *kírì* «peau», *fárì* «dos»). Mais statistiquement, la majorité des termes de type ó ò sont des emprunts à l'anglais (*lɔ́kù* «chance», *súkà* «sucre», *wíkì* «semaine», etc.), ce qui signifie que l'emprunt est en grande partie responsable de l'importance actuelle d'un type tonal qui devait être statistiquement rare avant que le sosso n'entre en contact avec l'anglais.

LA SIMPLIFICATION DES SYSTÈMES TONALS

Un aspect possible de la simplification d'un système tonal est la réduction du nombre des hauteurs tonales opposables, mais les langues négro-africaines ne semblent pas apporter beaucoup de témoignages de telles évolutions : là où sont attestés des systèmes à plus de deux hauteurs tonales opposables, les données comparatives lorsqu'elles existent semblent orienter plutôt vers l'hypothèse de systèmes tonals anciennement binaires ayant acquis à date relativement récente des distinctions supplémentaires de hauteur. Par contre, on peut trouver dans les langues négro-africaines de nombreux exemples de simplification de systèmes tonals par réduction de la variété des types tonals d'unités. Il faut préciser à ce propos que l'élimination de tons modulés au profit de tons ponctuels, lorsqu'elle n'est pas compensée par l'acquisition de distinctions supplémentaires de hauteur, n'est qu'un cas particulier de la simplification des systèmes tonals par réduction de la variété des types tonals d'unités.

L'aboutissement ultime du processus de simplification d'un système tonal par réduction de la variété des types tonals est le remplacement du système tonal par un système accentuel, le problème étant de préciser à partir de quel degré de réduction de la variété des types tonals d'unités on doit considérer que le système prosodique d'une langue cesse de relever du type tonal pour basculer du côté du type accentuel.

R. Nicolaï a traité dans cette perspective la relation entre les systèmes prosodiques des parlers songhay, [13] domaine où coexistent des systèmes à opposition tonale binaire plus ou moins riches en types tonals d'unités et des systèmes accentuels.

Le cas du mandingue serait vraisemblablement lui aussi intéressant à examiner, si on disposait de plus de données : le parler du Maou distingue un type tonal qui n'a aucun équivalent dans les autres parlers mandingues décrits jusqu'ici, type qu'on peut identifier structurellement comme ó ò; or quelques correspondances avec d'autres langues mandé qui connaissent un schème tonal ó ò suggèrent qu'il doit s'agir là du maintien d'un type tonal ancien qui, dans les autres parlers mandingues, se serait confondu avec ó ó.

Mais c'est surtout dans le domaine bantou, et plus particulièrement dans les langues bantoues orientales, qu'on trouve un riche matériau pour illustrer le passage d'un système tonal binaire à un système accentuel du fait d'évolutions aboutissant à réduire la variété des types tonals d'unités. On pourra se reporter pour un exposé détaillé à la thèse de G. Philippson, [14] qui offre à la fois une documentation très importante et un traitement théorique inspiré des évolutions récentes de la théorie phonologique.

En se limitant à l'essentiel, on peut dire que le développement de processus de propagation tonale joue vraisemblablement un rôle décisif dans la tendance à réduire la variété des types tonals. On peut illustrer ceci par la comparaison entre le sotho et le tswana. Nous avons vu que ces deux langues, qui sont apparentées de très près, présentent des différences au niveau de l'inventaire des types tonals de bases substantivales dissyllabiques : le sotho distingue comme deux types tonals distincts ó ó et ó ò (rappelons l'exemple de *mɷ̀sádí* «celui qui reste» / *mɷ̀sádì* «femme»), alors qu'en tswana, pour les bases substantivales le contour ó ò n'existe qu'en qualité de variante contextuelle de ó ó. Nous avons vu aussi que la propagation progressive du ton haut est beaucoup plus développée en tswana qu'en sotho : généralement, là où le ton haut du tswana peut se diffuser à deux syllabes successives, le sotho a une propagation du ton haut limitée à une syllabe, et là où le tswana a une propa-

13. R. Nicolaï, *Les Dialectes du Songhay : contribution à l'étude des changements linguistiques*, Bibliothèque de la SELAF 85-86, SELAF, Paris, 1981.
14. G. Philippson, *Ton et Accent dans les langues bantu d'Afrique orientale*, thèse d'état, Université de Paris V, 1991.

gation du ton haut limitée à une syllabe, il ne se produit en sotho aucune propagation. Une relation entre ces deux ordres de faits est plus que probable : ce n'est certainement pas par hasard si celui de ces deux parlers qui ignore la distinction entre un type tonal ó ó et un type tonal ó ò est précisément celui où les phénomènes de propagation progressive du ton haut sont le plus développés.

SYSTÈMES TONALS INVERSÉS

La tonalité est un domaine où on peut observer des différences importantes entre parlers apparentés. Souvent ces différences tiennent essentiellement à des règles tonales différentes, les structures tonales des lexèmes étant par contre identiques ou du moins peu différentes. Par exemple en koro (parler mandingue de la région de Tiéningboué en Côte d'Ivoire), une phrase comme *à kànáá tɣà túbábácɛ ɲrĩ̂* «qu'il n'aille pas chercher l'Européen» a un contour tonal très différent de celui de la phrase correspondante en dioula véhiculaire : *à kánà táɣá tùbàbùcɛ́ ꜜɲíní*, mais en analysant de manière indépendante ces deux parlers, on aboutit à la conclusion qu'ils ont des structures tonales très semblables ; la différence tient au fait que, si la phrase du dioula véhiculaire a une courbe tonale réalisée qui représente de façon relativement directe sa structure tonale, en koro par contre opèrent des règles de propagation progressive des tons qui déplacent systématiquement les points d'inflexion de la courbe tonale.

Il n'en est toutefois pas toujours ainsi. Par exemple, toujours en domaine mandingue, la phrase du dioula de Gbéléban *á bàrà sísɛ̀ sábà tá* «il a pris trois poulets» et la phrase correspondante en malinké de Kankan *à bárá sìsɛ́ sàbá tà* n'ont pas seulement des courbes tonales réalisées inverses l'une de l'autre : en menant dans un même cadre théorique une analyse indépendante de ces deux parlers, on aboutit à la conclusion que la structure tonale des unités du dioula de Gbéléban est en règle générale l'inverse de la structure tonale des unités qui leur correspondent en malinké de Kankan.

Dans le domaine mandingue, qui se caractérise en règle générale par une très grande stabilité des structures tonales en dépit d'une diversité considérable au niveau de la tonalité réalisée, un tel phénomène d'inversion tonale s'observe en deux points éloignés l'un de l'autre : d'une part dans le nord-ouest de la Côte d'Ivoire, et d'autre part dans les parlers marka (dits aussi dafing) à la frontière du Burkina-Faso et du Mali.

Il est curieux de remarquer que des constatations analogues ont été faites dans d'autres groupes de parlers apparentés de près. On peut citer en bantou le cas du luba, en mandé-sud-ouest le cas du loma, en baoulé le cas du dialecte *kɔdɛ*.

Du point de vue diachronique, il y a là un problème, car il n'est guère plausible que le remplacement simultané des tons hauts par des tons bas et des tons bas par des tons hauts puisse constituer une évolution phonétique susceptible de se produire à un moment donné de l'histoire d'une langue. Pour expliquer l'inversion tonale dans une perspective diachronique il faudrait, ou bien montrer qu'il est possible de concevoir le passage d'un des systèmes en présence à l'autre comme l'enchaînement de plusieurs processus phonétiques plausibles, ou bien faire l'hypothèse d'un système ancien ne coïncidant avec aucun des systèmes attestés, et qui, par des évolutions divergentes, aurait pu aboutir à des systèmes synchroniquement inverses les uns des autres.

Bien que les faits d'inversion tonale soient relativement fréquents en domaine négro-africain, cette question a rarement été discutée, et elle reste largement ouverte; mais une hypothèse qui mérite au moins considération est que l'inversion tonale puisse apparaître comme résultat ultime du développement de processus de propagation tonale aboutissant à une translation quasi systématique des tons structurels. On imagine en effet assez bien que, dans l'évolution d'une langue, un décalage trop systématique entre tons structurels et tons réalisés puisse un jour ou l'autre se résoudre par un réajustement des structures tonales sous-jacentes.

7

SYSTÈMES TONALS RESTREINTS ET SYSTÈMES ACCENTUELS

TON ET ACCENT

La distinction entre ton et accent est parfois présentée comme étant fondamentalement une question de substance phonique, l'accent étant lié à des variations de l'intensité et le ton à des variations de la hauteur mélodique. C'est dans cette perspective qu'a été évoqué par divers auteurs le cas de langues tonales dans lesquelles un accent se superposerait aux oppositions tonales.

En réalité, en reprenant les données de langues négro-africaines pour lesquelles une telle hypothèse a été avancée, on peut généralement constater que cette interprétation des faits prosodiques des langues en question découle d'une identification inexacte de certains phénomènes tonals.

Par exemple, dans sa description du soninké, O.M. Diagana [1] introduit la notion d'accent pour distinguer l'un de l'autre deux schèmes prosodiques que tonalement il identifie tous deux comme ō ō, et qui se différencieraient selon lui par un accent pouvant affecter, soit la première syllabe, soit la deuxième. En réalité, le schème prosodique identifié par O.M. Diagana comme ō ō avec accent sur la première syllabe est un schème tonal ò ò, et le schème prosodique qu'il identifie comme ō ō avec accent sur la deuxième syllabe est un schème tonal ò ó. Cette erreur d'identification est probablement due au fait que O. Diagana n'a pas su reconnaître l'existence d'un phé-

1. O.M. Diagana, *Le Parler soninké de Kaedi (Mauritanie), syntaxe et sens*, thèse d'état, Université de Paris V, 1984.

nomène de downstep en distribution complémentaire avec une modulation descendante, très semblable à celui décrit dans un chapitre antérieur pour le bambara; ayant identifié comme ò ó un type tonal ò ó ` qui se réalise ò ô devant pause et ò ó suivi de downstep à l'intérieur de la phrase, il ne pouvait plus identifier correctement le véritable schème tonal ò ó et en a fait un schème tonal moyen assorti d'un accent affectant la deuxième syllabe.

On doit donc considérer avec la plus grande prudence les allusions à la possible superposition d'un système tonal et d'un accent d'intensité plus ou moins indépendants l'un de l'autre qu'on trouve dans diverses descriptions de langues négro-africaines.

La position adoptée ici, rappelons-le, est que la distinction entre ton et accent est fondamentalement une question d'organisation linguistique et non de substance phonique. Les variations de la hauteur de la voix peuvent s'organiser en système d'oppositions, et la langue peut exploiter au maximum, au niveau de la variété des types tonals d'unités, les possibilités d'une telle organisation; on aura alors un système tonal typique. Mais les variations de la hauteur de la voix peuvent aussi avoir un fonctionnement purement contrastif, l'énoncé se laissant segmenter en groupes accentuels avec dans chaque groupe accentuel une syllabe haute et une seule; on aura alors un système accentuel typique. Et s'il y a matière à débat sur la relation entre ton et accent dans les langues négro-africaines, c'est dans la mesure où le système prosodique de beaucoup de ces langues s'écarte notablement de ce que peut être un système tonal typique sans pour autant que les variations de la hauteur mélodique présentent le fonctionnement purement contrastif des systèmes accentuels les plus typiques.

LOIS TONALES AYANT POUR EFFET DE NEUTRALISER DANS CERTAINES POSITIONS SYNTAXIQUES LES DISTINCTIONS ENTRE TYPES TONALS D'UNITÉS

De manière générale, la présence dans un système tonal de règles aboutissant à neutraliser dans un contexte déterminé l'opposition entre ton haut et ton bas éloigne ce système du type tonal idéal pour le rapprocher du type accentuel. Ceci s'applique notamment aux langues où certaines structures syntaxiques présentent des faits de tonalité qu'on peut résumer en parlant de *syntagmes à compacité tonale*.

Dans les langues mandé, un tel phénomène est particulièrement courant dans les syntagmes où un substantif s'antépose à un autre substantif qu'il détermine. Quelle que puisse être la longueur des deux constituants, les syntagmes en question présentent un contour global qu'on peut décrire de façon simple en posant que tous les éléments tonals structurellement attachés au deuxième constituant ont été effacés, et que les noyaux syllabiques ainsi libérés ont ensuite fait l'objet de règles d'assignation tonale.

Le mende illustre ce phénomène de façon particulièrement typique. Dans les exemples suivants, *hìndá`* « affaire » (réalisé généralement *hìndâ*) constitue la tête d'un syntagme dont l'autre terme (cité d'abord avec ce qu'il est possible de considérer comme sa forme tonale structurelle) appartient à divers types tonals de dissyllabes :

ŋgílà « chien » → *ŋgílà-hìndà*
pàwà « paiement » → *pàwà-hìndà*
ɲàhá` « femme » → *ɲàhá-hìndà*
hótá « étranger » → *hótá-híndà*
nàvó « argent » → *nàvó-híndà*
fàndè´ « coton » → *fàndè-híndà*

En faisant varier la structure syllabique ainsi que le type tonal du deuxième terme du syntagme, on peut voir que le contour tonal qu'il manifeste dans ce syntagme est totalement indépendant du type tonal auquel il appartient lexicalement. Par exemple, si le premier terme est *gbɛ̂* « quoi ? » (qui prend alors comme signification précise « quel genre de ... ? »), le deuxième terme prend invariablement un contour B, alors qu'après *mɛ̀ndé* « mende », le deuxième terme prend invariablement un contour HB :

ŋgílà « chien » → *gbɛ́-jìlà / mɛ̀ndé-jílà*
fàndè´ « coton » → *gbɛ́-vàndè / mɛ̀ndé-vándè*
hálé « médicament » → *gbɛ́-hàlè / mɛ̀ndé-hálè*
fùlà « village » → *gbɛ́-vùlà / mɛ̀ndé-vúlà*

Plus généralement, le contour du deuxième terme du syntagme est toujours :
— B si le contour tonal structurel du premier terme se termine par un ton bas ;
— HB si le contour tonal structurel du premier terme se termine par un ton haut ; si le deuxième constituant est monosyllabique, HB se concrétise par une modulation descendante (*mɛ̀ndé-bâ* « riz mende ») ; s'il comporte plus de deux syllabes, HB se concrétise par

un ton haut sur la première syllabe et un ton bas sur toutes les autres (*mὲndé-lúmbὲlὲ* « orange mende »).

On peut prédire ces réalisations en posant que dans ce syntagme opèrent successivement les règles suivantes :

(1) tous les éléments tonals appartenant au deuxième constituant sont effacés ;

(2) un ton bas s'associe à la syllabe finale du deuxième constituant ;

(3) si le premier constituant se termine par un ton haut, une copie de ce ton s'associe à la première syllabe du deuxième constituant ;

(4) les syllabes auxquelles aucun ton n'est encore associé reçoivent un ton bas ;

(5) les tons flottants sont effacés.

On peut considérer ce phénomène de compacité tonale comme un cas particulier de réduction du signifiant du terme déterminé d'un syntagme de détermination (puisque ce terme perd toute substance tonale propre), le signifiant du terme déterminant étant par contre intégralement conservé. Or il y a un lien entre le choix d'une structure de détermination et l'articulation communicative : l'adjonction d'un déterminant à un substantif résulte généralement d'un choix de l'énonciateur qui estime la présence du déterminant importante pour l'identification du référent du terme déterminé, ou pour mettre en relief une caractéristique de ce référent qu'il juge particulièrement pertinente compte tenu de son intention communicative. Le contraste entre la réduction du signifiant du terme déterminé et le maintien intégral du signifiant du terme déterminant peut donc s'expliquer comme soulignant le contraste entre deux éléments de statut inégal du point de vue de l'articulation communicative de l'énonciation.

Examinons maintenant les phrases soninké suivantes, où figurent des verbes appartenant aux trois types tonals de lexèmes verbaux dissyllabiques que connaît cette langue : ó ó, ò ó et ó ò. Nous constatons que, dans certaines conditions syntaxiques, le verbe soninké présente uniformément un contour B, indépendamment du type tonal auquel il appartient ainsi que de l'environnement phonique dans lequel il se trouve. Entre parenthèses est indiqué, pour chaque verbe, le contour qu'il présente dans les contextes où ne se produit pas cette neutralisation[2] :

2. Les voyelles notées en exposant et en petits caractères sont des voyelles ayant subi un processus d'élision mais qui pourraient être rétablies dans une diction lente.

(bárá)	*à má bàrà nà tíjè ŋ jígá tì í kìtté ŋ ŋà*	« il ne refuse pas de manger la viande avec la main »
(fáté)	*à ntá fàtènè bàqq^{a} íŋ ŋá*	« il n'arrête pas de me taquiner »
(dàllá)	*à má dàllà ó gà jígé*	« il n'y a pas longtemps que nous avons mangé »
	ń ntáː dàllànà à háːjíní	« je ne le regarderai pas longtemps »
(dèmú)	*à má dèmù ké góllé já*	« il n'est pas habitué à ce travail »
	à má dèmù dàgàná màlí	« il n'est jamais allé au Mali »
	jígájè ŋ má dèmù sèré kàrìní	« manger n'a jamais tué personne »
(ɟóppè)	*ì má ɟòppè jígéné*	« ils n'ont pas commencé de manger »
(kísì)	*sèré sú ntá kìsìnì kàllé ŋ ŋà*	« personne n'échappe à la mort »
(kárá)	*ásà jáŋ dà χóllè ŋ kàrà*	« c'est Assa qui a cassé la calebasse »
(kátú)	*ŋ jáŋ kàttà áŋ dà*	« je suis plus fort que toi »
(dàgá)	*χùmbàné áŋ jàŋ dàgànà tèːnú ŋ ŋà*	« demain c'est toi qui iras au champ »
(fàsú)	*kéŋ jàŋ pàsù ké jí*	« celui-là est mieux que celui-ci »
(ɟóŋà)	*á jàŋ ɟòŋà sèhèné*	« c'est lui qui a parlé le premier »
(rágà)	*gíɟímmù ŋ jáŋ dàː ràgà*	« c'est de maux de poitrine qu'il souffre »
(jáŋqí)	*áŋ gà ná jàŋqì, ó ná dàgá*	« quand tu te seras lavé, nous partirons »
(mùgú)	*ì gà ná sùːgé ké mùgù, ì séwónó jà*	« s'ils entendent cette chanson, ils se réjouiront »
(gòré)	*á jìgè jìllé ŋ gà ná gòrè, à ríːní jà*	« quand le mil qui lui est destiné sera pilé, il viendra immanquablement »
(róχò)	*áŋ gà n^{a} áŋ jàːχú l lòχò áŋ kàllú já, áŋ ná tèré bìté ŋ dì*	« si tu prêtes tes yeux à ton beau-père, tu marcheras dans le noir »

Tous les verbes combinés aux morphèmes négatifs *ntá* et *má* prennent un contour tonal B, même si le verbe et le morphème négatif ne sont pas en contact direct : en soninké, l'objet s'insère entre ces morphèmes et le verbe, et le verbe présente alors la même réalisation uniformément basse qu'en contact direct avec le morphème négatif ; par exemple avec *séllà* « balayer » : *à má kómpè ŋ cèllà* « elle n'a pas balayé la pièce ». Ce phénomène ne peut donc pas s'expliquer par la propagation d'un ton bas appartenant au morphème négatif.

Il faut aussi préciser que la règle joue uniquement pour le verbe en relation syntaxique directe avec le morphème négatif. Par exemple dans *jígáje m má dèmù sèré kàrìní* « manger n'a jamais tué personne », la règle s'applique à *dèmú* « avoir fait quelque chose au moins une fois », qui est syntaxiquement en association directe avec la négation, mais pas à *kàrìní*, forme dépendante du verbe « tuer », qui syntaxiquement est une expansion de *dèmú*. [3] Mais, si ces morphèmes négatifs peuvent agir « à distance » sur un verbe, pourvu qu'ils aient avec lui une relation syntaxique directe, par contre ils n'ont jamais d'incidence sur un terme non verbal qui leur succède immédiatement, même si celui-ci est manifestement concerné au niveau sémantique par la négation, comme l'illustre la phrase suivante : *à ntá jèré* « il n'est pas ici » (*jèré* = ici).

Dans le deuxième groupe d'exemples, le contour B du verbe s'explique par la présence d'un nominal explicitement marqué comme focalisé. Ici encore, c'est bien la structure syntaxique abstraite qui est en cause : il n'y a pas nécessairement contact entre le verbe et le constituant focalisé dont la présence entraîne la réalisation tonale basse du verbe. Toutefois, l'ordre linéaire intervient dans le fait que le verbe retrouve son contour tonal lexical si le terme focalisé lui succède : *ó kíːnà nó ŋ jà jí* « c'est là-bas que nous avons passé la saison sèche ». Et lorsque c'est le verbe lui-même qui est immédiatement suivi d'un focalisateur, il présente son contour tonal lexical.

Enfin, dans le troisième groupe d'exemples, la réalisation tonale entièrement basse du verbe apparaît dans un type de subordonnée temporelle caractérisé par la marque *gà ná* succédant immédiatement au sujet de la proposition en question.

On peut s'interroger sur la possibilité d'une caractérisation d'ensemble des contextes où se produit ce phénomène, ainsi que sur les rapprochements éventuels avec des faits analogues signalés dans d'autres langues. Sur le premier point, il ne serait pas raisonnable de proposer ici une réponse. On aurait toutefois envie de dire que la neutralisation des distinctions entre types tonals au profit d'un schème tonal ne comportant aucun ton haut se produit dans des cas où d'une manière ou d'une autre le choix du lexème verbal n'est pas

3. C'est probablement à partir de là qu'il faudrait expliquer le fait à première vue étonnant que le troisième morphème négatif que connaît le soninké (*máχà* à valeur de prohibitif) est sans indicence sur la tonalité du verbe (cf. par exemple *máχà lémínè ké kátú* « ne frappe pas l'enfant »). On peut en effet penser (et d'autres observations vont dans le même sens) que le prohibitif est en réalité une forme complexe figée dans laquelle la deuxième syllabe (qui est d'ailleurs à ton bas) serait à l'origine un verbe auxiliarisé.

au centre de l'acte d'assertion qu'effectue l'énonciateur. Quant au rapprochement avec des faits concernant d'autres langues, on pense immédiatement aux nombreuses langues négro-africaines où ont été signalées des différences morphologiques au niveau du verbe qui sont d'une manière ou d'une autre en relation avec l'articulation communicative de l'énonciation. Mais à y regarder de plus près, c'est probablement avec les phénomènes de compacité tonale opérant dans le cadre de syntagmes déterminatifs que la parenté est la plus grande : ici aussi on peut voir un lien entre la réduction du signifiant d'une unité et le fait que cette unité n'est pas parmi les éléments de l'énoncé particulièrement chargés d'information.

RESTRICTIONS À LA VARIÉTÉ DES TYPES TONALS EXPLICABLES DANS LE CADRE DE L'HYPOTHÈSE AUTOSEGMENTALE

La théorie autosegmentale a depuis une vingtaine d'années servi de cadre à un nombre considérable de descriptions tonales. Cette théorie est issue de l'observation de ce que, dans bien des langues, les restrictions à la variété des types tonals permettent de prédire le contour tonal de certaines catégories d'unités à partir de la seule donnée d'une *mélodie* qui n'indique rien de plus que les inflexions du contour tonal.

Selon l'hypothèse autosegmentale, dans les formes structurelles des unités, les tons ne sont pas associés aux syllabes prises une à une. Chaque unité répertoriée dans le lexique est enregistrée avec l'indication d'une mélodie obéissant au *principe du contour obligatoire*, ce qui veut dire qu'une mélodie est une séquence d'éléments H et B telle que deux éléments identiques ne se succèdent jamais immédiatement. Selon le nombre d'inflexions on pourra avoir ainsi des mélodies de rang 1 (H, B), des mélodies de rang 2 (HB, BH), des mélodies de rang 3 (HBH, BHB), etc. Ensuite, des *règles d'association* relient les éléments de la mélodie aux unités porteuses de tons (selon les langues, noyaux syllabiques ou mores) de telle façon que chaque unité porteuse de ton se trouve reliée à au moins un élément de la mélodie, un élément de la mélodie pouvant éventuellement se trouver associé à plusieurs unités porteuses de ton successives, si l'unité considérée comporte plus d'unités porteuses de ton qu'il n'y a d'éléments dans la mélodie qui lui est associée.

Dans une version « dure » de la théorie autosegmentale, les règles qui relient les éléments de la mélodie aux unités porteuses de ton devraient être universelles, mais cette position est difficilement défendable.

Les principes de l'approche autosegmentale peuvent être illustrés par l'analyse des types tonals attestés par les lexèmes du zarma comportant trois mores (trisyllabes dont les trois syllabes sont des syllabes légères, ou dissyllabes dont l'une des deux syllabes est une syllabe lourde et l'autre une syllabe légère).

Les lexèmes trisyllabiques du zarma dont les trois syllabes sont des syllabes légères se répartissent en six types tonals : ó ó ó (*tókóró* « fenêtre »), ó ó ò (*ɟásárè* « griot »), ó ò ó (*búzùgú* « estomac »), ò ó ò (*fàdámà* « place publique »), ò ò ó (*bòtògó* « boue ») et ò ò ò (*fàtàmà* « pou des volailles »). Les lexèmes dissyllabiques avec une première syllabe lourde et une deuxième syllabe légère se répartissent de même en six types, illustrés par *gúːsú* « trou », *múːsù* « chat », *nîːsí* « morve », *hàndú* « lune », *bǎrmà* « grenier » et *hàjnì* « mil ». On a enfin cinq types de lexèmes dissyllabiques avec une première syllabe légère et une deuxième syllabe lourde, illustrés par *gáráw* « dette », *dánàj* « forge », *dànàw* « aveugle », *kùbáj* « rencontrer » et *gùrûm* « nœud ».

Par rapport aux huit contours a priori possibles, cet inventaire présente précisément les lacunes qui permettent d'identifier chaque type tonal par la seule donnée d'une mélodie : pour un type syllabique donné, il n'y a aucune possibilité de choix entre ó ó ò et ó ò ò, qu'on peut donc considérer comme deux variantes d'une même mélodie HB, et il en va de même pour ò ò ó et ò ó ó, qu'on peut considérer comme deux variantes d'une même mélodie BH. La mise en tableau des données résume cette analyse :

Mélodie			
H	*tókóró*	*gúːsú*	*gáráw*
HB	*ɟásárè*	*múːsù*	*dánàj*
HBH	*búzùgú*	*nîːsí*	
B	*fàtàmà*	*hàjnì*	*dànàw*
BH	*bòtògó*	*hàndú*	*kùbáj*
BHB	*fàdámà*	*bǎrmà*	*gùrûm*

Pour prédire correctement la réalisation de chacune des six mélodies selon la structure syllabique des unités, il suffit de formuler les règles d'association suivantes :

— l'unique élément des mélodies de rang 1 s'associe aux trois mores de l'unité :

```
  H        B
 /|\      /|\
o o o    o o o
```

— les trois éléments des mélodies de rang 3 s'associent chacun à une more :

```
H B H    B H B
| | |    | | |
o o o    o o o
```

— quant aux mélodies de rang 2, dans tous les cas le premier élément de la mélodie s'associe à la première more et le deuxième à la troisième more; dans le cas où la deuxième more appartient à la même syllabe que la troisième, elle s'associe au deuxième élément de la mélodie :

```
H  B     B  H
| / \    | / \
o o o    o o o
```

sinon, c'est au premier élément de la mélodie qu'elle s'associe :

```
 H  B     B  H
/ \ |    / \ |
o o o    o o o
```

Dans de très nombreuses langues, on peut de manière analogue prédire les types tonals attestés par des ensembles plus ou moins importants d'unités à partir de mélodies affectées globalement aux unités et dont les éléments sont reliés aux unités porteuses de ton par des règles d'association.

Un des principaux avantages de l'approche autosegmentale est de permettre un traitement particulièrement simple de cas où, du fait de phénomènes morphologiques, le contour tonal d'une unité est amené à se contracter ou à se dilater sans que son allure générale se trouve modifiée. Par exemple en dioula de Gbéléban, le substantif signifiant « panthère » apparaît comme *kórósò* à la forme indéfinie, et comme *kóròsó* à la forme définie. Dans ce parler, les formes définies des substantifs ont un contour tonal plus complexe que les formes indéfinies correspondantes, et le contour tonal des formes définies des substantifs se termine toujours par un ton haut. Comme par ailleurs il n'y a jamais de différence au niveau segmental entre la forme définie et la forme indéfinie, on doit identifier un article dont la forme structurelle est un ton haut. [4] Dans le cadre de l'approche autosegmentale, la relation entre *kórósò* « panthère » et *kóròsó* « la panthère » se prête donc à un traitement particulièrement simple : ce lexème substantival a pour forme segmentale *koroso* et pour mélodie lexicale HB, et la différence entre la forme indéfinie et la forme définie s'explique par le fait que :

— à l'indéfini, la mélodie HB se projetant sur une séquence trisyllabique, un des deux éléments de cette mélodie doit s'associer à deux syllabes successives :

```
   H    B
  / \   |
ko  ro  so
```

— au défini, la même séquence trisyllabique est associée à la mélodie HBH, où le dernier élément H représente l'article : chaque élément de la mélodie s'associe alors à une syllabe :

```
H   B   H
|   |   |
ko  ro  so
```

Le problème est toutefois que jusqu'ici, chaque fois qu'on a approfondi la description d'une langue où ont été faites de telles observations, on a pu aussi mettre en évidence des faits difficilement compatibles avec l'hypothèse autosegmentale.

Pour revenir au zarma par exemple, nous avons vu au chapitre précédent que la combinaison de *háŋsì* « chien » avec le déterminant déictique *ô:* donne *háŋ'sô:* « ce chien ». Or si le zarma fonctionnait à 100 % selon le principe de mélodies globalement affectées à des unités significatives et allant s'associer aux unités porteuses de ton disponibles, dans la mesure où ce substantif a une première syllabe lourde (c'est-à-dire comportant deux unités porteuses de ton), on s'attendrait plutôt à obtenir quelque chose comme *hâŋsô:*. Entre la solution consistant à poser une forme structurelle « *haŋsi* associé à la mélodie HB » et celle consistant à poser une forme structurelle où la syllabe *haŋ* est associée au ton haut et la syllabe *si* au ton bas, seule la deuxième permet de rendre compte d'une façon relative-

4. Le dioula de Gbéléban ayant un système tonal inversé par rapport à celui de la majorité des parlers mandingues, il n'y a aucune difficulté à reconnaître dans cet article le correspondant régulier de l'article bambara, identifié dans un chapitre précédent comme un ton bas structurellement postposé au substantif.

ment simple et naturelle du comportement tonal de ce lexème. On peut juger dommage d'avoir à abandonner une hypothèse qui autorise des généralisations intéressantes au niveau de la variété des types tonals, mais les faits sont là.

Face à de tels faits, certains tonologues s'efforcent de maintenir l'hypothèse autosegmentale comme cadre de description du système tonal des langues au prix d'un certain nombre de réajustements qui la dénaturent de façon plus ou moins importante. Diverses propositions ont été faites : s'autoriser à indiquer le point d'ancrage d'un des éléments de la mélodie, scinder les lexèmes relativement longs en « cellules tonales », considérer certaines syllabes comme « extra-métriques », et même abandonner le principe du contour obligatoire. Mais ces propositions aboutissent toutes à réintroduire dans les formes sous-jacentes des unités significatives, tout en se refusant à l'avouer, des informations sur l'association entre tons et noyaux syllabiques. Accepter de tels aménagements revient donc en fait à abandonner le principe fondamental de l'approche autosegmentale.

Il me semble plus sain, tout en reconnaissant l'intérêt théorique considérable du modèle autosegmental, de considérer qu'il définit un type idéal d'organisation vers lequel tendent indéniablement beaucoup de systèmes tonals en domaine négro-africain, mais qu'il n'y a pas lieu de vouloir en faire à tout prix un cadre dans lequel devraient pouvoir trouver leur place tous les faits de tonalité d'une langue.

D'ailleurs, si, comme on vient de le dire, le modèle autosegmental rend compte de façon intéressante de fragments plus ou moins importants d'un nombre considérable de langues, il y a aussi pas mal de langues qui, de manière évidente, mettent en défaut les prédictions de ce modèle. Il suffit par exemple pour cela qu'il existe une distinction non prédictible entre un type tonal de trisyllabes ò ò ó et un type ò ó ó, ou entre un type ó ó ò et un type ó ò ò, ce qui est tout de même assez courant.

LA NOTION DE TON MARQUÉ DANS L'ANALYSE D'UNE OPPOSITION TONALE : REMARQUES GÉNÉRALES

Sans aller forcément jusqu'à interdire (comme le fait la théorie autosegmentale) de présenter tons et unités porteuses de tons comme associés dans la forme structurelle des unités lexicales, il peut être utile, dans la perspective d'une simplification de la description des alternances tonales, d'admettre que les formes structurelles puissent comporter, d'une part des éléments tonals non associés, d'autre part des syllabes dépourvues de ton. Nous avons vu en particulier qu'on peut rendre compte simplement de certains aspects de la tonalité du verbe tswana en admettant que les syllabes médianes des bases verbales de plus de deux syllabes ne sont structurellement associées à aucun élément tonal.

Ceci étant admis, on constate que, dans certaines langues, on peut envisager une description dans laquelle l'un des tons intervient seulement dans une règle qui l'affecte aux unités porteuses de ton qui se trouvent dépourvues de ton à une certaine étape de l'application des règles tonales. Un tel ton, qu'il est inutile de faire apparaître explicitement dans les formes structurelles, peut être désigné comme *ton non marqué* ou *ton par défaut*. Son comportement contraste avec celui des tons marqués, qui peuvent par contre donner lieu à des règles d'effacement, de déplacement ou de propagation.

Dans le cas d'oppositions tonales binaires, la possibilité d'un tel traitement rend parfaitement compte de l'absence de réelle discontinuité entre systèmes de type tonal et systèmes de type accentuel. En effet, les formes structurelles d'une langue à opposition tonale binaire où l'un des deux termes de l'opposition tonale peut être traité comme ton par défaut ne sont pas fondamentalement différentes de celles d'une langue accentuelle où la reconnaissance des syllabes accentuées repose principalement sur la hauteur mélodique et où la place de l'accent n'est pas phonologiquement prédictible : dans les deux cas, il est nécessaire et suffisant d'introduire au niveau sous-jacent une seule unité prosodique (ton marqué ou accent), à laquelle chaque noyau syllabique (ou more) peut être ou non associé. Dans certaines langues, les règles qui effacent, déplacent ou propagent cette unité prosodique aboutissent à des formes de surface présentant d'assez larges possibilités d'opposer (au sens strict du terme) haut à bas. Dans d'autres, les règles de réalisation aboutissent à des formes de surface dans lesquelles les possibilités d'opposition sont très réduites. Et à la limite, dans un système ignorant les règles de propagation, on peut aboutir à des formes de surface où chaque mot comporte une syllabe haute et une seule, c'est-à-dire à la situation caractéristique des systèmes accentuels les plus typiques.

On voit bien, à partir de là, qu'il y a de toutes façons un certain arbitraire à répartir en systèmes tonals et systèmes accentuels des systèmes prosodiques dans lesquels au niveau structurel, les syllabes ont seulement à être caractérisées comme associées ou non à une unité prosodique unique. Le choix a été fait ici de parler de système tonal tant que les règles de réalisation laissent susbsister (ne serait-ce que de manière très limitée) des possibilités d'opposition, et de ne parler de système accentuel que lorsque les règles de réalisation aboutissent à exclure toute possibilité d'opposition. Mais beaucoup de linguistes font le choix terminologique consistant au contraire à étendre la notion d'accent. A la limite, certains parlent d'« accent » à partir du moment où il est possible de postuler des formes sous-jacentes où une seule unité prosodique apparaît explicitement. C'est là une question de conventions terminologiques. Il est important que tout linguiste travaillant dans ce domaine précise, afin d'éliminer les risques de malentendu, les conventions auxquelles il se tient, mais l'essentiel est qu'il y ait accord sur un cadre théorique permettant de rendre compte de l'absence de véritable discontinuité entre systèmes tonals à opposition tonale binaire et systèmes accentuels.

Ceci dit, l'existence dans une langue d'un certain déséquilibre (et même d'un déséquilibre certain) entre le comportement combinatoire du ton haut et du ton bas n'implique pas nécessairement qu'il soit possible de décrire la totalité du fonctionnement de cette langue à partir de formes structurelles où figure explicitement une seule unité prosodique. En particulier, à partir du moment où on peut isoler un élément tonal comme constituant à lui seul le signifiant d'un morphème, même si ce ton a par ailleurs un comportement combinatoire typique d'un ton non marqué, on ne peut pas éviter de le faire figurer explicitement dans les formes structurelles, ne serait-ce que dans le cas où il est isolable comme un morphème. Et il est incohérent de prétendre utiliser des formes structurelles « radicalement sous-spécifiées au sens où l'un des deux tons opposables (le ton haut) est laissé non spécifié » tout en admettant un peu plus loin que le ton haut peut constituer à lui seul un morphème, comme le fait par exemple M. Clark dans sa description de la tonalité de l'igbo.[5]

Le tswana est un cas typique de langue où de nombreux faits suggèrent de considérer le ton haut comme ton marqué et le ton bas comme ton par défaut, mais où, sauf à introduire d'une autre façon

5. M. Clark, *The Tonal System of Igbo*, Foris Publications, Dordrecht, 1990.

une information équivalente, la nécessité de reconnaître des morphèmes dont le signifiant se réduit à un ton bas interdit une description où le ton bas serait exclu des formes structurelles.

Lorsqu'une analyse en termes de ton marqué et ton par défaut est possible, c'est la plupart du temps le ton haut qui constitue le terme marqué de l'opposition. Dans les langues bantoues, on a remarqué depuis longtemps la tendance générale du ton haut à fonctionner comme le terme marqué de l'opposition tonale, et cette remarque a été diversement exploitée par les descripteurs. Dans un certain nombre de langues bantoues (notamment parmi les langues bantoues orientales), le déséquilibre est tel qu'on peut envisager un traitement dans lequel le ton haut a un statut très proche de celui d'un accent, et à la limite on a des cas comme celui du shindzuani (qui sera repris plus loin), avec un système prosodique très nettement accentuel mais dans lequel l'accent est pour l'essentiel un réflexe du ton haut bantou.

Mais il peut arriver aussi que le ton bas soit à considérer comme le terme marqué d'une opposition tonale binaire. En mandingue, deux groupes limités de parlers présentent des faits de combinatoire tonale qui permettent de considérer le ton haut comme ton marqué et le ton bas comme ton par défaut, mais il s'agit de parlers qui ont des systèmes tonals inversés par rapport à ce qu'on trouve dans la plus grande partie du domaine. Généralement en mandingue, comme cela va être développé au paragraphe suivant à propos du bambara, une description du système tonal à partir de formes sous-jacentes où figure une seule unité prosodique apparaît possible, mais à condition de considérer que c'est le ton bas qui est le terme marqué de l'opposition.

LA NOTION DE TON MARQUÉ DANS L'ANALYSE D'UNE OPPOSITION TONALE BINAIRE : L'EXEMPLE DU BAMBARA

Il y a en bambara une évidente absence de symétrie entre ton haut et ton bas. En particulier, il est facile en bambara d'avoir des phrases relativement longues qui tonalement restent de bout en bout au registre haut sans le moindre abaissement. Il est par contre difficile d'imaginer des phrases ne comportant en réalisation que des syllabes basses : le seul cas possible est celui de phrases réduites à un lexème verbal éventuellement précédé de l'anaphorique *à* (par exemple : *à gòsì* « frappe-le »).

Il y a par ailleurs entre schème B et schème BH une relation très particulière :
— *à* « lui, elle, cela » et *kà* (morphème servant à relier deux verbes) sont les seuls monosyllabes présentant un ton bas non susceptible d'alterner avec un ton montant ;
— sans aucune exception, les unités attestées avec un contour de type BH peuvent toutes prendre une réalisation entièrement basse dans certains contextes au moins.

Or il n'y a pas entre les schèmes H et HB la relation qui serait le pendant de celle existant entre B et BH et à laquelle on pourrait s'attendre s'il y avait symétrie entre haut et bas ; HB est certes un schème rare en bambara, mais il n'a aucune relation particulière avec le schème H : les unités de schème H n'ont jamais HB comme variante contextuelle ; quant aux unités attestées avec le schème HB, elles connaissent bien une alternance tonale, mais c'est avec le schème H'H (et non pas H) qu'alterne le schème HB :

sékù bɛ́ jàŋ	*sé'kú tùŋ bɛ́ jàŋ*
« Sékou est ici »	« Sékou était ici »

L'absence de symétrie entre haut et bas apparaît particulièrement bien dans la question des tons flottants. En effet, une description du bambara ne semble pas pouvoir éviter de reconnaître au moins l'existence d'un morphème (l'article) dont le signifiant se réduit à un élément tonal bas. Certains traitements du bambara reconnaissent de manière symétrique l'existence de tons hauts flottants dans les structures sous-jacentes, mais on peut penser qu'il s'agit là d'une façon fort peu satisfaisante d'introduire un élément haut dont l'apparition est presque toujours prédictible de manière évidente ; l'hypothèse d'un morphème dont le signifiant se réduirait à un élément haut a certes été proposée autrefois par C. Bird et reprise sous une forme différente par A. Rialland,[6] mais elle est très contestable, et la suite de l'exposé confirmera que les tons flottants hauts ne sont en bambara que des artefacts auxquels doivent avoir recours des descriptions qui n'ont pas fait au départ les hypothèses correctes sur l'organisation du système tonal de cette langue.

6. Voir A. Rialland, *Systèmes prosodiques africains. Fondements empiriques pour un modèle multilinéaire*, thèse d'État, Université de Nice, 1988, ainsi que A. Rialland et M. Sangaré, « Réanalyse des tons du bambara : des tons du nom à l'organisation générale du système », *Studies in African Linguistics*, vol. 20-1, 1989, p. 1-28.

Seul le ton bas est donc susceptible d'être reconnu comme terme marqué de l'opposition tonale du bambara, et la suite de ce paragraphe a pour objectif de montrer que ce choix permet effectivement de rendre compte de façon simple du fonctionnement tonal de cette langue.

Cette hypothèse entraîne des conséquences qu'il importe de souligner. Il ne faudra pas perdre de vue qu'elle autorise le recours à des tons flottants bas, mais interdit par contre par principe le recours à des tons flottants hauts. Ensuite, pour le bambara au moins, elle est difficilement compatible avec un traitement de type autosegmental. En effet, à condition de poser explicitement à la fois des tons hauts et des tons bas dans les formes structurelles, on peut imaginer (même si certaines difficultés surgissent) un traitement autosegmental de la tonalité du bambara. Par contre l'utilisation de formes lexicales où seul figure explicitement l'élément bas n'est possible qu'à partir du moment où l'élément bas est localisé relativement à la chaîne segmentale (c'est-à-dire si l'élément bas est donné dès le départ, soit comme associé à un noyau syllabique, soit comme flottant à la jonction de deux syllabes ou bien à l'une des deux extrémités d'une unité). Par exemple, nous verrons qu'il y a trois classes tonales de monosyllabes qui comportent également l'élément bas mais qui se distinguent par sa localisation (flottant à gauche / associé au noyau syllabique / flottant à droite). Faute de procéder ainsi, il ne serait pas possible de prédire correctement le domaine de propagation de l'élément marqué.

Un point délicat, dont ont débattu quantité d'études consacrées à la tonologie du bambara, est la façon de rendre compte des types tonals caractérisés par une alternance entre B et BH; voyons donc comment l'hypothèse du ton bas marqué permet d'aborder cette question. On a eu jusqu'ici pour l'essentiel une polémique, qu'il serait trop long de reprendre ici, entre les tenants de deux approches apparemment inconciliables : l'une traite l'élément H de la variante BH comme la manifestation d'un élément haut structurel qui s'efface dans certains contextes, l'autre considère au contraire que la variante B représente directement le schème tonal structurel, un élément haut pouvant être introduit par une règle de dissimilation. Or l'hypothèse du ton bas marqué débouche sur un troisième type de traitement, qui a l'avantage d'éviter les difficultés auxquelles se heurtent les deux précédents : à partir d'un schème structurel qui ne comporte bien évidemment qu'un élément bas localisé à l'initiale des unités présentant cette alternance, la variante B est expliquée comme résultant de la propagation progressive du ton bas initial, tandis que la variante BH apparaît lorsque, la propagation du ton bas se trouvant bloquée, les syllabes restées libres reçoivent un ton haut par défaut.

Pour beaucoup de locuteurs du bambara standard, les dissyllabes dont la tonalité présente une alternance entre B et BH constituent un seul type tonal,[7] dont les variantes contextuelles ont une distribution particulièrement simple : quelle que soit la nature syntaxique des frontières mises en jeu, la variante B apparaît devant pause ou devant ton haut, la variante BH apparaît devant ton bas.[8] Par exemple :

à má fàlì jé « il n'a pas vu d'âne »	*à má fàlí sɔ̀rɔ̀* « il n'a pas trouvé d'âne »
à jé fàlì nání jé « il a vu quatre ânes »	*à jé fàlì nání sɔ̀rɔ̀* « il a trouvé quatre ânes »
à jé fàlí sàbà jé « il a vu trois ânes »	*à jé fàlí sàbá sɔ̀rɔ̀* « il a trouvé trois ânes »

Il faut seulement être attentif au fait que, pour faire des prédictions correctes, on doit se situer à un niveau de représentation où peuvent figurer des tons flottants bas. Par exemple l'apparition de la variante de schème BH dans *fàlí 'tɛ́ jàŋ* « l'âne n'est pas ici » s'explique à partir de *fàlí ̀ tɛ́ jàŋ*, le ton flottant bas expliquant à la fois le choix de la variante *fàlí* et l'abaissement du ton haut de *tɛ́*. En l'absence de ton flottant bas c'est la variante *fàlì* qui apparaît au contact immédiat de *tɛ́* : *fàlì tɛ́ jàŋ* « il n'y a pas d'âne ici ».

Selon l'hypothèse du ton bas marqué, le substantif signifiant « âne » a pour forme sous-jacente *fàli* : la première syllabe est marquée comme basse, la deuxième est tonalement non marquée : si le contexte l'autorise, elle recevra un ton bas résultant de la propagation du ton bas de la première syllabe ; si le contexte interdit la propagation, elle recevra par défaut un ton haut.

7. Ceci n'est pas général en mandingue. Le cas du malinké de Kita, qui se caractérise par la distinction entre deux classes de dissyllabes à ton initial bas qui diffèrent l'une de l'autre par la distribution de la variante de schème B et de la variante de schème BH, a déjà été évoqué dans les chapitres précédents.

8. Chez certains locuteurs, il semble que la variante de schème BH puisse apparaître, de façon apparemment aléatoire, y compris devant ton haut ou en finale ; dans le cadre proposé ici il suffirait de poser que pour ces locuteurs la règle de diffusion du ton B n'est pas une règle obligatoire.

Une description plus précise que la simple esquisse proposée ici aurait à préciser les conditions de propagation du ton bas, qui présentent des variations délicates à cerner dans une langue comme le bambara où se superposent des parlers vernaculaires très différenciés et un parler standard imparfaitement stabilisé, mais il ne s'agit pas là d'une difficulté tenant au cadre théorique proposé ici : toute autre description explicite de la tonalité du bambara se heurte à la même difficulté. Ce qui importe, c'est qu'une fois qu'on s'est mis d'accord sur la distribution des deux variantes, l'hypothèse du ton bas marqué permet sans aucune difficulté d'écrire les règles nécessaires pour prédire le choix entre les variantes B et BH d'une même unité.

Il y a une condition de blocage très généralement valable : la propagation n'a normalement lieu que si la syllabe susceptible de prendre un ton bas par propagation n'est pas immédiatement suivie d'une syllabe associée à ton bas ou d'un ton flottant bas : la propagation est bloquée dans les configurations ò o ò et ò o`, elle est possible dans les configurations ò o o et ò o #. On note seulement une exception : pour certains locuteurs au moins, à la jonction d'un lexème verbal et d'un complément qui lui succède, il arrive que le ton bas se propage même si le complément en question commence par une syllabe à ton bas. Par exemple, la règle posée ci-dessus prédit que la phrase signifiant « Moussa a gagné de l'argent en faisant du commerce » sera réalisée *músá jé wárí sɔ̀rɔ́ ɟàgó 'lá*. Cette réalisation est effectivement celle qu'on trouve chez certains locuteurs, mais d'autres auront plutôt *músá jé wárí sɔ̀rɔ̀ ɟàgó 'lá*, avec diffusion du ton bas à la deuxième syllabe du lexème verbal *sɔ̀rɔ*; pour ces locuteurs, la limite entre un lexème verbal et son complément a donc des propriétés particulières relativement à la propagation du ton bas.

En se réservant la possibilité de restreindre ou d'élargir les conditions d'application de cette règle pour rendre compte de cas particuliers, on peut poser en bambara comme règle générale que, étant donné une séquence sous-jacente ò o dans laquelle aucune frontière ne sépare les deux noyaux syllabiques, le ton bas se propage au deuxième noyau syllabique à condition que celui-ci ne soit immédiatement suivi, ni d'une syllabe dont le noyau est associé au ton bas, ni d'un ton flottant bas. Par exemple : [9]

9. Dans la façon dont sont présentés les exemples illustrant les processus tonals du bambara, il ne faut pas voir plus qu'une présentation informelle de ces processus : un traitement vraiment explicite devrait utiliser des représentations où figurent les informa-

à ma fàli je	*à ma fàli sɔrɔ*	
↓	↓	(propagation du ton bas)
à ma fàlì je	*à ma fàli sɔrɔ̀*	
↓	↓	(assignation du ton haut par défaut)
à má fàlì jé	*à má fàlí sɔ́rɔ̀*	
« il n'a pas vu d'âne »	« il n'a pas trouvé d'âne »	

Dans la première phrase, le ton bas de la syllabe *fà* remplit les conditions pour se propager à la syllabe suivante. Ce n'est pas le cas dans la deuxième phrase, où le seul ton bas qui puisse se propager est celui de la syllabe *sɔ̀*.

La phrase suivante souligne la nécessité de tenir compte de la présence de frontières si on ne veut pas faire de prédictions incorrectes. Dans cette phrase, ni le ton bas de *à* « lui, elle », ni le ton bas flottant qui représente l'article ne se propagent à la syllabe qui leur succède ; or si ce n'était la présence d'une frontière, rien ne s'opposerait ici à ce que la propagation ait lieu :

à bolo` kari-la	
↓	(assignation du ton haut par défaut)
à bóló` kárí-lá	
↓	
à bóló 'kárí-lá	
« il s'est cassé le bras »	

En posant seulement que la propagation du ton bas a lieu dans une configuration de type ò o o, on prédirait ici **à bòló kàrílá*. Des réalisations de ce type peuvent exister dans des parlers mandingues qui n'ont pas les mêmes restrictions à la propagation du ton bas (par exemple en koro), mais en bambara standard ce n'est pas le cas.

Ce point éclairci, voyons dans le détail comment l'hypothèse du ton bas marqué permet de rendre compte des divers types tonals d'unités qui existent en bambara.

La très grande majorité des monosyllabes du bambara relèvent de l'un des deux types tonals suivants :

— l'un peut se caractériser par l'absence totale de l'élément bas : *so* « maison », *bɔ* « sortir ».

tions sur la nature des frontières qui conditionnent la mise en œuvre des règles ; par ailleurs, les exemples sont donnés d'emblée avec leur forme segmentale de surface, alors qu'en toute rigueur la représentation de départ devrait faire apparaître des formes segmentales sous-jacentes parfois différentes.

— l'autre contient un élément bas qui manifeste sa présence par des réalisations où B et BH alternent avec la même distribution que celle indiquée ci-dessus pour les dissyllabes du type *fàli.*

Dans le cadre esquissé ici, on doit supposer que ce type tonal se caractérise par la présence d'un élément bas qui, au niveau de la forme lexicale sous-jacente, flotte à gauche de la syllabe constituant les unités en question : *`so* « cheval », *`na* « venir », *`u* « eux, elles ». En effet, pour rendre compte de la réalisation ponctuelle basse de telles unités, il suffit alors d'élargir comme suit la règle de propagation posée ci-dessus : une syllabe dépourvue de ton bas immédiatement précédée d'un ton flottant bas dont aucune frontière ne la sépare est affectée d'un ton bas (` o → ` ò) à condition de précéder immédiatement une pause ou une syllabe dépourvue de ton bas. Après cela le ton flottant bas, se trouvant de ce fait en contact immédiat avec une syllabe à ton bas, sera simplement effacé.

Ainsi le ton bas d'une unité comme *`u* « eux, elles » est susceptible, selon la règle de propagation ainsi élargie, de se propager à la voyelle *u.* Mais il peut aussi se trouver bloqué dans sa propagation par la présence d'un ton bas sur la première syllabe de l'unité suivante. Si c'est le cas, un ton haut sera affecté par défaut à la voyelle *u.* La modulation montante pourra alors s'expliquer par une règle de rattachement intervenant seulement après la règle d'affectation du ton haut par défaut : étant donné une configuration ` ó dans laquelle aucune frontière ne sépare le ton flottant bas de la syllabe à ton H, le ton B flottant se rattache à la syllabe suivante qui se trouve ainsi associée à un ton complexe BH. Comparons par exemple :

`u se-ra`bi	*`u `na-na `bi*	
↓	↓	(propagation du ton bas)
`ù se-ra `bì	*`u `nà-na `bì*	
↓	↓	(assignation du ton haut par défaut)
`ù sé-rá`bì	*`u´`nà-ná `bì*	
↓	↓	(rattachement du ton flottant bas)
`ù sé-rá`bì	*ǔ`nà-ná `bì*	
↓	↓	(effacement du ton flottant bas)
ù sé-rá bì	*ǔ nà-ná bì*	
« ils sont arrivés aujourd'hui »	« ils sont venus aujourd'hui »	

Les monosyllabes de ce type présentent en contexte ó — ò une variation entre deux réalisations équivalentes, l'une modulée montante et l'autre ponctuelle au niveau d'un ton haut abaissé, dont le choix semble surtout faire intervenir la rapidité du débit. Pour en rendre compte, il suffit de préciser que la règle de rattachement du ton flottant bas, qui s'applique postérieurement à l'assignation du ton haut par défaut, n'est obligatoire qu'après pause : après une limite ordinaire le ton flottant bas peut rester flottant, et il se manifestera alors par l'abaissement du ton haut qui a été assigné par défaut à la syllabe suivante. Par exemple la phrase signifiant « il n'est pas venu aujourd'hui » peut en débit lent avoir la variante *à má nǎ bì*, qui s'explique de la façon suivante :

à ma ˋna ˋbi
↓ (propagation du ton bas)
à ma ˋna ˋbì
↓ (assignation du ton haut par défaut)
à má ˋná ˋbì
↓ (rattachement du ton flottant bas)
à má nǎ ˋbì
↓ (effacement du ton flottant bas)
à má nǎ bì

tandis qu'en débit normal ou rapide, la règle de rattachement ne s'appliquant pas, on aboutira à la variante *à má ꜝná bì*, qui s'explique de la façon suivante :

à ma ˋna ˋbi
↓ (propagation du ton bas)
à ma ˋna ˋbì
↓ (assignation du ton haut par défaut)
à má ˋná ˋbì
↓ (abaissement du registre haut)
à má ˋꜝná ˋbì
↓ (effacement des tons flottants bas)
à má ꜝná bì

Le fait de n'exiger aucune règle ad hoc pour rendre compte des cas où de tels monosyllabes ont une réalisation ponctuelle au niveau d'un ton haut abaissé fait partie des aspects intéressants de ce traitement.

Voyons maintenant comment peut être réglé le cas des autres types tonals de monosyllabes qui existent en bambara.

Le cas du type illustré par *à* « lui, elle » est simple : il suffit de poser l'élément bas comme associé au noyau syllabique pour rendre compte du fait que *à* « lui, elle », à la différence par exemple de *ˋu* « eux, elles », a invariablement une réalisation basse.

Le type illustré par *bi`* « dizaine » regroupe quelques monosyllabes qui diffèrent de ceux ne comportant aucun élément bas par l'effet d'abaissement qu'ils exercent sur un éventuel ton haut leur succédant (par exemple : *bí 'nání* « quarante »), ce dont rend aisément compte un élément bas structurellement localisé à la finale de telles unités.

Enfin, beaucoup de locuteurs du bambara standard ont dans leur système un cinquième type tonal de monosyllabes qu'en première approximation on serait tenté de désigner comme « monosyllabes à ton haut faible ». Ces monosyllabes ne se distinguent de ceux analysés ci-dessus comme dépourvus de l'élément bas que dans le contexte ò — ó : dans ce contexte, ils présentent en variation libre une réalisation basse ou une réalisation haute (la réalisation basse semblant préférée par la plupart des locuteurs du bambara standard). C'est le cas par exemple du morphème de négation má :

músá má jé bì « Moussa n'a pas été vu aujourd'hui »
músá má kàsí bì « Moussa n'a pas pleuré aujourd'hui »
à má kàsí bì « il n'a pas pleuré aujourd'hui »
à mà jé bì « il n'a pas été vu aujourd'hui »

La seule solution simple est de poser que ces monosyllabes ne comportent dans leur forme structurelle aucun élément bas mais sont signalés dans le lexique comme autorisant l'extension de la règle de propagation du ton bas à un cas où, contrairement au cas général, le ton bas qui se propage et le noyau syllabique qui subit la propagation sont séparés par une limite d'unités.

Sur ce point, le bambara occupe dans l'ensemble mandingue une position intermédiaire entre des parlers tels que le malinké de Kita (où seul le morphème de pluriel autorise la propagation du ton bas à travers une frontière d'unités) et d'autres tels que le koro, où la propagation du ton bas n'est jamais bloquée par la présence d'une frontière.

Examinons maintenant les types tonals de dissyllabes.

Le cas du type *fàli* a déjà été évoqué : sur un point au moins, cette esquisse du système tonal du bambara respecte une des traditions les plus solides de la tonologie bambara, qui est de considérer ce type tonal comme donnant accès de manière relativement évidente aux grands principes de fonctionnement qui dominent le système – les difficultés commençant lorsqu'on cherche à généraliser les conclusions suggérées par l'observation des dissyllabes de ce type.

L'autre type majeur de dissyllabes ne pose aucun problème : leur forme lexicale ne comporte aucun élément bas (par exemple : *basa* « lézard », *wele* « appeler »).

Deux types mineurs sont aussi attestés, en particulier (mais pas exclusivement) parmi les noms propres de personnes.

L'un de ces types présente selon le contexte des réalisations ó ò ou ó 'ó, ce dont on peut rendre compte en postulant un élément bas structurellement localisé entre les deux syllabes qui constituent de telles unités. Il suffit de préciser les conditions d'application de la règle de rattachement du ton bas pour éviter qu'elle ne prédise la possibilité d'une réalisation montante de la deuxième syllabe : cette règle n'est valable que pour un ton bas flottant qu'une limite sépare de la syllabe précédente. On aura par exemple :

se`ku bɛ `jaŋ	*se`ku `tuŋ bɛ `jaŋ*	
↓	↓	(propagation du ton bas)
se`kù bɛ `jàŋ	*se`ku `tùŋ bɛ `jàŋ*	
↓	↓	(assignation du ton haut par défaut)
sé `kù bɛ́ `jàŋ	*sé `kú `tùŋ bɛ́ `jàŋ*	
↓	↓	(abaissement du registre haut)
sé `kù bɛ́ `jàŋ	*sé ` 'kú `tùŋ bɛ́ `jàŋ*	
↓	↓	(effacement du ton flottant bas)
sékù bɛ́ jàŋ	*sé'kú tùŋ bɛ́ jàŋ*	
« Sékou est ici »	« Sékou était ici »	

L'autre type mineur de disyllabes peut être illustré par le nom propre réalisé en isolation *mǒdù*; il suffit de lui attribuer la forme sous-jacente *`mo`du* pour que les règles posées jusqu'ici prédisent correctement la totalité de son comportement tonal.

Il y a en bambara trois types tonals majeurs de trisyllabes. L'un, que l'on peut illustrer par *suruku* « hyène », se caractérise par l'absence de tout élément bas. Les deux autres présentent tous deux une alternance entre schèmes B et BH et se caractérisent donc tous deux par un élément bas localisé à l'initiale, mais la façon précise d'enregistrer cet élément bas doit rendre compte du fait que dans certains contextes, *de manière non prédictible*, certains trisyllabes à ton initial bas présentent un contour ò ò ó et d'autres un contour ò ó ó. Il faut aussi vérifier que le traitement proposé n'est pas mis en défaut par un fonctionnement de l'alternance entre les schèmes B et BH qui n'est pas tout à fait identique à celui observé pour les unités comportant moins de trois syllabes.

En effet, la réalisation des trisyllabes présentant l'alternance entre schème B et schème BH donne lieu à des variations plus importantes que pour les monosyllabes ou les dissyllabes. Certains locuteurs ont une distribution des variantes de schème B et BH identique à celle valable pour les dissyllabes, mais c'est loin d'être toujours le cas, et il n'est pas rare d'observer des trisyllabes avec une réalisation de schème BH dans des contextes où un dissyllabe serait réalisé au schème B. Pour beaucoup de locuteurs, à la différence des dissyllabes présentant le même type d'alternance, les trisyllabes dont la réalisation peut être de schème B ou BH ne présentent le schème B que dans certains types de syntagmes ; ailleurs ils prennent invariablement le schème BH. Chez de tels locuteurs on aura par exemple :

(a) *sǒ sàbá nà-ná* « trois chevaux sont venus »
mùsó sàbá nà-ná « trois femmes sont venues »
tùbàbú sàbá nà-ná « trois Européens sont venus »
ɟàkúmá sàbá nà-ná « trois chats sont venus »

(b) *sò kéléŋ nà-ná* « un seul cheval est venu »
mùsò kéléŋ nà-ná « une seule femme est venue »
tùbàbù kéléŋ nà-ná « un seul Européen est venu »
ɟàkùmà kéléŋ nà-ná « un seul chat est venu »

(c) *sò má nà* « aucun cheval n'est venu »
mùsò má nà « aucune femme n'est venue »
tùbàbú má nà « aucun Européen n'est venu »
ɟàkúmá má nà « aucun chat n'est venu »

Les exemples (c) illustrent le cas général pour les locuteurs dont l'idiolecte fonctionne selon ce principe : dans ces exemples, les trisyllabes à ton initial bas présentent un schème BH alors que monosyllabes ou dissyllabes placés dans les mêmes conditions manifestent un schème B. Les exemples (b) illustrent un cas particulier (le syntagme à déterminant numéral) où même ces locuteurs ont généralement une réalisation de schème B pour la totalité des unités à ton initial bas.

Il faut donc poser pour les trisyllabes qui connaissent l'alternance entre schème B et schème BH un schème sous-jacent comportant un ton B initial de façon à ce que, en appliquant la règle générale de propagation, on obtienne les réalisations observées en (c). Il suffira alors de préciser, en tenant compte de la variabilité des usages, les conditions syntaxiques dans lesquelles la propagation peut se poursuivre au-delà de ce que prévoit la règle générale.

Compte tenu des choix déjà faits pour rendre compte des dissyllabes et des monosyllabes, la solution qui s'impose consiste à poser que les trisyllabes dont la tonalité réalisée alterne entre ò ò ò et ò ò ó ont structurellement un élément bas associé à leur syllabe initiale (par exemple : *tùbabu* «Européen»), tandis que ceux dont la tonalité réalisée alterne entre ò ò ò et ò ó ó ont structurellement un élément bas flottant à gauche de leur syllabe initiale (par exemple : *`ɟakuma* «chat»). L'application de la règle générale de propagation telle qu'elle a été formulée pour rendre compte des monosyllabes et des dissyllabes prédit alors correctement les réalisations de schème ascendant :

tùbabu ma `na	*`ɟakuma ma `na*	
↓	↓	(propagation du ton bas)
tùbàbu ma `nà	*`ɟàkuma ma `nà*	
↓	↓	(assignation du ton haut par défaut)
tùbàbú ma´ `nà	*`ɟàkúmá ma´ `nà*	
↓	↓	(effacement du ton flottant bas)
tùbàbú má nà	*ɟàkúmá má nà*	
«aucun Européen n'est venu»	«aucun chat n'est venu»	

On rencontre aussi dans les trisyllabes des types tonals mineurs, dont on peut aisément rendre compte de la façon suivante :

— Certains trisyllabes ont dans leur forme lexicale un élément bas associé à la syllabe médiane (c'est le cas de *baràma* «marmite») ou flottant entre la syllabe médiane et la syllabe finale (c'est le cas de *kaba `su* «sorte de craie»). Ce type tonal est récessif : l'élément structurel bas ailleurs qu'en position initiale a en bambara standard une nette tendance à s'effacer.

— Enfin, on relève deux types tonals de trisyllabes dont les réalisations tonales sont prédites de manière correcte si on leur attribue une forme lexicale incluant deux éléments bas : pour le type illustré par *`sakɛ̀nɛ* «lézard, sp.» le premier ton bas flotte à gauche de la première syllabe et le deuxième est associé à la deuxième syllabe, tandis que pour le type illustré par *ɟòli `ba* «le Niger», le premier ton bas est associé à la première syllabe et le deuxième flotte entre la deuxième et la troisième syllabe.

On peut maintenant vérifier qu'il n'y a pas de difficultés en ce qui concerne la description des implications tonales de la fusion de deux syllabes en une syllabe unique, qui est en bambara un phénomène important. Les faits ayant déjà été présentés dans un chapitre

antérieur, on se bornera ici à vérifier qu'on peut les prédire correctement dans le cadre de l'hypothèse du ton bas marqué, en posant que :
(a) la fusion de deux syllabes toutes deux dépourvues d'élément bas donne une syllabe dépourvue d'élément bas ;
(b) la fusion de deux syllabes toutes deux associées à un élément bas donne une syllabe associée à un élément bas ;
(c) lorsque deux syllabes fusionnent en une syllabe unique et que seule la deuxième de ces deux syllabes est associée à un élément bas, cet élément bas se maintient comme ton flottant placé après la syllabe résultant de la fusion : o‿ò → oˋ ;
(d) lorsque deux syllabes fusionnent en une syllabe unique et que seule la première de ces deux syllabes est associée à un élément bas, cet élément bas se maintient comme ton flottant placé avant la syllabe résultant de la fusion : ò‿o → ˋo.

La règle (c) permet d'unifier le traitement des tons bas flottants issus de ce processus et celui du ton bas flottant qui constitue l'article. La règle (d) rend compte du fait que les syllabes résultant de ce processus ont les mêmes propriétés tonales que les monosyllabes pour lesquels a été postulé un schème structurel ˋo : une même règle de rattachement du ton flottant B permettra de rendre compte de la modulation qui apparaît dans les deux exemples suivants :

ˋu ˋfo	*kà i ˋɟɔ*	
↓	↓	(fusion de syllabes)
—	*ˋki ˋɟɔ*	
↓	↓	(propagation du ton bas)
ˋu ˋfò	*ˋki ˋɟɔ̀*	
↓	↓	(assignation du ton haut par défaut)
ˋú ˋfò	*ˋkí ˋɟɔ̀*	
↓	↓	(rattachement du ton flottant bas)
ǔ ˋfò	*kǐ ˋɟɔ̀*	
↓	↓	(effacement du ton flottant bas)
ǔ fò	*kǐ ɟɔ̀*	
« salue-les »	« s'arrêter »	

Cette règle permet aussi de prédire correctement, sans avoir à rajouter aucune règle à celles posées jusqu'ici, la réalisation ponctuelle au niveau haut abaissé que prend la syllabe résultant de la contraction dans *wúlí 'kí ɟɔ̀* « mets-toi debout » :

wuli kà i `ɟɔ
↓ (fusion de syllabes)
wuli `ki `ɟɔ
↓ (propagation du ton bas)
wuli `ki `ɟɔ̀
↓ (assignation du ton haut par défaut)
wúlí `kí `ɟɔ̀
↓ (abaissement du registre haut)
wúlí ` 'kí `ɟɔ̀
↓ (effacement du ton flottant bas)
wúlí 'kí ɟɔ̀
« mets-toi debout »

Les réductions syllabiques ne mettent donc pas en défaut l'hypothèse du ton bas marqué. Elles permettent même de comprendre la nécessité à première vue embarrassante de poser comme flottant le ton bas initial de la quasi-totalité des monosyllabes dont la forme structurelle inclut un élément bas. En effet, dans les parlers mandingues occidentaux, tous ces monosyllabes sont constitués d'une syllabe lourde et comportent deux unités porteuses de ton, ce qui permet d'appliquer le traitement esquissé ici sans avoir recours à des tons flottants : il suffit de considérer la more comme l'unité porteuse de ton et d'associer l'élément bas à la première more de tels monosyllabes. Or en bambara, la réduction d'une séquence ò o donne l'équivalent d'un monosyllabe de structure `o. Tout se passe donc là comme si en bambara opérait encore synchroniquement, lors de réductions syllabiques, un processus analogue à celui qui a dû dans l'histoire de la langue réduire des monosyllabes constitués initialement d'une syllabe lourde, rendant nécessaire le recours à la notion de ton flottant pour expliquer un comportement tonal qui est resté conforme à ce que l'on attendrait d'unités comportant deux unités porteuses de ton successives et non pas une seule.

Il faut voir enfin comment l'hypothèse du ton bas marqué permet de rendre compte de la possibilité que l'alternance entre les schèmes B et BH se complique d'une alternance avec le schème HB. Ignoré du bambara standard, ce phénomène concerne par contre la très grande majorité des vernaculaires bambara, à la seule exception des parlers du Bélédougou. Une hypothèse théorique applicable à la description du bambara standard mais incapable de rendre compte simplement du phénomène en question perdrait en effet beaucoup de son intérêt.

Alors qu'en bambara standard le syntagme signifiant «trois femmes» se présente comme *mùsó sàbá*, en bambara de Ségou ce même syntagme est réalisé *mòsò sábà* : le numéral «trois», qui dans d'autres contextes pourrait présenter un contour B ou BH, a ici une réalisation HB. Mais le contour global du syntagme reste inchangé, ce qui suggère qu'on doit avoir là des différences au niveau de règles susceptibles d'associer différemment des tons sous-jacents identiques plutôt que des différences dans la structure tonale sous-jacente elle-même.

Ce phénomène a jusqu'ici été traité en termes de propagation du ton haut, mais cette notion ne saurait être retenue à partir du moment où on pose comme unique élément tonal marqué le ton bas : sous peine de vider la notion de marque de toute sa substance, il faut accepter que, de même que seul le ton marqué peut figurer comme flottant dans les formes lexicales, de même seul le ton marqué est susceptible de se propager.

Il s'avère toutefois possible de rendre compte de ces réalisations tonales, qui à première vue semblent résulter d'une diffusion du ton haut, en considérant le ton haut comme un ton par défaut et en partant de formes lexicales dans l'ensemble identiques à celles qui conviennent pour le bambara standard. Il suffit pour cela d'ajouter aux règles dégagées ci-dessus une règle de *glissement du ton bas* située immédiatement avant les règles de propagation. En effet, des formes sous-jacentes où seul figure le ton marqué permettent d'utiliser des règles de déplacement du ton marqué analogues aux règles de déplacement d'accent utilisées dans la description de systèmes accentuels.

Le glissement du ton bas est conditionné par une information syntaxique qu'il faudrait préciser dans une description complète, et qui varie d'un parler à l'autre. Ici nous nous limiterons à vérifier sur un exemple que, compte tenu des autres règles tonales esquissées dans ce qui précède, une règle de glissement du ton bas rend compte des particularités tonales de parlers tels que le bambara de Ségou aussi bien que les règles de diffusion du ton haut qui ont pu être proposées dans les travaux antérieurs.

Comparons la courbe tonale de la phrase signifiant «trois femmes sont venues acheter du tissu» en bambara standard et en bambara de Ségou :

(standard) *mùsó sàbá nà-ná fìní sàŋ*
(Ségou) *mòsò sábà ná-'ná fìní sàŋ*
/femme/trois/venir-*acc.*/tissu/acheter/

Selon l'hypothèse proposée ici, la variante standard a pour structure tonale sous-jacente *mùso sàba `na-na fìni` `saŋ*. Or la variante ségovienne peut se générer à partir de la même structure, à la seule condition de signaler que, dans ce parler, certaines frontières (que l'on pourrait figurer par ÷) autorisent l'application d'une règle de glissement du ton bas que l'on peut formuler comme suit : un ton bas associé à la syllabe qui succède immédiatement à une limite ÷ se détache pour flotter à la suite de cette syllabe à condition que la limite ÷ ne soit immédiatement précédée, ni d'une syllabe à ton bas, ni d'un ton flottant bas; dans les mêmes conditions, un ton flottant qui suit immédiatement une limite ÷ se déplace pour flotter après la syllabe qui succède à la limite ÷. Soit en abrégé :

o ÷ ò → o ÷ o `
o ÷ ` o → o ÷ o `

La condition selon laquelle un ton bas situé immédiatement avant la limite ÷ bloque le glissement est nécessaire pour rendre compte du fait que, dans les conditions syntaxiques où le glissement serait susceptible de se produire, il ne se produit pas si on a, immédiatement avant la limite ÷, l'anaphorique *à* « lui, elle » ou le ton flottant bas représentant l'article. Le résultat est que cette règle déplace les points d'inflexion de la courbe mélodique globale des phrases mais n'a jamais pour effet de créer des inflexions supplémentaires, comme ce serait le cas si elle n'était pas limitée par cette condition.

Nous aurons ainsi, en tenant compte de ce que les deux premières limites dans notre phrase exemple sont des limites ÷ :

mòso sàba `na-na fìni` `saŋ
↓ (glissement du ton bas)
mòso sa `ba na `-na fìni` `saŋ
↓ (propagation du ton bas)
mòsò sa `bà na `-na fìni` `sàŋ
↓ (assignation du ton haut par défaut)
mòsò sá `bà ná `-ná fìní` `sàŋ
↓ (abaissement du ton haut)
mòsò sá `bà ná `-' ná fìní` `sàŋ
↓ (effacement du ton bas flottant)
mòsò sábà ná-' ná fìní sàŋ

L'hypothèse du ton bas marqué permet donc de rendre compte de tous les faits de tonalité du bambara signalés jusqu'ici avec une grande économie de moyens formels. Elle permet de prédire l'alternance entre B, BH et HB sans avoir à introduire explicitement dans les formes sous-jacentes l'élément haut qui apparaît dans cette alternance, et elle évite de faire figurer dans les formes sous-jacentes des éléments qui seraient souvent destinés à s'effacer. En particulier, des formes sous-jacentes où seul figure explicitement l'élément bas peuvent parfaitement prédire les réalisations dans lesquelles on a voulu voir jusqu'ici le résultat de la propagation d'un ton haut. Et l'hypothèse du ton bas marqué n'est pas contradictoire avec la reconnaissance du fait que, comme l'ont souligné divers auteurs, le ton haut a souvent en bambara un rôle démarcatif : en posant (comme cela s'avère indispensable en bambara) que la propagation du ton marqué est conditionnée par la présence de frontières, non seulement on reconnaît au ton par défaut un rôle démarcatif, mais en outre on en propose une véritable explication.

SYSTÈMES ACCENTUELS : L'EXEMPLE DU SHINDZUANI

Les langues bantoues orientales offrent un matériau particulièrement riche pour étudier les différents stades d'évolutions pouvant conduire un système prosodique de type tonal à se rapprocher de plus en plus du type accentuel. L'aboutissement ultime, illustré par le swahili, est un accent de mot dont la place est phonologiquement prédictible (en swahili, l'accent se place régulièrement sur l'avant-dernière syllabe des mots). Les parlers comoriens présentent de ce point de vue un intérêt particulier car, si leurs systèmes prosodiques sont nettement de nature accentuelle, il s'agit de systèmes à accent mobile, c'est-à-dire dans lesquels la place de l'accent dans le mot n'est pas phonologiquement prédictible ; or, en comparant le comorien aux autres langues bantoues, on peut voir que le fonctionnement accentuel du comorien maintient un certain nombre de distinctions qui généralement en bantou relèvent de la tonalité. Par exemple, dans la structure tonale du verbe des langues bantoues, les indices d'élocutif singulier, allocutif singulier et délocutif de classe 1 se distinguent fréquemment par leur ton bas de tous les autres indices, qui ont un ton haut ; or en comorien, comme nous le verrons un peu plus loin, la place de l'accent d'une forme verbale incorporant un indice d'élocutif singulier, allocutif singulier ou délocutif de classe 1 est très souvent différente de la place de l'accent d'une forme verbale identique mais incorporant un indice autre que l'un de ces trois.

La suite de ce paragraphe sera consacrée à une esquisse du système accentuel du parler comorien de l'île d'Anjouan, ou shindzuani, basée sur la présentation du système accentuel du shindzuani donnée par A. Jaffar.[10]

Qu'on donne d'« accent » une définition large ou une définition restrictive, il n'y a aucune difficulté à établir la nature accentuelle du système prosodique du shindzuani, dans la mesure où les mots de ce parler n'ont que deux types de contours possibles :

— ou bien la première syllabe est au registre haut, et ensuite la voix peut seulement rester à un registre relativement haut ou présenter un contour descendant ;

— ou bien on a une ou plusieurs syllabes au registre bas suivie(s) d'une syllabe haute, et ensuite, si cette syllabe haute n'est pas la dernière du mot, la voix peut seulement rester à un registre relativement haut ou présenter un contour descendant.

En outre, la place de la première syllabe haute (qui donc est à reconnaître comme la syllabe accentuée) est seule pertinente : si la syllabe accentuée ainsi définie n'est pas la syllabe finale du mot, il n'y a rien qui justifierait de reconnaître une pertinence quelconque au fait que, dans la partie du mot qui lui succède, la voix reste à un registre relativement haut ou présente un contour descendant.

Tout énoncé du shindzuani peut se segmenter en un certain nombre de *groupes accentuels* comportant chacun une syllabe accentuée et une seule, les limites du groupe accentuel étant prédictibles d'après la structure morphosyntaxique. Le groupe accentuel peut comporter un nombre variable de syllabes ainsi que de morphèmes. Le groupe accentuel peut coïncider avec le mot ou comporter plusieurs mots, c'est-à-dire se présenter comme la concaténation de plusieurs unités susceptibles par ailleurs d'exister de manière autonome avec chacune son accent ; on peut introduire, pour rendre compte de ce phénomène, la notion d'*intégration accentuelle*.

En shindzuani, la place de l'accent dans le mot (et plus généralement dans le groupe accentuel) n'est pas phonétiquement prévi-

10. A. Jaffar, *Éléments de description du système accentuel du shindzuani*, mémoire de DEA de Sciences du langage, Université Stendhal, Grenoble, 1992.

sible. Il n'y a aucune restriction phonologique à la place de l'accent, qui, en fonction de facteurs morphologiques et lexicaux, peut affecter une quelconque syllabe du mot. On pourra s'en convaincre en examinant en particulier les formes verbales dont la structure accentuelle sera analysée dans ce qui suit. Le fait que la place de l'accent ne soit pas phonétiquement prévisible et puisse assumer une fonction de discrimination lexicale est prouvé par l'existence de paires telles que *ndzijá* « pigeon » / *ndzíja* « chemin ». Dans *upúha* « tu es tombé » / *úpuha* « il est tombé (l'arbre) », la place de l'accent découle du choix entre l'indice de sujet allocutif singulier et l'indice délocutif de classe 3.

Les verbes du shindzuani, lorsqu'ils ne sont pas dérivés, ont la plupart du temps une base dissyllabique, et les bases verbales dissyllabiques se répartissent en deux types accentuels qui seront conventionnellement désignés dans ce qui suit comme « type A » et « type B ». La distinction n'est toutefois possible que si la base verbale comporte exactement deux syllabes; les bases monosyllabiques appartiennent nécessairement au type B, et les bases comportant trois syllabes ou plus appartiennent nécessairement au type A (même dans le cas où elles sont le produit d'une dérivation à partir d'une base dissyllabique du type B). Là où la distinction est pertinente, la référence aux reconstructions proto-bantoues montre que le type A est le réflexe d'un ancien ton lexical haut, et que le type B est le réflexe d'un ancien ton lexical bas.

Un test pour reconnaître l'appartenance d'une base verbale à l'une ou l'autre classe consiste à considérer la façon dont la forme de présent positif dépourvue d'indice d'objet se combine à un complément : si la base verbale appartient à la classe A, la forme de présent positif forme avec le complément un groupe accentuel dont l'accent coïncide avec celui de la forme verbale isolée :

nisáŋgiha + ɓaruwá → nisáŋgiha ɓaruwa « j'écris une lettre »

mais si la base verbale appartient à la classe B, la forme de présent positif forme avec le complément un groupe accentuel dont l'accent n'est pas celui de la forme verbale isolée :

asíla + ʃahulá → asila ʃahúla « il mange de la nourriture »

La présentation des lois accentuelles du shindzuani peut commencer par l'étude du syntagme constitué d'un substantif et d'un adjectif qui le qualifie, dont il est possible de faire l'hypothèse qu'il met en œuvre de façon relativement simple des règles ayant par ailleurs une certaine généralité (même si elles n'expliquent pas tout). Le syntagme qualificatif constitue un unique groupe accentuel, l'accent du groupe étant réalisé sur *la syllabe précédant la syllabe accentuée du deuxième élément tel qu'il est prononcé en isolation* :

mwirí + mlibwávu	→	*mwiri mlíbwavu*	« un grand arbre »
mlíma + múndra	→	*mlimá mundra*	« une haute montagne »
mlíma + mkutrí	→	*mlima mkútri*	« une petite montagne »

La loi établie dans le cas du syntagme « substantif + adjectif » rend compte également de l'accentuation de syntagmes génitivaux tels que :

ɗágo + laŋgú	→	*ɗago láŋgu*	« ma maison »
ɓawá + lahé	→	*ɓawa láhe*	« son aile »
ʃifúŋgo + ʃahó	→	*ʃifuŋgo ʃáho*	« ton bouton »
mpesá + zatrú	→	*mpesa zátru*	« notre argent »
mfalúme + wawó	→	*mfalume wáwo*	« leur roi »

Lorsque le connectif génitival introduit un substantif dépourvu de toute détermination (et en particulier, dépourvu de l'article qui en shindzuani peut s'antéposer au substantif [11]), c'est toujours la même règle d'intégration accentuelle qui opère :

mperé + ja ʃáɓa	→	*mpere já ʃaɓa*	« une bague en cuivre »
mʃíja+ wa dʒakwé	→	*mʃija wa dʒákwe*	« une queue de singe »

La description des processus accentuels utilise généralement deux notions : *déplacement* (dans une configuration donnée, un accent peut se déplacer de la syllabe à laquelle il est attaché en structure vers une autre syllabe) et *effacement* (dans un groupe accentuel comportant virtuellement plusieurs syllabes accentuables, une seule de ces syllabes maintient son accent, les autres sont effacés). Dans cette perspective, la façon la plus simple de présenter la loi d'intégration accentuelle qui vient d'être dégagée consiste à y voir la résultante d'un double processus de déplacement et d'effacement; il suffit de poser que, étant donné un groupe accentuel soumis à cette loi et comportant deux syllabes structurellement associées à un accent :

11. Les bantouistes désignent souvent ce morphème comme « augment » ou « prépréfixe »; en comorien, sa fonction étant celle d'un article, il n'y a aucune raison de ne pas utiliser ce terme pour le désigner, au moins dans une description synchronique.

— dans un premier temps, si les deux syllabes virtuellement accentuées sont séparées l'une de l'autre par au moins une syllabe non accentuée, le premier accent se déplace pour aller s'associer à la syllabe qui précède immédiatement la deuxième syllabe associée à un accent ;
— dans un deuxième temps, le deuxième accent est effacé [12] :

$\neq \ldots \acute{o}_1 \ldots o\, \acute{o}_2 \ldots \neq \;\rightarrow\; \neq \ldots o_1 \ldots \acute{o}\, \acute{o}_2 \ldots \neq$
$\neq \ldots \acute{o}\, \acute{o}_2 \ldots \neq \;\rightarrow\; \neq \ldots \acute{o}\, o_2 \ldots \neq$

Si les deux syllabes accentuables se trouvent côte à côte, seul opère le processus d'effacement, et l'accent de groupe coïncide alors avec la première syllabe structurellement associée à un accent.

Cette interprétation revient à considérer que, dans ce processus d'intégration accentuelle, c'est le premier accent virtuellement présent qui se maintient (ce qui est très courant dans les systèmes accentuels), mais après avoir éventuellement subi un déplacement (ce qui semble moins courant).

Observons maintenant des groupes nominaux complexes résultant de l'emboîtement de syntagmes relevant tous d'un des types examinés ci-dessus :

malágo + malibwávu + majilí	→	*malago malíbwavu majili*
		« deux grandes maisons »
gumbá + la féda + laŋgú	→	*gumba lá feda laŋgu*
		« ma boucle d'oreille en argent »
ulíŋgo + wa ʃúma + múndra	→	*uliŋgo wá ʃuma mundra*
		« une longue échelle en acier »

Il est intéressant de remarquer qu'on ne ferait pas une prédiction correcte, dans le cas d'un syntagme tel que *gumba lá feda laŋgu* « ma boucle d'oreille en argent », si on posait que la règle établie ci-dessus s'applique en tenant compte de la structure en constituants de ce syntagme ; en effet, l'application de la règle au premier constituant donne *gumba lá feda*, et la combinaison de *gumba lá feda* et de *laŋgú* devrait aboutir à *gumba la feda láŋgu*, or la seule accentuation correcte est *gumba lá feda laŋgu*. Tout se passe donc comme si, indépendamment de l'emboîtement syntaxique des constituants, la règle d'intégration accentuelle opérait linéairement en ne prenant en considération que les deux premiers accents que comporte virtuellement la construction : étant donné un groupe accentuel comportant

12. « ≠ » représente les limites d'un groupe accentuel, et $\acute{o}_1$, $\acute{o}_2$ représentent les syllabes virtuellement accentuables qu'il comporte.

plus de deux syllabes structurellement associées à un accent, le premier accent, s'il est séparé du deuxième par au moins une syllabe atone, se déplace pour s'associer à la syllabe qui précède immédiatement la deuxième syllabe associée à un accent, après quoi tous les accents autres que le premier sont effacés.

On peut dégager de ceci une hypothèse utile en particulier pour l'analyse de la structure accentuelle des formes verbales : si, dans un groupe accentuel, l'intégration accentuelle aboutit à un accent de groupe coïncidant avec l'accent du premier terme du syntagme tel qu'il est prononcé en isolation, on peut supposer que le premier terme du syntagme comporte lui-même deux accents virtuels dans sa forme structurelle.

Il serait toutefois peut-être abusif de vouloir ramener à la règle établie ci-dessus la totalité des mécanismes accentuels du shindzuani, car il y a des syntagmes nominaux où l'intégration accentuelle aboutit à un résultat qui ne se ramène pas de manière évidente à l'application de cette règle : dans certains syntagmes nominaux, la place de l'accent de groupe coïncide systématiquement avec l'accent du deuxième constituant tel qu'il est prononcé en isolation, ce qui a priori semble indiquer que l'accent du premier constituant est tout simplement effacé.

C'est le cas du syntagme « substantif + déictique ». A l'état isolé le déterminant déictique (qui est dissyllabique) est accentué sur sa syllabe initiale. Si la loi précédemment établie était valable, on devrait s'attendre à ce que l'accent de groupe tombe sur la syllabe finale du substantif, or l'accent de groupe est sur la syllabe initiale du déterminant :

mwirí + únu → *mwiri únu* « cet arbre »
ɗágo + líle → *ɗago líle* « cette maison-là »

Par contre, en troisième position, le déterminant déictique manifeste le même comportement qu'un déterminant génitival, ce qui confirme que dans un emboîtement de syntagmes à intégration accentuelle, seuls comptent pour la détermination de l'accent de groupe les deux premiers accents virtuels : les suivants sont simplement effacés :

gumbá + la féda + laŋgú → *gumba lá feda laŋgu*
« ma boucle d'oreille en argent »
gumbá + la féda + líni → *gumba lá feda lini*
« cette boucle d'oreille en argent »

Un autre cas de syntagme nominal donnant lieu à l'effacement de l'accent du premier constituant est celui où un nom d'agent dérivé de verbe est immédiatement suivi d'un substantif qui constitue la transposition de l'objet du verbe en question :

mtsuŋgá + ɲómbe → *mtsuŋga ɲómbe* « éleveur de vaches »
mtsuŋgá + ŋgamíja → *mtsuŋga ŋgamíja* « éleveur de chameaux »

Mais tous les syntagmes nominaux ne donnent pas lieu à un processus d'intégration accentuelle. Un premier cas de syntagme nominal ignorant ce processus (c'est-à-dire où chaque constituant maintient l'accent qu'il présente en isolation) est celui constitué d'un substantif et de l'interrogatif « lequel ? » :

ŋgawá + jiví → *ŋgawá jiví* « quelle pirogue ? »
mwána + uví → *mwána uví* « quel enfant ? »

C'est aussi le cas du syntagme formé d'un substantif et du déterminant invariable *píja* signifiant « tout » :

u múʒi + píja → *u múʒi píja* « tout le village »
li garí + píja → *li garí píja* « toute la voiture »

On observe enfin que l'introduction de l'article peut modifier les propriétés accentuelles des groupes nominaux. Lorsque ce morphème intervient dans un constituant nominal qui se limite à « article + substantif » il n'est pas accentué, et sa présence ne change rien à l'accentuation du substantif telle qu'on peut l'observer en isolation :

u + mwirí → *u mwirí* « l'arbre »
li + ɗágo → *li ɗágo* « la maison »

Il en va de même lorsque l'article s'ajoute en tête d'un syntagme nominal à intégration accentuelle de l'un des types énumérés ci-dessus :

li + ɗago dzúzuri → *li ɗago dzúzuri* « la belle maison »
ji + mpere já ʃaɓa → *ji mpere já ʃaɓa* « la bague en cuivre »

Par contre lorsque l'article affecte le terme déterminant du syntagme génitival, il bloque l'intégration accentuelle qui opérerait en son absence ; comparons :

mʃija wa dʒákwe « queue de singe » (un seul accent réalisé)
u mʃija wa dʒákwe « la queue de singe » (un seul accent réalisé)
u mʃíja wa li dʒákwe « la queue du singe » (deux accents réalisés)

On remarque aussi que, contrairement à ce qui se passe lorsque l'article est à l'initiale d'un constituant nominal, sa présence modifie ici l'accentuation du substantif qui lui succède (comparons avec *li dʒakwé* « le singe »). Pour rester cohérent avec les lois accentuelles dégagées par ailleurs, on doit poser que l'article n'a pas toujours la même structure accentuelle : en règle générale il est structurellement dépourvu d'accent, mais lorsqu'il succède immédiatement au connectif génitival, il est structurellement associé à un accent, et la loi d'intégration accentuelle fait apparaître l'accent réalisé sur la syllabe qui précède la syllabe accentuée du substantif tel qu'il est prononcé en isolation : *wa li dʒákwe* doit provenir de *wa lí dʒakwé*.

Cette analyse est confirmée par le fait que, si le déterminant d'un syntagme génitival comporte à la fois l'article et le démonstratif, l'accent du groupe « article + substantif + démonstratif » ne tient pas compte de la présence du démonstratif : tout se passe donc comme si le substantif était le deuxième terme du syntagme structurellement pourvu d'un accent, et non pas le premier. Comparons :

li dʒakwe líni	<	*li dʒakwé líni*	« ce singe »
wa li dʒákwe lini	<	*wa lí dʒakwé líni*	« celle de ce singe (queue) »

Il se passe la même chose lorsque l'article est immédiatement précédé de *na* « avec ». Dans *na ú mwana* « avec l'enfant », la syllabe *mwa* doit être la deuxième syllabe structurellement associée à un accent. La préposition *na* ne manifestant pas par ailleurs un comportement qui justifierait de lui reconnaître un accent sous-jacent, le plus simple est d'admettre qu'ici aussi, nous avons un contexte dans lequel l'article est structurellement associé à un accent : en vertu des règles établies ci-dessus, une structure accentuelle sous-jacente *na ú mwána* rend compte de la réalisation *na ú mwana*.

Abordons maintenant l'analyse accentuelle des formes verbales.

En combinant des formes verbales appartenant à divers tiroirs verbaux à des constituants nominaux en fonction de complément, on constate que tantôt l'intégration accentuelle opère (c'est-à-dire qu'il y a un seul accent réalisé pour toute la séquence « verbe + complément »), tantôt elle n'opère pas (ce qui signifie que le verbe et le complément continuent de présenter chacun l'accentuation qu'ils ont à l'état isolé). Et lorsque l'intégration accentuelle opère, elle ne donne pas toujours le même résultat : parfois l'accent du groupe coïncide avec l'accent que présente la forme verbale en isolation, mais ce n'est pas toujours le cas.

Les hypothèses suivantes peuvent guider l'analyse :
(1) le fait que l'intégration accentuelle opère ou non tient à la structure interne du constituant nominal en fonction de complément;
(2) en cas d'intégration accentuelle, la façon dont se place l'accent de groupe tient à la structure accentuelle du verbe.

On peut donc classer les formes verbales selon qu'elles maintiennent ou non leur accentuation lorsque le syntagme qu'elles forment avec un complément donne lieu à intégration accentuelle.

Dans un syntagme «verbe + complément» à intégration accentuelle, à certains tiroirs verbaux, quel que soit le type accentuel du lexème et quels que soient les indices de sujet et d'objet incorporés, l'accentuation de la forme verbale isolée est invariablement maintenue; c'est notamment le cas du parfait négatif[13] :

(A) *kawárihiɓija* + *ʃíntru* → *kawárihiɓija ʃintru*
«ils ne nous ont rien volé»
tsahúhentsija + *ʃahulá* → *tsahúhentsija ʃahula*
«je ne t'ai pas laissé de repas»
(B) *kazánwa* + *máʒi* → *kazánwa maʒi* (*zi mbúzi*)
«elles n'ont pas bu d'eau (les chèvres)»
kawájafuŋga + *ŋgwé* → *kawájafuŋga ŋgwe* (*ja magóndzi*)
«ils ne les ont pas attachés à une corde (les moutons)»

Au parfait positif, le maintien de l'accentuation de la forme verbale isolée dépend des indices de sujet et d'objet préfixés à la base : l'accent de groupe coïncide avec celui de la forme verbale si celle-ci incorpore un indice de sujet et éventuellement un indice d'objet autres qu'élocutif singulier, allocutif singulier et délocutif de classe 1, indépendamment du type accentuel auquel appartient le lexème :

(A) *rítowa* + *mpesá* → *rítowa mpesa*
«nous avons donné de l'argent»
awalímija + *ʃamba* → *awalímija ʃamba*
«il leur a cultivé un champ»
(B) *líjali* + *majítsi* → *líjali majitsi* (*li gódzi, ja maʒímbi*)
«il les a mangé crus (le mouton, les taros)»
urifétse + *há ŋguvu* → *urifétse ha ŋguvu*
«tu nous as trop chatouillés»

13. Les exemples illustrant le comportement accentuel des formes verbales sont regroupés selon que le lexème verbal appartient au type accentuel A ou au type accentuel B.

Au subjonctif positif, la condition pour que la forme verbale conserve son accent est qu'il y ait un indice d'objet (n'importe lequel) préfixé à la base verbale :

(A) *nihúundrije* + *ɗágo* → *nihúundrije ɗago*
« que je te construise une maison »
amúvahase + *suŋgí* → *amúvahase suŋgi*
« qu'elle lui fasse des tresses »
(B) *anímbe* + *mahári* → *anímbe mahari*
« qu'il me donne une dot »
na munfúŋge + *ʃitámba* → *na munfúŋge ʃitamba*
« bandez-moi un bout de tissu »

Au subjonctif négatif, seuls les indices d'objet autres qu'élocutif singulier, allocutif singulier et délocutif de classe 1 permettent le maintien de l'accentuation de la forme verbale isolée, et cela quel que soit l'indice de sujet :

(A) *usiwáʣise* + *ntróŋgo* → *usiwáʣise ntroŋgo*
« ne leur demande rien »
musirihásiɓu + *ʃíntru* → *musirihásiɓu ʃintru*
« ne nous comptez pas »
(B) *risiwalíve* + *mpesá* → *risiwalíve mpesa*
« ne les payons pas »
risizilíʃe + *maʒíni* → *risizilíʃe maʒini* (*zi ŋkúni*)
« ne les laissons pas dans l'eau (les fagots) »

A d'autres tiroirs verbaux, la forme verbale maintient son accent si, ou bien le lexème appartient au type tonal A, ou bien le lexème appartient au type B et la forme verbale comporte un indice d'objet autre qu'élocutif singulier, allocutif singulier ou délocutif de classe 1 ; c'est le cas du présent positif :

(A) *nisáŋgiha* + *ɓaruwá* → *nisáŋgiha ɓaruwa*
« j'écris une lettre »
wasiláliha + *waʤéni* → *wasiláliha waʤeni*
« ils invitent des hôtes »
(B) *asíritsaha* + *ŋkóndro* → *asíritsaha ŋkondro*
« il nous cherche la bagarre »

L'infinitif positif illustre maintenant le cas de formes verbales qui, lorsque l'intégration accentuelle opère dans le syntagme « verbe + complément », ne maintiennent jamais l'accent qu'elles ont en isolation. On note en isolation une variation libre pour les bases du type tonal B, variation qui ne se manifeste plus en cas d'intégration accentuelle (l'explication étant que, dans ce cas, la place précise de l'accent du premier terme n'influe pas sur la place de l'accent de groupe) :

(A) *hupíha + ʃiházi* → *hupiha ʃíhazi*
«cuire de l'igname»
huwapiʃíja + ʃiházi → *huwapiʃija ʃíhazi*
«leur cuire de l'igname»
(B) *hulimá ~ hulíma + ʃiházi* → *hulima ʃíhazi*
«cultiver de l'igname»

Au parfait positif, le verbe perd l'accent qu'il manifeste en isolation à condition de ne comporter aucun indice de sujet ou d'objet autres qu'élocutif singulier, allocutif singulier ou délocutif de classe 1 :

(A) *tsiɓúwa + mlóŋgo* → *tsiɓuwá mloŋgo*
«j'ai ouvert une porte»
tsihuliʃíja + mkóɓa → *tsihuliʃijá mkoɓa*
«je t'ai laissé un sac»
(B) *aká + maskíni* → *aka máskini*
«il était pauvre»
alimí + ʃiházi → *alimi ʃíhazi*
«il a cultivé de l'igname»

Au subjonctif positif, l'absence de tout indice d'objet est la condition pour que le verbe perde, en cas d'intégration accentuelle, l'accent qu'il manifeste en isolation :

(A) *mumalíʣe + msómo* → *mumaliʣé msomo*
«que vous finissiez des études»
aɓawúhe + aʤáli → *aɓawuhe áʤali*
«qu'il fasse attention»
(B) *uʣáme + vwahánu* → *uʣame vwáhanu*
«que tu te caches quelque part»
na ritsímbe + ŋgamá → *na ritsimbe ŋgáma*
«creusons un fossé»

Au subjonctif négatif, la condition pour que le verbe perde, en cas d'intégration accentuelle, l'accent qu'il manifeste en isolation, est l'absence d'indice d'objet autre qu'élocutif singulier, allocutif singulier ou délocutif de classe 1 :

(A) *risipíhe + ʃahulá* → *risipihe ʃahúla*
«ne préparons pas de repas»
musinifaɲíje + mbovú → *musinifaɲije mbóvu*
«ne me faites pas de mal»

(B) *musiɗeŋgé + ha ŋgúvu* → *musiɗeŋge há ŋguvu*
«ne bougez pas trop»
musimtré + maré → *musimtre máre*
«ne lui crachez pas dessus»

Enfin au présent positif, la condition pour que le verbe perde, en cas d'intégration accentuelle, l'accent qu'il manifeste en isolation, est qu'il appartienne au type tonal B et n'incorpore aucun indice d'objet autre qu'élocutif singulier, allocutif singulier ou délocutif de classe 1 :

wasikántra + mijá → *wasikantra míja*
«ils coupent de la canne à sucre»
risimulíva + mpesá → *risimuliva mpésa*
«nous le récompensons avec de l'argent»

En se basant sur les observations faites antérieurement à propos de groupes nominaux complexes, on peut faire l'hypothèse qu'en cas d'intégration accentuelle dans un syntagme «verbe + complément» :

— si l'accent du groupe coïncide avec celui de la forme verbale en isolation, c'est qu'il y a dans celle-ci au moins deux syllabes structurellement associées à un accent; en effet, nous avons constaté que pour la détermination d'un accent de groupe seuls comptent les deux premiers accents sous-jacents, les suivants étant simplement effacés.

— si l'accent de groupe ne coïncide pas avec celui de la forme verbale en isolation, c'est que celle-ci comporte un seul accent dans sa structure sous-jacente; en effet, dans ce cas la place de l'accent de groupe est déterminée en tenant compte du deuxième accent sous-jacent, qui appartient au complément.

Selon cette hypothèse, une forme verbale comme l'infinitif (qui ne maintient jamais son accent) est de structure accentuelle simple indépendamment des indices éventuellement présents. Autrement dit à l'infinitif, la base verbale a un accent fixé par le lexique (avec possibilité systématique de variation pour les bases dissyllabiques de type B : *hureŋgá* ~ *huréŋga*, *hulimá* ~ *hulíma*, etc.), et tous les indices d'objet sont structurellement dépourvus d'accent.

Pour rendre compte des propriétés accentuelles du parfait positif, on doit admettre qu'à cette forme :

— la base verbale comporte structurellement un accent associé à la syllabe finale pour les bases de type B, à la syllabe pénultième pour les bases de type A;

— les indices de sujet ou d'objet autres qu'élocutif singulier, allocutif singulier ou délocutif de classe 1 sont structurellement associés à un accent ;
— les indices de sujet ou d'objet élocutif singulier, allocutif singulier ou délocutif de classe 1 sont structurellement dépourvus d'accent.

Par exemple, dans *rítowa mpesa* « nous avons donné de l'argent » le verbe a pour structure sous-jacente *rí-tówa*, *amvíŋgijani zawadi* « il vous a apporté des cadeaux » s'explique par *a-mú-viŋgíja-ni*, et *umédze ŋkamba* (*u mhúŋga*) « elle a avalé une crevette (l'anguille) » s'explique par une forme structurelle *ú-medzé*.

Il faut seulement envisager le cas particulier des bases de trois syllabes ou plus lorsqu'elles sont précédées d'un indice de sujet structurellement associé à un accent et d'un indice d'objet structurellement dépourvu d'accent. Si rien de particulier ne se produisait là, l'accent réalisé devrait s'observer sur la syllabe antépénultième, mais ce n'est pas le cas : l'accent réalisé est sur l'indice d'objet. Ceci veut dire que la deuxième syllabe structurellement associée à un accent est dans ce cas la syllabe initiale de la base, et non pas la syllabe pénultième : dans *rihúlimija ʃamba* « nous t'avons cultivé un champ », le verbe a pour structure sous-jacente *rí-hu-límija*; dans *wahúɓalilija ndzija* « ils t'ont barré la route », le verbe a pour structure sous-jacente *wá-hu-ɓálilija*.

En élargissant les observations, on constaterait que de manière générale, lorsqu'une base verbale d'accentuation pénultième est précédée à la fois d'un indice d'objet structurellement dépourvu d'accent et d'un indice de sujet structurellement associé à un accent, on ne peut expliquer l'accentuation de la forme verbale qu'en admettant que l'accent structurellement associé à l'avant-dernière syllabe de la base se déplace d'abord sur sa syllabe initiale.

En ce qui concerne le subjonctif positif, on ne peut comprendre le comportement accentuel de cette forme qu'à condition d'admettre qu'elle a la particularité d'avoir une structure accentuelle différente selon qu'elle comporte ou non un indice d'objet.

En l'absence d'indice d'objet, le subjonctif a le comportement caractéristique des formes de structure accentuelle simple, et on doit considérer que les indices de sujet sont structurellement dépourvus d'accent, l'unique accent sous-jacent appartenant à la base verbale; les bases verbales dissyllabiques ont structurellement un accent associé à la syllabe pénultième, indépendamment du type tonal auquel elles appartiennent.

En présence d'indice d'objet, le subjonctif a le comportement d'une forme de structure accentuelle complexe, et on ne peut expliquer l'accentuation de ces formes qu'en admettant que, dans ce cas, les indices de sujet sont uniformément associés structurellement à un accent; les indices d'objet quant à eux sont structurellement dépourvus d'accent à l'élocutif singulier, à l'allocutif singulier et au délocutif de classe 1, structurellement associés à un accent dans les autres cas : dans *anímbe mahari* «qu'il me donne une dot», le verbe a pour structure sous-jacente *á-ni-mbé*; *wámulimijeni ʃamba* «qu'ils vous labourent un champ» s'explique par une forme structurelle *wá-mú-limíje-ni*; *ámulimijeni ʃamba* «qu'il vous laboure un champ» s'explique par une forme structurelle *á-mú-limíje-ni*; *úwalimije ʃamba* «que tu leur laboures un champ» s'explique par une forme structurelle *ú-wá-limíje*, et *anílimije ʃamba* «qu'il me laboure un champ» s'explique par une structure sous-jacente *á-ni-límije*.

On peut rendre compte des propriétés accentuelles du subjonctif négatif à partir de la structure accentuelle suivante :

— quel que soit le type tonal du verbe, l'indice de sujet est structurellement dépourvu d'accent;

— le formatif *-si-* est structurellement dépourvu d'accent;

— l'indice d'objet est structurellement associé à un accent, sauf à l'élocutif singulier, à l'allocutif singulier et au délocutif de classe 1;

— la base verbale comporte un accent structurellement associé à la syllabe finale dans le type B, à la pénultième dans le type A.

Par exemple, dans *usiwádzise ntroŋgo* «ne leur demande rien», le verbe a pour structure sous-jacente *u-si-wá-dzíse*; *musiritsáʃije maɓantra* «ne nous achetez pas de canards» s'explique par une forme structurelle *mu-si-rí-tsaʃíje*, et *musiʃiréŋge tsena* (*ji ʃirí*) «ne la prenez plus (la chaise)» s'explique par une forme structurelle *mu-si-ʃí-reŋgé*.

Au présent positif, avec les bases de type A le verbe a toujours le comportement d'une forme de structure accentuelle complexe. En l'absence d'indice d'objet, la syllabe accentuée est toujours la troisième syllabe avant la fin, ce qui conduit à identifier la syllabe pénultième comme la deuxième syllabe structurellement associée à un accent. Quant à la première syllabe structurellement associée à un accent, le plus simple est d'admettre qu'il s'agit du formatif *-sí-*.

L'adjonction d'un indice d'objet ne modifie pas cette structure, mais l'indice d'objet introduit un accent sous-jacent supplémentaire, sauf à l'élocutif singulier, à l'allocutif singulier et au délocutif de classe 1.

En cas d'intégration accentuelle, les formes de présent positif issues d'une base de type B et ne comportant aucun indice d'objet structurellement associé à un accent ont le comportement de formes accentuellement simples :

wasikántra + *mijá* → *wasikantra míja*
«ils coupent de la canne à sucre»

Compte tenu de la cohérence d'ensemble des explications proposées, le plus simple est de retenir la structure postulée ci-dessus et de supposer qu'au présent positif, les bases verbales de type B sont soumises à une règle qui efface l'accent associé à leur syllabe finale à condition que le verbe soit suivi d'un complément (cette règle s'appliquant avant les règles d'intégration accentuelle). La forme signifiant «ils coupent», en isolation *wasikántra*, a pour structure *wa-sí-kantrá* en l'absence de complément, *wa-sí-kantra* en présence de complément.

En ce qui concerne enfin le parfait négatif, en l'absence d'indice d'objet, on peut voir que cette forme a pour deuxième syllabe structurellement associée à un accent la dernière syllabe de la base ou la syllabe pénultième, selon le type accentuel du verbe. Il y a donc nécessairement un élément structurellement associé à un accent et un seul parmi les trois éléments préfixés que comporte nécessairement cette forme. La recherche d'un maximum de simplicité dans la description suggère de reconnaître comme tel l'indice de sujet : on pourrait voir en élargissant les observations que c'est cette hypothèse qui permet l'analyse la plus simple de l'ensemble des formes comportant le morphème négatif *ka~*. Ceci dit, on prédirait exactement les mêmes réalisations en considérant que le premier accent sous-jacent des formes de parfait négatif appartient à l'un des morphèmes *ka~* ou *~a~*. Par exemple, dans *karáfuwa ŋguwo* «nous n'avons pas lavé d'habit», on peut poser que le verbe a pour structure sous-jacente *ka-rí-a-fúwa*; *kazánwa maʒi* (*zi ɲómbe*) «elles n'ont pas bu d'eau (les vaches)» peut s'expliquer par une forme structurelle *ka-zí-a-nwá*, et *kajalíja tsena* (*ja magóndzi*) «ils n'ont plus bêlé (les moutons)» peut s'expliquer par une forme structurelle *ka-já-a-lijá*.

L'accentuation du parfait négatif varie selon le choix de l'indice d'objet, qui a donc là ses propriétés habituelles : il est structurellement associé à un accent ailleurs qu'à l'élocutif singulier, à l'allocutif singulier et au délocutif de classe 1, structurellement dépourvu d'accent à l'élocutif singulier, à l'allocutif singulier et au délocutif de classe 1, et la séquence « indice de sujet structurellement accentué + indice d'objet structurellement atone » provoque le déplacement de l'accent des bases de trois syllabes ou plus sur la syllabe initiale de la base : dans *ts-a-hú-hentsija ʃahula* « je ne t'ai pas laissé de nourriture », le verbe a pour structure accentuelle sous-jacente *tsí-a-hu-héntsija*.

Le bilan de ce qui précède en ce qui concerne les bases verbales est que la plupart des formes verbales ont des propriétés tonales qui ont une explication immédiate si on pose que chaque base verbale a dans sa forme lexicale une syllabe et une seule structurellement associée à un accent : la pénultième pour les bases de type A, la finale pour les bases de type B. On peut donc penser que c'est bien là l'accentuation de la forme lexicale des bases verbales, et que les quelques formes qui semblent contredire cette hypothèse donnent lieu à des règles particulières susceptibles comme nous l'avons vu de déplacer ou d'effacer l'accent lexical d'une base verbale.

En ce qui concerne les indices de sujet, il apparaît impossible de les réduire à une forme accentuelle sous-jacente unique qui serait indépendante du tiroir verbal où ils figurent :

— au parfait positif (et seulement au parfait positif) les indices de sujet doivent être considérés comme structurellement dépourvus d'accent à l'élocutif singulier, à l'allocutif singulier et au délocutif de classe 1, et structurellement associés à un accent dans les autres cas ;

— à certains tiroirs on doit considérer que les indices de sujet sont uniformément dépourvus d'accent (c'est par exemple le cas au subjonctif négatif, ou encore au subjonctif positif en l'absence d'indice d'objet) ;

— au subjonctif positif en présence d'indice d'objet, on doit considérer que les indices de sujet sont uniformément pourvus structurellement d'un accent.

Quant aux indices d'objet, dans la plupart des tiroirs verbaux on doit les analyser comme structurellement dépourvus d'accent à l'élocutif singulier, à l'allocutif singulier et au délocutif de classe 1, et structurellement associés à un accent dans les autres cas (c'est notamment le cas au parfait positif, au parfait négatif, au subjonctif positif, au subjonctif négatif, au présent positif). Mais à deux tiroirs (infinitif et futur positif), on doit considérer tous les indices d'objet comme structurellement dépourvus d'accent. Pas plus que les indices de sujet, les indices d'objet ne sauraient donc du point de vue accentuel se réduire à une série unique de formes sous-jacentes qui serait valable indépendamment du choix de tel ou tel tiroir verbal.

Cette analyse de la structure accentuelle des formes verbales du shindzuani s'est basée sur l'observation des modalités de l'intégration accentuelle dans le syntagme « verbe + complément ». Il peut donc être intéressant en conclusion de faire apparaître que selon la structure interne du complément, il n'y a pas toujours intégration accentuelle dans le syntagme « verbe+ complément ».

Il y a notamment une cohérence entre ce qui se passe au niveau du syntagme « verbe + complément » et au niveau du syntagme génitival : comme dans le syntagme génitival, l'intégration accentuelle est bloquée dans le syntagme « verbe + complément » si le deuxième terme du syntagme inclut l'article :

tsaŋgíha + li ɓaruwá → *tsaŋgíha li ɓaruwá*
« j'ai écrit la lettre »

ɓuwá + ji ʃiɓáka → *ɓuwá ji ʃiɓáka*
« ouvre la fenêtre »

La présence du déterminant déictique a elle aussi pour effet d'empêcher que l'intégration opère au niveau du syntagme « verbe + complément » :

usiɓámbe + ʃisaháni + ʃíni → *usiɓámbe ʃisahani ʃíni*
« ne touche pas à cette assiette »

nitsolóla + mtrumʃé + únu → *nitsolóla mtrumʃe únu*
« j'épouserai cette femme »

On peut remarquer qu'en combinant le déterminant déictique avec un déterminant autorisant l'intégration accentuelle, l'intégration accentuelle continue d'opérer au niveau du constituant nominal (ce qui se traduit ici par la chute de l'accent du déterminant déictique, qui n'est plus le deuxième élément du groupe structurellement associé à un accent) mais reste toujours bloquée entre le verbe et son complément :

aɓúwa + mlóŋgo + wa ʃúma + úle → *aɓúwa mloŋgo wá ʃuma ule*
« il a ouvert cette porte d'acier »

Quant au déterminant interrogatif, il ne donne pas lieu à intégration accentuelle dans le syntagme qu'il forme avec un substantif, et en fonction de complément, le syntagme ainsi formé reste accentuellement autonome du verbe. Dans la séquence « verbe + substantif + interrogatif », chaque terme garde l'accent qu'il manifeste en isolation :

nim̃toleje + ŋkandzú + jiví → *nim̃toleje ŋkandzú jiví*
« (il faut) que je lui sorte quelle robe ? »

asiúdza + masohá + javí → *asiúdza masohá javí*
« il vend quelles haches ? »

Dans de tels cas, on pourrait parler d'autonomisation accentuelle : l'introduction d'un nouvel élément dans un constituant nominal bloque un processus d'intégration accentuelle qui en l'absence de cet élément intégrerait le constituant nominal à un groupe accentuel de rang supérieur.

Ainsi en shindzuani, un système prosodique dont il y a lieu de penser qu'il provient d'un système tonal ancien présente les fonctionnements typiques des systèmes accentuels où la place des syllabes accentuées, non prédictible de par la seule donnée des limites du groupe accentuel, s'explique par des règles relativement complexes d'interaction entre les divers morphèmes accentogènes qui peuvent se trouver simultanément présents dans un même groupe accentuel.

BIBLIOGRAPHIE

ABRAHAM R.C., *Dictionary of Modern Yoruba*, second edition, Hodder and Stoughton, Londres, 1962.

——, *Dictionary of the Hausa Language*, second edition, University of London Press, Londres, 1962.

ARITIBA A.S., *Le Lamba de Défalé (langue gurunsi du Togo), phonologie et morphologie*, thèse de 3e cycle, Université Stendhal, Grenoble, 1987.

BALLAH D., *Étude phonologique du mbay*, mémoire de DEA, Université Stendhal, Grenoble, 1993.

BENDOR-SAMUEL J. (editor), *The Niger-Congo Languages*, University Press of America, Lanham, 1989.

BOLE-RICHARD R., *Systématique phonologique et grammaticale d'un parler ewe : le gen-mina du sud-Togo et sud-Bénin*, L'Harmattan, Paris, 1983.

BRACONNIER C., *Le Système tonal du dioula d'Odienné* (2 tomes), Institut de linguistique appliquée, Abidjan, 1983.

CALVET M., *Étude phonétique des voyelles du wolof*, CLAD, Dakar, 1964.

CHOMSKY N. et HALLE M., *Sound Pattern of English*, Harper & Row, New York, 1968.

CLARK M., *The Tonal System of Igbo*, Foris Publications, Dordrecht, 1990.

CREISSELS D., « Esquisse du système tonal du korokan », *Mandenkan* 14-15 (automne 1987 – printemps 1988), p. 81-106.

——, « La nasalité en bambara du Beledugu (parler de Daban) », *Mandenkan* 17 (printemps 1989), p. 41-68.

——, « Structures syllabiques du dialonké de Faléya », *Mandenkan* 18 (automne 1989), p. 1-30.

——, « Remarques sur le système tonal du soninké », *Linguistique africaine* 6, 1991, p. 129-134.

——, « La tonologie du bambara : bilan et perspectives », *Mandenkan* 24 (automne 1992), p. 1-45.

——, « Quelques précisions sur la tonalité du verbe soninké », *Linguistique africaine* 8, 1992, p. 79-90.

CREISSELS D. et KOUADIO N., *Description phonologique et grammaticale d'un parler baoulé*, Institut de linguistique appliquée, Abidjan, 1977.

——, *Les tons du baoulé (parler de la région de Toumodi)*, Institut de linguistique appliquée, Abidjan, 1979.

DELL F. et ELMEDLAOUI M., « Syllabic consonants in Berber : some new evidence », *Journal of African Languages and Linguistics* 10, 1988, p. 1-17.

DIABATÉ M.M., *Transcription et Analyse de textes de tradition orale malinké*, thèse de doctorat, Université Stendhal, Grenoble, 1990.

DIAGANA O.M., *Le Parler soninké de Kaedi (Mauritanie), syntaxe et sens*, thèse d'État, Université de Paris V, 1984.

DIALLO M., *Éléments de systématique et de dialectologie du marka-kan (Burkina-Faso)*, thèse de doctorat, Université Stendhal, Grenoble, 1988.

DIARRA S.O., *Éléments de description du fuladugukakan de Sébékoro (parler manding du Mali)*, thèse de doctorat, Université Stendhal, Grenoble, juin 1992.

DICKENS P., « The history of so-called strengthening in Tswana », *Journal of African Languages and Linguistics* vol. 6, n° 2, Leiden, 1984.

——, *Qhalaxarzi Phonology*, thèse de doctorat, Université de Witwatersrand, Johannesburg, 1986.

DJARANGAR D., *Description phonologique et grammaticale du bédjonde, parler sara de Bédiondo, Tchad*, thèse de doctorat, Université Stendhal, Grenoble, 1989.

DOKE C.M. et VILAKAZI B.W., *Zulu-English Dictionary*, Witwatersrand University Press, second edition (revised), 1953.

DONEUX J.L., « Hypothèses pour la comparative des langues atlantiques », *Africana linguistica* VI, Musée royal de l'Afrique centrale, Tervuren, Belgique, Sciences humaines n° 88, 1975, p. 41-129.

DURAND J., *Generative and Non-Linear Phonology*, Longman, Londres, 1990.

DWYER D.J., *The Comparative Tonology of Southwestern Mande Nominals*, Ph.D., Michigan State University, 1973.

——, « The historical development of Southwestern Mande consonants », *Studies in African Linguistics* vol. 5, n° 1, 1974.

EKE U.K., *Éléments de description de l'igbo d'Ohafia*, thèse de 3e cycle, Université Stendhal, Grenoble, 1985.

EKLO A.A., *Le Kposso de Tomégbé (Togo)*, thèse de 3e cycle, Université Stendhal, Grenoble, 1987.

FAYE W., *Étude morphosyntaxique du sereer singandum (région de Jaxaaw-Ñaaxar)*, thèse de 3e cycle, Université Stendhal, Grenoble, 1979.

GARDE P., *L'Accent*, PUF, Paris, 1968.

GOUNGAYE W. N., *Étude descriptive du gbeya, parler gbaya de la région de Bossangoa en République centrafricaine*, thèse de 3e cycle, Université Stendhal, Grenoble, 1986.

GRÉGOIRE Cl., « Les voyelles finales alternantes dans la conjugaison affirmative des langues bantoues centrales », *Journal of African Languages and Linguistics*, 1, Leiden, 1979.

——, *Le Maninka de Kankan, éléments de description phonologique*, Musée royal de l'Afrique centrale, Tervuren, Belgique, ann. vol. 122, Sciences humaines, 1986.

GUÉHOUN A.N., *Description systématique du dida de Lakota (langue kru de Côte d'Ivoire)*, thèse de doctorat, Université Stendhal, Grenoble, 1993.

HALLE M. et CLEMENTS N., *Problem Book in Phonology*, The MIT Press, 1983.

HOMBERT J.M., « Consonant types, vowel height and tone in Yoruba », *Studies in African Linguistics*, 8 (2), 1977.

HOUIS M., *Étude descriptive de la langue susu*, Mémoires de l'IFAN n° 67, IFAN, Dakar, 1963.

INNES G., *A Practical Introduction to Mende*, School of Oriental and African Studies, Londres, 1971.

IWEH O., *La Phonologie et le Système nominal de l'urhobo*, thèse de 3e cycle, Université Stendhal, Grenoble, 1983.

JAFFAR A., *Éléments de description du système accentuel du shindzuani*, mémoire de DEA, Université Stendhal, Grenoble, 1992.

KEITA B., *Éléments de description du malinké de Kita (Mali)*, Centre de linguistique africaine, Université Stendhal, Grenoble, 1986.

LADEFOGED P., *Preliminaries to Linguistic Phonetics*, The University of Chicago Press, 1971.

MARCHESE L., *Atlas linguistique des langues kru : essai de typologie*, 2e édition, Institut de linguistique appliquée, Abidjan, 1983.

MEEUSSEN A.E., « Tonunterschiede als Reflexe von Quantitätunterschieden im Shambala », *Afrikanistische Studien : Diedrich Westermann zum 80. Geburtstag gewidmet*, éd. J. Lucas, Akademie Verlag, Deutsche Akademie des Wissenschaften, Institut für Orientforschung, Veröffentlichtung Nr 26, Berlin, 1955.

NICOLAI R., *Les Dialectes du songhay : contribution à l'étude des changements linguistiques*, Bibliothèque de la SELAF 85-86, SELAF, Paris, 1981.

NOYE D., *Cours de foulfouldé, dialecte peul du Diamaré, nord-Cameroun*, librairie orientaliste Paul Geuthner, Paris, 1974.

OLIOBI V.C., *Éléments de description de l'igbo d'Onitsha*, mémoire de maîtrise, Université Stendhal, Grenoble, 1986.

OMAR H., *Éléments de description de l'oromo*, mémoire de maîtrise, Université Stendhal, Grenoble, 1988.

ONUMAJURU E., *Le Système verbal de l'igbo (parler d'Orlu)*, thèse de 3e cycle, Université Stendhal, Grenoble, 1985.

OUMAROU YARO B., *Éléments de description du zarma*, thèse de doctorat, Université Stendhal, Grenoble, 1993.

PALAYER P., *La Langue sar (sud du Tchad)*, thèse d'État, Université de Tours, 1989.

PHILIPPSON G., *Ton et Accent dans les langues bantu d'Afrique orientale*, thèse d'État, Université de Paris V, 1991.

PONGWENI A.J.C., *Studies in Shona Phonetics : An Analytical Review*, University of Zimbabwe, 1989.

QUAIREAU A., *Description de l'agni des parlers Moronou, Ndénié et Bona*, thèse d'État, Université Stendhal, Grenoble, 1987.

RIALLAND A., *Systèmes prosodiques africains. Fondements empiriques pour un modèle multilinéaire*, thèse d'État, Université de Nice, 1988.

RIALLAND A. et SANGARÉ M., « Réanalyse des tons du bambara : des tons du nom à l'organisation générale du système », *Studies in African Linguistics* vol. 20-1, 1989.

SCHADEBERG T.C., *A Small Sketch of Ewe*, Afrikanistische Arbeitspapiere, Sondernummer, Universität zu Köln, 1985.

SCHUH R.G., « Tone rules », *Tone, a Linguistic Survey*, edited by V.A. Fromkin, Academic Press, Inc., Londres & New-York, 1978.

STEWART J.M., « Tongue root position in Akan vowel harmony », *Phonetica* 16, 1967.

TERSIS N., *Le Zarma (république du Niger), phonologie, synthématique, syntagme nominal*, SELAF n° 33-34, Paris.

THOMAS J.M.C., BOUQUIAUX L. et CLOAREC-HEISS F., *Initiation à la phonétique*, PUF, Paris, 1976.

TOURÉ A., *Éléments de phonologie et de morphologie de la langue sosso*, mémoire de DEA, Université Stendhal, Grenoble, 1989.

VAN SPAANDONCK M., *L'Analyse morphotonologique dans les langues bantoues*, SELAF, Paris, 1971.

VANHOUDT B., *Description du bisa de Zabré, langue mandé du groupe sud-est*, thèse de doctorat, Université libre de Bruxelles, 1992.

WELMERS Wm. E., *African Language Structures*, University of California Press, 1973.

INDEX THÉMATIQUE

Cet index, qui est un index thématique et non pas terminologique, ne donne pas l'indication mécanique de la totalité des pages où apparaît un terme donné, mais s'efforce plutôt de faciliter la recherche des passages où une notion donnée est, soit définie, soit développée de manière spécifique. Le lecteur qui ne trouverait pas directement dans cet index un terme sur lequel il souhaite des précisions est donc invité à rechercher d'autres termes susceptibles de renvoyer à la même notion ou à des notions apparentées.

INDEX DES LANGUES

Pour chaque langue citée dans le courant de l'exposé, on indique ici sa place dans la classification génétique des langues africaines ainsi que les pays où elle est parlée. Par exemple, « koyaga : Niger-Congo, mandé, mandingue ; Côte d'Ivoire » signifie que le koyaga est un parler mandingue, le mandingue appartenant à la branche mandé de la famille Niger-Congo, et que cette langue est parlée en Côte d'Ivoire.

En ce qui concerne la classification génétique des langues africaines, on s'en est tenu ici pour l'essentiel au classement de Greenberg [1], en s'en écartant toutefois là où il semble qu'une majorité de spécialistes de la question sont maintenant d'accord sur la nécessité d'apporter certains correctifs.

On considérera donc qu'à l'exception du malgache [2] (qui est apparenté au malais) ainsi que de quelques parlers d'origine européenne d'implantation relativement récente (krio, afrikaans, créole portugais, etc.), les langues parlées sur le continent africain se répartissent en quatre familles génétiques : khoi-san, afro-asiatique, nilo-saharienne et Niger-Congo. On ne rangera toutefois dans aucune de ces familles le songhay, que Greenberg rangeait dans la famille nilo-saharienne, car il s'avère que le songhay présente des affinités à peu près équivalentes avec les langues sahariennes (classées dans la famille nilo-saharienne) et avec les langues mandé (classées dans la famille Niger-Congo), sans qu'il y ait d'argument vraiment décisif pour trancher.

La famille khoi-san regroupe les langues parlées en Afrique australe par les Bushmen et les Hottentots, plus le sandawe et le hatsa, parlés en Tanzanie, qui constituent vraisemblablement un résidu de l'extension beaucoup plus large que devait avoir cette famille de langues avant l'expansion bantoue en direction du sud.

La famille afro-asiatique regroupe :
– les langues sémitiques (principalement localisées sur le continent asiatique, mais

1. Cf. J. Greenberg, *The Languages of Africa*, Indiana University Research Center in Anthropology, Folklore and Linguistics, Publication n° 25, 1963.
2. Le malgache est parlé non seulement à Madagascar, mais aussi aux Comores (notamment à Mayotte), en concurrence avec des parlers bantous.

représentées en Afrique par les langues sémitiques d'Éthiopie (amharique, etc.) ainsi que par l'arabe) ;
– l'égyptien, qui a cessé d'être parlé au profit de l'arabe mais dont une forme relativement récente, le copte, est toujours utilisée comme langue liturgique par les chrétiens d'Égypte ;
– les langues berbères ;
– les langues tchadiques ;
– les langues couchitiques.

La famille nilo-saharienne rassemble plusieurs groupes de langues, parmi lesquels seul le groupe que Greenberg désigne comme Chari-Nil comprend un nombre important de langues ; ce groupe inclut en particulier les langues nilotiques, parlées par un nombre appréciable de locuteurs et dont l'unité génétique était reconnue depuis longtemps par les linguistes. Si on exclut le songhay du nilo-saharien, on peut dire que le kanuri (rattaché au groupe saharien) est la seule langue nilo-saharienne en dehors du groupe Chari-Nil à être parlée par un nombre important de locuteurs.

La famille Niger-Congo rassemble les groupes de langues suivants : mandé, kordofanien[3], atlantique, gour, krou, kwa[4], Bénoué-Congo, Adamawa-oubanguien.

La famille Niger-Congo inclut aussi quelques langues qui ne se rattachent de façon évidente à aucun des groupes énumérés ci-dessus. Il s'agit essentiellement du dogon et de l'ijo.

3. Greenberg considérait que ce groupe de langues était apparenté à la famille Niger-Congo sans être toutefois inclus dans cette famille.
4. Le groupe de langues actuellement désigné comme kwa est plus restreint que celui que Greenberg désignait de ce terme : non seulement on considère maintenant que les langues krou constituent un groupe autonome à l'intérieur du Niger-Congo, mais en outre les langues que l'on désignait précédemment comme langues kwa orientales (parlées dans la partie Sud du Nigéria) sont maintenant considérées comme appartenant au groupe Bénoué-Congo.

TABLE DES MATIÈRES

Achevé d'imprimer
avec les films fournis,
en mai 1994
par IMPRIMERIE LIENHART
à Aubenas d'Ardèche

Dépôt légal mai 1994
N° d'imprimeur : 6928